社会的連帯経済への道

［続］未踏の時代の経済・社会を観る

井上良一 著
Inoue Ryoichi

社会評論社

CONTENTS

プロローグ

問題意識は単純です。

日本は1970年代中頃まで高度経済成長を誇り、さらにその終焉後でも、1990年代の初めごろは、一人当たり国民所得が世界の中でトップクラスになるまでになりました。これが30年経た現在、20位あたりから30位あたりに、徐々に落ち込んできています。今後、さらに落ち込む可能性もあります。なぜこんなことになったのか？日本人の多くは、この説明がうまく出来ないまま、日々苦しんでいる感があります。

現時点で考えると、これは、日本が古来持ってきた形が、現在に至って、移入された欧米の仕組みとの齟齬を乗り越えることができない状態に立ち至っているためではないかと考えました。日本の中で、人々の間で、内なる文明との衝突ともいうべきものがあり、この事態を乗り越えることができないため、経済システムとしては大きな限界に到達するに至って久しいということができるのではないかと考えました。

人々の中には言うに言われぬ閉塞感が漂うようになりました。

しかし、状況は乗り越えることができるのです。乗り越えるためには、今一番大事なことは、私たち自身がどういう資質を持っているか、自分は何者であるかを認識する必要があります。現在、指導層の人たちが、自らの資質を無視して、誤った政策選択をしてきて、これによってニッチもサッチもいかない状況となってきていると考えます。

ここで提案したいと思っていることは、私なりのこれに対する１つの考え方です。これが正しいかどうかは皆さんに判断していただかなくてはなりません。

前著（『日本語人のまなざし　2018年』）において、日本語が日本人のものの考え方、生活スタイルの原点を構成しているとして、日本語について、「相手の立場に立ってモノ言う言語」という言い方をしてきました。身近な人同士の会話において、相手が自分を呼ぶ人称を使って自己表現をすると言う形、あるいは、相手によって言い方を変える敬語（相対的敬語）などからそうした位置付けをしました。こうしたコミュニケーションスタイルは、ことばの領域の問題を超えて、私たちの対話の形、ひいては人間関係のあり方、広く私たちの生き方の根本のところまで規定していると考えています。

江戸時代末期、西洋の文物について、これを組み込んでいかなければ、西洋に支配されてしまう可能性があると捉え、それまでの、平安時代から言われていたという和魂漢才から、和魂洋才へと転身を遂げて、いち早く西欧に追いつくことに成功しました。単に言葉を変えるだけではなく、状況に応じて柔軟に対応を変えると言う天性を持っていると言って良いと思います。常に相手を見て、これに対する対応を考える、この資質は明治維新のときに如何なく発揮され、いち早く欧米先進国と肩を並べるまでになりました。自分の生活する外の世界の圧力に対しては、これに対応することは得意なのです。和魂というものが何であるのか、この言葉は明確に定義されてこなかったといって良いと思いますが、何かしら得体の知れないものが自らのうちに秘められている、そういう認識を抱いてきていたのではないかと思います。この内実が、実は日本語にあるのではないかとさえ思うようになっています。日本語の中に私たちの考え方・行動様式を決めていく要素が潜んでいるのではないかと、考えました。

他方で、こうした資質は、相手に対する対応や、異文化の導入を考える際にはたいへん敏感ですが、自分の中でそれを位置付けることについてはいささか鈍感な面があるように思います。矛盾を孕んだ内容であっても、意外と平気で取り込んでしまうのです。

制度矛盾があっても導入時には意外と鈍感で、そのまま組み込んで行ってしまいます。常に外部に目を向けているために、自らに資質については、あまり認識することなくことを進めていってしまう傾向があると言って良いと思います。神仏習合、あるいは神仏混淆という形がいつの間にか作られていった例などが、典型といって良いと思います。あまり適切な言葉ではないかもしれませんが、自覚しないまま、清濁併せ呑むと言う形で、新たな現実を作り出しているのです。

組み込まれた仕組みは、そのうちに一人歩きをするようになります。私たちは、自らの生来持っている資質を的確に捉えていないため、矛盾に直面してその実態に自覚ないままではありますが、打開策が見出せず苦しむのです。

ここでは、「日本語人」の生活スタイルにおけるありようから、自らの姿を振り返るとともに、どのように移入された制度との間で、整合の取れた仕組みを考えることができるかをテーマとして取り組んでみたいと考えているところです。

外からの圧力には的確に対応しても、内部化した課題を解決する力はまた別物です。内部で出来上がった構造を、自らの認識に基づいて臨機応変で変えていくことについては、ほんとうに不得意と言って良いのではないかと思います。外部に対応する形で内部に作られていく形は、タテの構造であることが一般的であり、作られたタテの構造を変える力は内部からは生まれにくいと言う実態があるように考えます。

能天気という批判を受けるかもしれませんが、現状に対する的確な対案が見出せれば、だいたいの課題は解決の方策を見つけることができます。また、悲惨な状況から抜け出す希望も生まれます。現時点で、私は分析の視点として、日本が古来内部に持ってきたものと、移入されたさまざまな仕組みとの間にある乖離や、ミゾを捉えてその解決の方向を考えるという視点で取り組みたいと考えています。前者については、それが、日本語という特異な言語に由来するものであるという認識に基づいています。

この中でも、私が日本語の特質と考えるものを、各局面で記述しておりますが、前著（「日本語人のまなざし」（2018年、社会評論社）第１

章）においてまとめて展開しておりますので、そちらの方もご覧いただければと思います。第１章の、日本語に由来する日本人の特質としては、

(A)自発性（受身体質の対極を求める）、

(B)ボトムアップの資質（秩序志向、稟議制度）、

(C)ウチ・ソトの峻別（閉鎖性につながるとともに、ソトでの事件については付和雷同的になるなど）、

(D)忖度、

(E)なじみ、

(F)受身体質

といったテーマで取り上げております

ウチ・ソトといった概念についてはすでに多くの方が展開しておられますので、特に説明をすることはしませんが、私としてはこの概念にあたる現実について、具体的な事例等の中で展開しておりますので、読み取っていただければと思います。

また、ここで述べたいと思っている事柄は、いずれも現状をどのように変えることが必要かという視点に立っていますので、自分自身としては政策論の領域に属すると考えています。できるだけクリアに問題を設定し、今抱えている困難を乗り越えることができれば、という気持ちでおります。その可能性も含めて少しでも読まれた方が、希望を持つことができるようになることが願いです。ただ、政策論としてはかなり大雑把なものでしかありませんので、皆様のご批判を仰ぎたいと思っております。

私たちは、特に意識することもなく起きている事象に対応していることが多いですが、意識される世界は現状の表現というよりは過去に作られた概念に当てはめるだけのことが多いように思います。今回は、この無意識に対応し過ごしていることについて、私の問題関心から意識に載せてみたいと思ったものです。今回の取り組みは、ささやかながら私の経済知識の基づき経済の観点から展開することになっています。

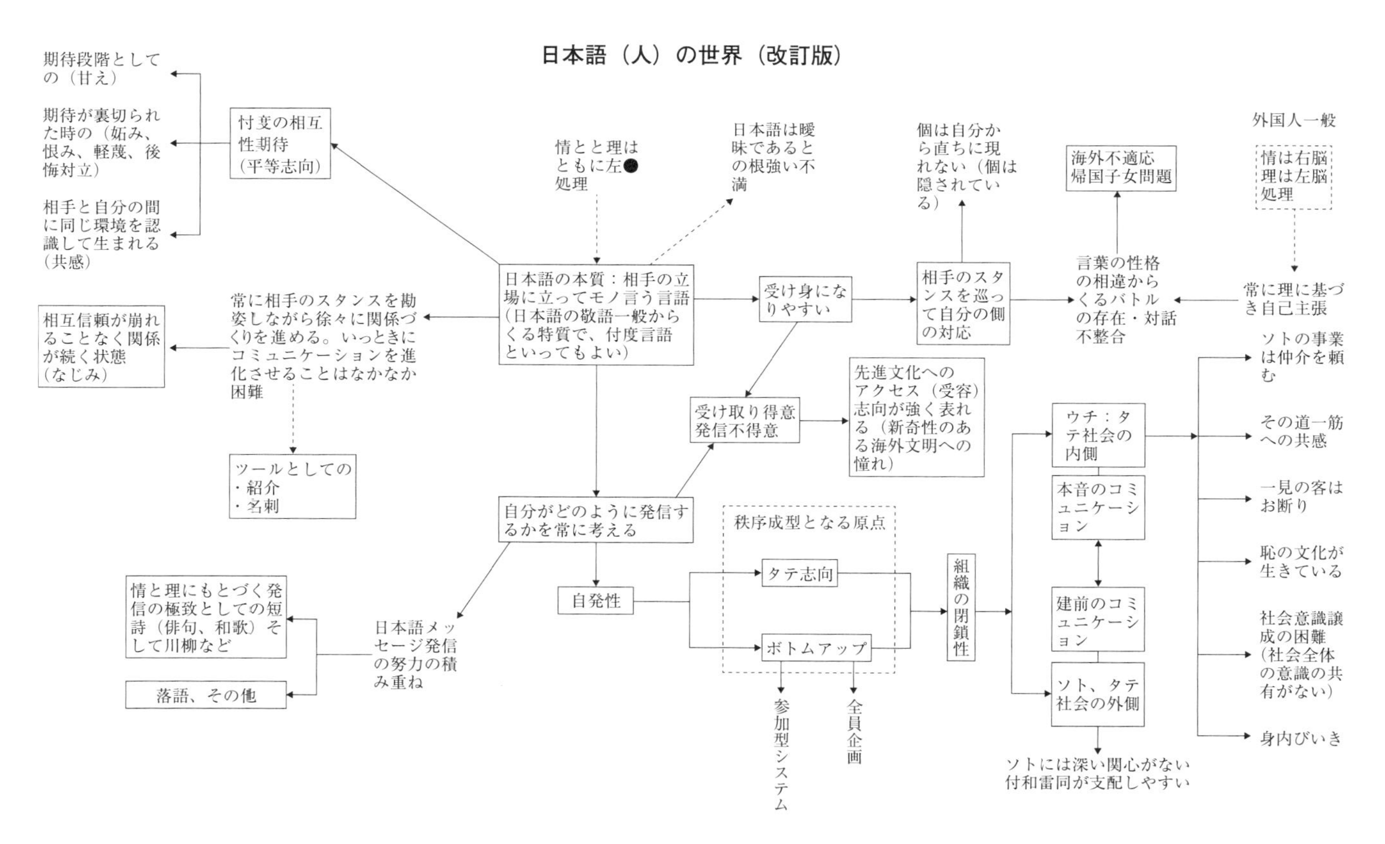
日本語（人）の世界（改訂版）
期待段階としての（甘え）
期待が裏切られた時の（妬み、恨み、軽蔑、後悔対立）
相手と自分の間に同じ環境を認識して生まれる（共感）
忖度の相互性期待（平等志向）
情とと理はともに左●処理
日本語は曖昧であるとの根強い不満
個は自分から直ちに現れない（個は隠されている）
海外不適応帰国子女問題
外国人一般
情は右脳理は左脳処理
日本語の本質：相手の立場に立ってモノ言う言語（日本語の敬語一般からくる特質で、付度言語といってもよい）
受け身になりやすい
相手のスタンスを巡って自分の側の対応
言葉の性格の相違からくるバトルの存在・対話不整合
常に理に基づき自己主張
常に相手のスタンスを勘案しながら徐々に関係づくりを進める。いっときにコミュニケーションを進化させることはなかなか困難
相互信頼が崩れることなく関係が続く状態（なじみ）
ツールとしての
・紹介
・名刺
受け取り得意発信不得意
先進文化へのアクセス（受容）志向が強く表れる（新奇性のある海外文明への憧れ）
ソトの事業は仲介を頼む
その道一筋への共感
一見の客はお断り
恥の文化が生きている
社会意識譲成の困難（社会全体の意識の共有がない）
身内びいき
ウチ：タテ社会の内側
本音のコミュニケーション
建前のコミュニケーション
ソト、タテ社会の外側
ソトには深い関心がない付和雷同が支配しやすい
自分がどのように発信するかを常に考える
秩序成型となる原点
タテ志向
ボトムアップ
参加型システム
全員企画
組織の閉鎖性
自発性
情と理にもとづく発信の極致としての短詩（俳句、和歌）そして川柳など
落語、その他
日本語メッセージ発信の努力の積み重ね

今回の展開のベースは私なりの日本語論を踏まえております。前頁図は、前著における日本語のもつ特性を描いたフローですが、少し書き換えております。

学生時代には、経済学（経済政策学）を学んできたものの、その後は学問の世界とは違った世界で生活をしてきており、また、その学びの時からはすでに50年余りを経過しており、果たして現在に通用するものであるかはなんとも言えません。しかし、基本的スタンスとしては、学生時代にゼミの恩師が常に言の葉に載せておられた、以下のような引用を、我が戒めとしたいと思っております。

"Wonder, Carlyle declared, is the beginning of philosophy.
It is not wonder, but rather the social enthusiasm which revolts from the sordidness of mean streets and the joylessness of withered lives, that is the beginning of economic science."
A.C.Pigou "The Economics of Welfare",P.5

「カーライルはいった。『驚異は哲学のはじめである』と。
しかし経済学の始めは驚異ではなく、むしろみすぼらしい街の汚さと、しなびた生活のわびしさに憤る社会的情熱である」（A. C. ピグー「厚生経済学」より）

なお、ＩＴのプロである小林信三さんにお教えいただき、今回の内容を曼荼羅で表現しました。以下のＵＲＬからご覧ください。

https://app.mandala.digital/ws-import.html?user=RyouichiInoue&repo=ssemandala&m=roadtossejapan

第1章

社会的連帯経済への道

社会的連帯経済は、これから目指されるべき経済システムの１つとして、大きな希望を抱かせるありようであると思います。現在の日本における新自由主義経済に対する１つの対抗軸になりうる考え方であると思います。ここでは、その意義をまず述べておきたいと思います。

１）「成熟社会」について

「成熟社会」というものについて、皆さんはどのようにお考えでしょうか。

私は「日本語人のまなざし」で、経済学的視点から次のように捉えてみました（104ページ）。

「成熟社会とは、社会における生産関係で、マクロ的に見て、供給力が恒常的に需要を上回るようになった社会である。」

ある意味で無味乾燥と思われる説明ですが、こうした仮説を置いてみると、今の日本の状況や国際状況が非常にクリアに展望できることに気づきました。のみならず、これからの日本社会の方向について考える際に、新たな発想を組み込むことができると思うようになりました。

この仮説を前提に考えますと、（データがないのでいい加減ですが）日本が成熟社会に入ったのは1990年代バブルが崩壊した頃からであると思っています。

この時期に、ケインズ的な経済政策（有効需要政策）が機能しなくなったことが１つの傍証です。

それまでは景気対策を打つと、投入した財政資金が呼び水となって成長軌道に戻るという考え方が一般的で、経済成長の軌道に戻ることが予想されていたわけです。しかし、1990年代以降、景気対策を打ってもその場では需要が作り出されるが、対策が終わると元の木阿弥で、財政赤字だけが積み上がるようになったのです。供給力をいくら増やしても、景気対策を打ち終えると、元の需要の状態に戻り、需要サイドの天井から、それ以上にはものが売れず、税収増には結びつかず、財政出動の結果だけが赤字として積み増されていったのです。国、地方の財政赤字が現在のように積み上がる一方、経済は相変わらず低迷し、失われた10年が20年となり、ついに30年となりました。財政赤字が現在のようになったのは1990年代以降のことであると認識する必要があります。（16頁のグラフを参照してください。）

こののち、全国の自治体ではリストラの嵐に見舞われることになりました。赤字を放置しておくことはできないので、通貨発行権のない自治体としてはプライマリーバランスを達成する圧力がかかり、首長はその達成が至上命題となっていったのです。この結果、自治体の状況は、人的にも厳しい状況とはなっていますが、現在は小康状態になっているところが多くなっているのではないでしょうか。成長時代は終わったという認識が一般化してきています。

しかし、国においてはこれが達成される見通しが立っていません。なぜなら、国は相変わらずの供給力拡大路線による企業支援体制を維持し続けているからです。このことが、供給力と需要との格差をさらに拡大することを意味しており、中長期的に見れば、経済の低迷状況を長引かせる効果を持つことになります。

さらにもう１つ大きな問題としては、政治家と官僚の間で、意思決定システムとして無責任体制が作られている面があると考えています。現状では政策形成は官僚が行っているのに、形の上では自己保身を最優先に考える政治家が政策に関する意思決定者になっていて、財政への抑制機能が働きません。政治が意思決定をする仕組みになっている現在のシステムから考えると、政治家が「全体の奉仕者」としての認識を確立して、政治の側であらゆる責任を取る覚悟がなくてはなりません。そして、それを可能とする、人的な仕組みを含めた体制の構築が必要なのです。

S（供給）＜D（需要）の時代

需要（D）の方が供給力（S）を上回る時代には、政策展開さえ的確に行われれば、日本の事例に見られたように高度経済成長が実現可能です。現在アジアの経済成長がめざましいのも、(ある面では日本の事例を見習って)経済成長の仕組みを作り実践しているからです。

経済規模が拡大を続けている時には、財政的にも税収が大きく伸びていくため、その資金を福祉に回すことができたということだと思います。より多くの人が成長の恩恵を受ける基盤があったのです。欧米を中心として福祉国家という考え方が大きく打ち出されたのも、この高度経済成長期であったと思っています。こうした現象は日本でも典型的に現れました。いわゆる「革新自治体」が全国各地に展開したのは、この時期のことです。

1960年代から70年代のオイルショックの頃までの日本の高度経済成長期においては、自治体でも成長に伴う税収増の活用先として、福祉へ振り向ける余裕が生まれた。こうした財政資金の使い方を巡って、積極的に人々の福祉の向上に向けた事業展開を目指した首長を中心に拡大していったのが革新自治体でした。しかし、成長のスピードが落ちた1970年代半ばから、徐々に革新自治体も姿を消していき、経済が完全な停滞状態に入った1990年代に入るとほぼ姿を消すこととなっていきました。

日本のこうした動きよりやや早い時期に高度経済成長期を迎えていた欧米でも、イギリスなどを中心に拡大する財政の使い道として、

3．公債残高の累増

我が国の普通国債残高（国の公債残高）は、年々増加の一途をたどっています。平成30年度末の普通国債残高は883兆円に上ると見込まれていますが、これは税収約15年分に相当し、将来世代に大きな負担を残すことになります。

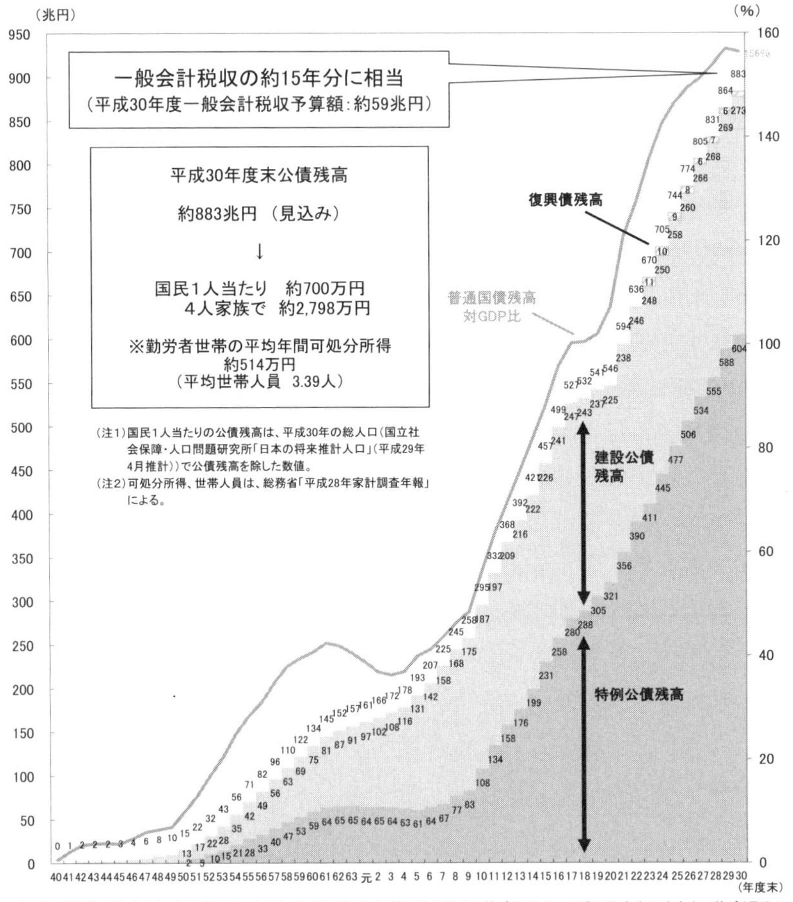

（注1）公債残高は各年度の3月末現在額。ただし、平成29年度末は補正後予算案に基づく見込み、平成30年度末は政府案に基づく見込み。
（注2）特例公債残高は、国鉄長期債務、国有林野累積債務等の一般会計承継による借換国債、臨時特別公債、減税特例公債及び年金特例公債を含む。
（注3）東日本大震災からの復興のために実施する施策に必要な財源として発行される復興債（平成23年度は一般会計において、平成24年度以降は東日本大震災復興特別会計において負担）を公債残高に含めている（平成23年度末：10.7兆円、平成24年度末：10.3兆円、平成25年度末：9.0兆円、平成26年度末：8.3兆円、平成27年度末：5.9兆円、平成28年度末：6.7兆円、平成29年度末：6.4兆円、平成30年度末：5.8兆円）。
（注4）平成30年度末の翌年度借換のための前倒債限度額を除いた見込額は828兆円程度。

財務省、日本の財政関係資料、5頁（ちなみに、平成元年=1989年）

「福祉国家」を目指す動きが盛んでした。

しかし、経済の成熟化（これを私は供給力が需要を恒常的に上回るようになった社会と言っています）に伴って、社会全体を見たときの需要と供給のバランスが変化してきたことに伴い、経済成長は鈍化していき、財政の伸びも期待できなくなり、福祉に向けられる財源の限界が生まれていって福祉国家論もだんだん下火になっていきました。

要するに、生産を拡大しても需要がそれに追いつかない状態になっていって、全般的に需要の天井がネックとなって、利益を上げることが困難になっていったのです。

つまり、成熟社会に到達した先進国は一般的には、財政規模がのびないという条件の中で、人々の生活の安定度をいかに高めるかという視点で、抜本的に政府や自治体は政策の再点検が求められていたのです。

S（供給）＞D（需要）の時代

供給力が需要を恒常的に上回る状態になると、企業は持続的な活動を維持するために当然ながら成長期とは異なった事業展開を目指さざるを得なくなります。経済規模が大きな社会ほど、そこでの企業の行動は、重要な意味を持っているといってよいと思います。

欧米、特にアメリカの企業は、海外進出を強めていっていわゆるグローバル企業となったのも、成熟社会となったアメリカ国内の需要の限界からであろうと思っています。インターネット技術が飛躍的に高まったことがこの傾向を一挙に高めて現在に至っています。企業が活動を継続し、あるいは大きくなっていくためには、利益を出さなければならないのですが、成熟社会になって売れる量が頭打ちになれば、できるだけ生産コストを下げて利益の確保を目指すのは必然的な方向と言えます。つまり、企業として利益を維持（あるいは拡大）するためには生産にかかるコスト削減が至上命題となります。他方では、まだ需要が旺盛な途上国などに輸出することもおこなわれます。そして、安い生産コストを達成する最も的確な方法として、生産コストが安くて済む海外で生産体制を作るという方向が定着します。結果として安いコストで生産された商品が逆輸入されるといった現象が生まれることになります。そうすると、国内で生産されていた商品は輸入品に負けるので、国内の企業の生産が更に厳しい状況に立たされることになり、雇用の維持も難しくなります。欧米諸国、日本でも同様の状況が生まれていったのですが、アメリカで進んでいった状況は、このように考えるとわかりやすいと思います。

経済の成熟化に伴い、多くの国々で高度経済成長は終焉している

下の一覧で明らかなように、高度経済成長は永久に続くといったものではなく、先進国、それ以外の国々を問わず、ある時点で成長がダウンする時が必ず来ています。元々、高度経済成長というのは、生産と消費、供給と需要のバランスが理想的な形となって、経済循環が円滑に行われるとき出現するとみて良いと思います。売り手と買い手のバランスが非常にうまくいっている時と言って良いでしょう。生産力が基本的にまだ需要力より小さくてもそのバランスが崩れれば、経済循環が崩れ、成長はストップしてきました。過去には、世界的な経済の停滞は何度もありました。生産と消費に関する適切な情報がうまく流通しない時代には尚更こうした現象が起きたと思います。

各国の飛躍的な経済成長（ウィキペディア「高度経済成長」より）

経済の奇跡（Wirtschaftswunder）-第二次世界大戦後から1970年代にかけての西ドイツ、オーストリアの経済成長
栄光の30年間（TrenteGlorieuses）-第二次世界大戦後から1973年までのフランスの経済成長
イタリアの奇跡- 1950年代後半から1960年代にかけてのイタリアの経済成長
スペインの奇跡（Spanishmiracle）- 1959年から1973年にかけてのスペインの経済成長
ギリシャの奇跡（Greekeconomicmiracle）- 1950年から1973年にかけてのギリシャの経済成長
メキシコの奇跡（Mexicanmiracle）- 1940年代から1970年代にかけてのメキシコの

経済成長
ブラジルの奇跡（Milagreeconômico）- 1968年後半から1973年にかけてのブラジルの経済成長
イボワールの奇跡- 1960年代から1970年代にかけてのコートジボワールの経済成長
台湾の奇跡 - 1960年代後半から1970年代にかけての台湾の経済成長
漢江の奇跡 - 1960年代後半から1970年代にかけての韓国の経済成長
東アジアの奇跡 - 1965年から1997年にかけての
日本（いざなぎ景気からカンフル景気まで）、
香港、台湾、大韓民国、シンガポール、マレーシア、タイ王国、インドネシアの経済成長

しかし、この高度経済成長時代の終わりは、そうした一時的な生産消費の間の齟齬とは別の要素を持っていると言って良いと思います。

戦争などで経済基盤が著しく破壊される場合などを除いて、経済の大きなメルクマールは、生産力（供給力）が需要力（消費力）を遥かに超えるようになってしまったときに起きる、1回限りの変化とみて良いと思います。生産と消費のバランスが変化して、作ってもそれ以上には売れない状態になったと理解するのが良いと思います。生産力が圧倒的に大きくなってしまった時と言い換えることができるでしょう。

この点についても経済学的にいうと、自生的に経済発展が進んだ国々と、政府の政策として経済成長を目指した国々とでは、このバランスが変わった時点からの動きは違ってくる面があると思います。

政策的に経済成長を目指した日本のような後発の国は、生産力が需要を遥かに超えた状況というのは、ものがそれ以上には売れなくなるという実態に直面してよりはっきりと現れるようになると言って良いでしょう。供給面に視座があるため、政策的な隘路に到達したことが見えると言って良いかと思います。

自生的な経済発展を遂げたところでは、需要と供給が相まって大きくなっていった面があり、経済の隘路を乗り越えるという点では、生産力が圧倒的に大きくなるという状態が見えにくい面があったのではないかと思います。

アジア経済のモデルとしての日本経済

日本経済は、政策的な経済成長を目指したという点で典型的な存在であったと言えます。そして、アジアの諸国は、日本の経済成長モデルを参考としながら、それぞれの国情に合わせて経済循環、そして経済成長のスタイルを作っていきました。日本経済はアジアの経済成長のモデルとなったと言って良いかと思います。そして、経済体制のいかんにかかわらず、アジアの諸国はだいたい同じような道を歩み、すでに高度に発展したところも出てきています。

また、アジアの国々の中では、今なお経済の高度成長に近い状態を続けている国もありますが、いずれ時間の問題で、成長の限界に到達する時期が訪れることになります。

このような経済の仕組みを持つ社会は生産と消費のアンバランスの発生は避けることができず、必然的に崩壊すると言う方もいらっしゃいますが、現代社会では、政策的にこの経済循環を見直すことで、経済はうまく回るようにできるのだと言わなければなりません。何も必然性などと言うことは必要なくて、政策の方向を大きく転換することができれば良いわけです。

高度経済成長が終焉したのちの対応として、直ちに現れたのは、1）生産コストの削減による販売の促進、利益の確保、2）海外の生産力のまだ低いところに進出して、安い人件費を使って生産を行い、製品を自国に逆輸入する形で、販売促進・利益確保を図ると言った形が現れて成長の持続を図る動きが鮮明かしました。

このように、途上国における拡大再生産体制を作ることによって、途上国の成長に寄与した面も一面ではあると思います。いずれにしても成長のダウンを乗り越える様々な取り組みが生まれていったことは確かと言って良いと思います。

2）高度経済成長終焉に伴う３つの方向

このような高度経済成長後の経済運営のあり方として、自覚的、無自覚的という両面があるかと思いますが、多くの専門家が、高度経済成長後の経済の方向について論究されているのですが、私は、大きく分けて整理するなら、以下のような３つの方向があるのではないかと考えています。

１新自由主義経済（英、米、日本等）

２福祉国家路線の推進（北欧）

３社会的連帯経済（南欧、中南米等）

①新自由主義経済

まず新自由主義経済運営です。一番わかりやすい動きとしては、先ほど述べたような形を展開するあり方です。

新自由主義の考え方は古くからありましたが、本格的に現在のような形が採られたのは、この高度経済成長の終焉により停滞した経済をいかに乗り越えるかという、検討の結果であると言えます。市場を最大限活用する考え方でそれを阻害する要因を取り除いて、企業活動をさらに活性化するという方向でした。

イギリスのサッチャー政権、アメリカのレーガン政権はこの方向に踏み切り、また日本でも現在に至るまでこの方式が採用されています。

この経済方式はすでに、大きな問題を抱えていることが判明しています。単純化して考えると、モノがそれ以上には売れなくなり、拡大再生産が極めて難しくなったために企業が考えたのは、①製造コストを圧縮し、販売価格の低下を通して販売量を確保し利益を維持する。そのためには材料費の圧縮はもちろん、人件費の削減のための方策を徹底する動きが顕著となりました。政府による派遣法の制定などはこの一環です。日本では、正規社員の採用から、コストの低い派遣社員への移行を円滑に進めるために、消費税の控除対象として派遣社員の給与を含めることまでして人件費抑制をやりやすくしました。②国内では販売の限界があるので、海外展開を図る。③その一環として、企画領域を自国に留保しつつ、開発途上国に生産拠点を移し、圧倒的に安い人件費で生産を行い、製品の逆輸入によって、競争力を高める。企業活動の視点からするとこの方向はある意味で自然であったと思われます。新自由主義経済は、開発途上国との経済環境の格差を利用し、グローバル化を前提とした経済の運営を必然とした形を内部に持っているということができます。ここまで行くと、逆に自国内の産業の空洞化を招くことも避けられません。

そして、自国内の雇用の圧縮につながり、雇用形態の変更も伴って、国内では今まで育っていた中間層が、２極分解していくことになりました。これが現在も先進国ではで進行中の動きです。国民生活全体を見ると、人件費圧縮を通して、豊かな人と貧しい人が半ば自動生成されていくのですから、国民経済全体として考えると、全く好ましいことではありません。ここでは、かつてあった、企業のミクロベースの活動と、国民経済全般のマクロベースの並行的な発展が成り立たなくなりました。ミクロとマクロは、完全に乖離するようになったのです。トリクルダウンがこういう状態でも働くと考えるのは、全くの間違いと言わなければなりません。

貧困が拡大しないよう、支えていくことはとても大事なことではありますが、その元となっている仕組みを改革しない限り、厳しい状況はさらに拡大していくだけになることは間違いありません。新自由主義に基づく経済システムは、人々の生活にとって決して望まれる仕組みではなく、現在この方式をとり続けている政府の政策は基本的に誤っていると考えます。政策が誤っているにも関わらず同じ方向しか考えていないために、社会の安定が損なわれる状況に至っているのです。

しかし、こうした方向を資本主義体制の必然と考えることは必ずしも妥当ではありません。大きな政策変更の決断がないと無理ではありますが、政策次第で変えることができるからです。

②北欧型福祉国家路線の推進

経済の成長が止まる、或いは成長度合いが小さくなるということは、そのままでは財政収入の拡大も停滞していくようになることを意味します。かつて、イギリスでもサッチャー政権以前において、福祉国家が高らかに唄い上げられていましたが、それは、成長の継続により財政収入の増加を福祉の向上に振り向けることができたからです。

日本でもこうした時代がありました。高度経済成長期には、革新自治体が族生するように生まれて、一世を風靡したことは、先ほど述べた通りです。人口集中地域の自治体を中心に、100を超える革新自治体が誕生しました。しかし、高度経済成長の終焉とともに、だんだんとなくなって、21世紀を迎える頃にはほぼ解消しました。成長の成果としての財政的ゆとりを地域の福祉に関する活動に投入することができ、そのことが有権者の支持を得たのですが、高度経済成長の終焉とともに、財源の限界でそうした可能性がなくなるとともに、支持を得られる政策を打ち出すことが困難になっていったからです。

このように、経済の成長が弱まる中で、この福祉に向ける財源を確保するためには、増税をするしかありませんが、それを実行したのが北欧諸国であると思います。税金の額は非常に高いのですが、国民がその財源を国民のために使うという姿を見ているので、この政策を支持しているのです。ここには、需要力を高めることを通して新たな経済循環を作るという考えが、内在していると思います。

日本でも、北欧型を目指したいという願望は今でもあると思いますが、日本の経済発展の歴史的経過を見る時、日本経済の構造自体が、企業活動を通した経済成長を目指す形を前提として作られているため、政府の経済推進に向けた構造を、生活に主眼を置く経済へ転換することは非常に困難と言わなければならず、中途半端な増税路線は企業支援を強める結果になるだけという現状にあります。人々の意識構造としても、別の道があるのだという認識を持つことがなかなか困難なように見えます。現実問題として、今のような供給サイドを支援する成長構造のもとでは、福祉国家目指す北欧型の道は可能ではないと言って良いと思います。

③社会的連帯経済

３つ目の方向が社会的連帯経済です。営利企業を軸に据えた新自由主義経済運営の考え方とは別に、非営利事業を中心とした民間の様々な活動を全体的に捉えて、その活動の活性化を目指す動きです。

「社会的経済」という用語は、フランスの公法用語の中に、1980年代に突然に登場したものでした。

「1981年12月15日付政令により、アソシエーション（非営利団体）、協同組合、共済組合の発展を援助するための大臣計画に基づいて、政府は「社会的経済運営委員会」を設立するためのこの用語がその実を持ったのである。同時にまた非常に独特なやり方で、アソシエーション（非営利団体）、協同組合、共済組合の各セクターは、その活動概念を明確にし、活動範囲の境界線を定めて、社会的経済を構成するものとして自らを規定する。原則面では、社会的経済は政治経済とは切り離れて独特の存在であると同時に、構造的かつ経済哲学的な統合体なのである。」（アンドレ・ヌリス「社会的経済」1983年　石塚秀雄 訳）

ヨーロッパで、成長が鈍化していくに伴って、徐々に育っていった方向の１つのが、「社会的経済」の取り組みでした。カソリック系のキリスト教にベースを置く考え方が強い、南欧地域を中心として、人々が皆一様に、人間らしい生活を実現することを目指して、社会的経済という考え方が広がりました。こうした考えの中には、社会的に排除されている人たちを、お互いの連帯を強くしてカバーしていこう（社会的包摂）とする考え方が底流にあったと思います。この象徴的な表れが、1991年のイタリアにおける、組合員間の共益を目指す協同組合の枠を超えた、社会的協同組合の法制化に見られます。この社会的経済によりお互いの絆を強めて、人間らしい生活をすべての人にという動きは、特に目立ってはおりませんが、民間の活動を中心として着実に広がりを見せており、高度経済成長終焉後の経済システムとして位置付けて良い状態にまで定着してきていると思います。
一方開発途上国でも、新自由主義的経済に基づくグローバル企業の活動を牽制し、対抗力として、連帯する取り組みが進み、「連帯経済」としてグローバルな連帯を目指して2001年にはブラジルのポルト・アレグレで第１回世界社会フォーラムが開催され、その後も継続的な取り組みが進んでいます。

社会的連帯経済というのは、社会的経済、という概念と連帯経済という概念の合成語です。
社会的経済というのは、高度経済成長が終息する頃からヨーロッパ、特に南欧で模索されてきた概念です。日本や、イギリス、アメリカなどで進められてきた新自由主義経済とは別の動きで、営利企業活動ばかりでなく、非営利の様々な活動を含めた社会の全体的活動の重要性を取り上げているものと私は理解しています。
連帯経済というのは、アメリカなどの新自由主義経済の席巻によって様々な問題を持つようになった開発途上国の対応として、新自由主義に対して、連帯して対抗していこうとする、国際的な運動です。最近は、この社会的経済と連帯経済が結びつく形となってきており、これを社会的連帯経済という表現で、活動をすることが一般化してきております。
日本ではこうした動きがあまり認識されていないため、私たちは「社会的連帯経済を推進する会」（任意団体です）を組織して日本の中に普及していこうとする活動を進めています。
社会的経済は、新自由主義経済とは、明確に一線を画しておりますが、もともと連帯経済との親和性は高く、連帯経済を展開する組織との連携も進んでおり、現状は事実上、社会的連帯経済としての取り組みといって良いと思います。場面は大きく異なっていますが社会的経済と連帯経済は、同じ出自によるものと考えております。
社会的連帯経済は、民間における活動であり、必然的に地域から

新自由主義経済、社会的連帯経済を対比して見る（主として日本の実態から）

	新自由主義経済	社会的連帯経済
指標	総供給力 > 総需要を継続	総供給力 ＝ 総需要を目指す
活動の中心	企業、これを政府が従来通り支援	非営利活動を含む様々な主体の活動・自治体との連携
目標	経済成長	人々の生活の安定を通した、生活の質向上
経済成長力	経済は飽和状態に達しているため低成長、または停滞	需要を拡大する政策をとることで新たな経済循環構造を作り出す。
方向性	成長を維持するために企業活動にかかる規制緩和を進める	社会的経済の活動の活発化、社会的経済領域における連帯の強化
	コスト削減による利潤確保対策	「ボトムアップ型の連携強化策、知恵の結集
	海外進出を進め開発途上国を市場として活用	地域からの活動、地域化の推進、非営利活動の推進
	開発途上国で生産、逆輸入	地産地消型、大規模化政策の転換
	利益が上がるとなれば公共領域にも参入	大企業の生産活動は自己責任、公共分野の充実強化
政策支援	タテ割り型司令塔による経済循環システム維持	自治体との連携
	金融における投機の拡大	金融の国際規制強化
	ゼロ金利を誘導し、設備投資促進を図る	社会的経済領域全般の所得拡大政策（需要力の拡大）
	派遣労働の制度化、人件費削減、賃金カット・抑制、非常勤化、	社会的経済領域の活動を市場に任せない、所得向上政策
	年功序列給与の踏襲 所得税の累進緩和、法人税の軽減	年功序列型給与制度の改革 累進所得課税、法人税の累進税化 税についての国際連携
起きる現象	供給力ばかりが拡大するため、経済停滞を招く	需要力（所得）拡大を通して国民生活の安定
	高度成長期に中流化した層の2極分解が進む、格差のさらなる拡大、さらには経済の崩壊へ	新たな経済循環システムの生成を通して、生産も回復

進める形になります。現場型のきめ細やかな活動が主体となっていると言って良いと思います。

また、マーケットメカニズムは使えるところでは使うことになります。

南欧、中米、南米等では、法整備も進んできています

2011年	社会的経済基本法　スペイン
	民衆連帯経済法　エクアドル
2012年	社会的連帯経済法　メキシコ
2013年	社会的経済基本法　ポルトガル
	社会的経済法　カナダケベック州
	社会連帯経済に関する国連機関間タスクフォースの創設会議（国連社会開発研究所）
2014年	社会的連帯経済法　フランス

アジアでの社会的経済の進展〜韓国の事例

南欧、そして中南米で大きく展開されてきた社会的連帯経済の取り組みは、アジアにおいても本格的に動き出しています。韓国では先進事例を日本に学び、またヨーロッパの制度を取り込んで新しい経済のあり方についての模索を続けてきています。

韓国における社会的経済関連法等の整備の推移　前身となる法整備	
1957年２月	農業協同組合法
1961年12月	中小企業協同組合法
1962年１月	水産業協同組合法
1963年５月	葉煙草生産者協同組合法
1972年８月	信用協同組合法
1980年１月	山林組合法
1982年12月	セマウル金庫法
1990年代初頭	都市貧困層の居住地において生産協同組合活動
1996年	金泳三政権による自活支援センター設立政策
1999年	国民基礎生活保障法（2000年施行）
2006年	社会的企業育成法（2007年施行）
2010年	マウル企業支援政策開始
2012年	協同組合基本法（2012年は、国際協同組合年）
2014年〜	社会的経済基本法の検討

アジア発GSEF（Global Social Economy Forum）の展開

そして、こうした社会的経済への道について、やはり、成長の終

焉に直面している中、いち早く当時ソウル市長の朴元淳氏が提起して、2013年にGSEF（Global Social Economy Forum,社会的経済にかかる国際フォーラム,以下、「ＧＳＥＦ」）が開催されています。ここでは、「ソウル宣言」を発するとともに社会的経済組織と自治体とが連携することで進めようとする形が生まれています。

「ソウル宣言」は、規制のない金融のグローバル化や、貧富の格差拡大に対して、多元的経済としての社会的経済が社会的不平等、社会的排除あるいは生態系の破壊といった諸問題を解決できる新しい希望であるとしてこれに取り組もうとする、アジア発の国際的連帯を目指す運動です。

そしてソウル市では、2014年５月に、国に先駆けて「ソウル特別市社会的経済基本条例を策定・施行し組織横断的な内容を盛り込んで社会的経済領域の活動の推進を支援しています。

この条例制定の目的は、第１条において、

「社会的経済の理念と構成主体、共通の基本原則を樹立して、関連する政策を推進することにあり、各社会的経済の主体とソウル特別市の役割について基本的な事項を規定することによって、ソウル特別市の社会的経済の活性化と持続可能な社会的経済の生態系の構築に貢献する」こととしています。

そして第２条では基本理念として、次のように述べています。

> この条例は社会構成員の共同の人生の質と福祉水準の向上、社会経済的な両極化の解消、社会安全網の回復、協同の文化の拡散など社会的価値の実現のために、社会的経済と市場経済及び公共経済の調和をつくりあげることを基本理念とする。

また、自治体としてはタテ割組織になっている日本では考えられないような、市組織横断的な形で社会的経済組織を規定しています。

> ソウル市社会的経済基本条例が定義する社会的経済組織とは（条例 第３条）
> ２　“社会的経済企業”：
> イ.「社会的企業育成法」第２条第１項による社会的企業と「ソウル特別市社会的

企業育成に関する条例」第２条第２項に定める予備社会的企業
ロ.「協同組合基本法」第２条または個別法律によって設立された協同組合または協同組合連合会（社会的協同組合、社会的協同組合連合会を含む）
ハ.「都市再生、活性化及び支援に関する特別法」第２条第１項第９号による地域（マウル）企業及びソウル特別市長（以下、"市長"という）が定めた地域（マウル）企業
ニ.「国民基礎生活保障法」第18条による自活企業、保健福祉部長官が認定した自活勤労事業団及び市長が認証した自活企業
ホ.「重症障害者生産品優先購買特別法」第９条の重症障害者生産品の生産施設
ヘ. その他、公有経済、公正貿易など市長が定める基準によって社会的な価値の実現を主たる目的とする経済的な活動をする企業及び非営利法人または非営利民間団体など
３．"中間支援組織"：中央部処、または地方自治団体と社会的経済企業の間の架橋の役割、社会的経済企業の間の連携、社会的経済企業の支援など社会的経済の生態系の造成を支援する組織。
４．"社会的経済の当事者の連合体"：社会的経済企業たちが交流及び協力するために自発的に集い、結成した当事者組織を云う。

さらに第20条では、新自由主義経済に対する対抗軸となることまで想定していると考えられるような、国際連携の支援に関する規定が盛り込まれています。

1　国際社会的経済の民官パートナーシップを基盤とする社会的経済ネットワークの構築
2　国際社会的経済の連帯と行動のための教育プログラムの共同開発
3　国際社会的経済のビジョンを共有し、人的資源の育成のための社会的経済の人的交流プログラムの企画運営
4　国際社会的経済が市場経済、公共経済と調和して発展するような社会的経済発展モデルの開発
5　国際社会的経済の協議体と事務局の運営及び協力のための支援
6　国際機構及び研究所などの誘致及び支援
7　その他、社会的経済の国際協力と関連して市長が必要であると定めた事項

グローバル企業が展開する現在、今や１国だけでは問題の解決は不可能で、国際的に知恵を出し合って取り組む必要があるということです。自治体と社会的経済組織との連携（カナダのケベック州で、すでに進んでいた、この連携の形を取り入れて「ケベックモデル」としています。）による新しい経済活動として、さまざまな運動を展開してきており、グローバル展開を積極的に進めています。

2012年	4月	持続可能な経済生態系の創設のための包括的社会的経済支援計画
	6月	ソウル社会的経済ネットワーク
	7月	社会投資資金の創設と運営に関する条例
	11月	フェアトレードの育成と遵守に関する条例
2013年	2月	「協同組合都市〜ソウル」実現のための基本計画
	3月	ソウル特別市協同組合活性化支援条例
	11月	グローバル社会的経済フォーラム（GSEF)2013
		「ソウル宣言」の採択「ケベックモデル」・・戦略的に取り込む
2014年	3月	社会的経済団体の商品の公的購入とマーケティング支援に関する条例
	5月	ソウル市社会的経済基本条例
	11月	GSEF2014ソウルで開催（第2回）協議体憲章の採択
2016年	9月	GSEF2016モントリオールで開催（第3回）
2018年	10月	GSEF2018スペイン、ビルバオで開催（第4回）
2020年	10月	GSEF2020（第5回）メキシコシティで開催予定であったが延期となった。この間オンラインフォーラムを開催

2014年、再びソウル市でGSEF2014が開催され、そこで理念や組織等を定めた「グローバル社会的経済協議会憲章」が採択されるとともに、事務局がソウルに設置されました。また、2年ごとに世界大会を開催することが決められ、2016年の第3回大会はモントリオールで開催されました。その後、第4回大会が2018年にスペインのビルバオで開催され、国際連携が進んできています。

モントリオール大会では、中南米、アフリカ等への広がりが見られ、文字通り世界大会として62カ国の330の地域から1500人余りの参加が見られました。また、ソウルでは、「社会的経済」という言い方がなされていましたが、モントリオール大会では「社会的連帯経済」という言い方に統一され、社会的経済に関わる情報、ノウハウを蓄積し共有するための機関として、CITIES（社会的連帯経済に関する経験共有のための国際センター）も設置されました。

かつてヨーロッパの社会的経済組織を視察（2004年、横浜・参加型システム研究所の「ヨーロッパ福祉研修・検証ツアー」）に参加させていただいたときには認識できなかった社会的経済の時代的背景とその活動の意義を、ソウル市の条例は非常に鮮明に示してくれたものでした。

そして、このテーマの延長上に、現在の日本社会が乗り越えていくための、大きな示唆があると考えました。すなわち、日本が明治以来営々と進めてきた総供給拡大の展開から、これからは総需要の拡大（戦略的には、社会的経済領域の所得拡大）へとシフトする基本的なパラダイム転換が求められているというものです。今まで行われてきたサプライサイドの考え方を転換し、経済循環を作る起点（政策投入点）を需要する側に置き、所得の平準化を進めることで全体の需要力の拡大を目指す政策に転換して、そこから生まれる需要が供給側に循環する形での経済循環を作り出すことが、目指すべき方向であると確信しました。マクロ経済の課題はマーケットメカニズムで解決できるものではなく、政府の政策レベルでのはっきりとした転換がなければ、実現することができない類のものであることは当然です。何よりも、人々の意識が、社会的経済領域への資源配分の拡大が、希望のある社会を切り開いて、新しい経済循環を作り出すベースになると考えるようにならなければ、政府の政策転換も難しいものがあります。

国連社会開発研究所におけるSDGsアジェンダ2030

社会的経済、連帯経済の動きを背景に、国連においても国連社会開発研究所が、持続可能な開発目標（SDGs）を掲げ、2015年９月の国連サミットで採択された「持続可能な開発のための2030アジェンダ」への取り組みを通じて連携の強化を図る取り組みも始まっています

SDGsは国連が2016年から2030年までの15年間で世界が達成するべきゴールを表したもので17項目の目標と169のターゲットからな

ります。2015年９月、ニューヨークの国連本部で「国連持続可能な開発サミット」が開催され、「我々の世界を変革する：持続可能な開発のための2030アジェンダ」が採択されました。その中核を成すのがSDGsです。

SDGs17項目の目標

1．目標１貧困をなくそう
2．目標２飢餓をゼロに
3．目標３すべての人に健康と福祉を
4．目標４質の高い教育をみんなに
5．目標５ジェンダー平等を実現しよう
6．目標６安全な水とトイレを世界中に
7．目標７エネルギーをみんなにそしてクリーンに
8．目標８働きがいも経済成長も
9．目標９産業と技術革新の基盤をつくろう
10. 目標10人や国の不平等をなくそう
11. 目標11住み続けられるまちづくりを
12. 目標12つくる責任つかう責任
13. 目標13気候変動に具体的な対策を
14. 目標14海の豊かさを守ろう
15. 目標15陸の豊かさを守ろう
16. 目標16平和と公正をすべての人に
17. 目標17パートナーシップで目標を達成しよう

日本ではSDGsは、アヘンであるという発信も出るくらい、供給サイドとしてのビジネスの一環として扱われている向きがありますが、元々、社会的連帯経済を進める動きの一環として、国連で検討が進められ、国連で決議されたものです。この社会的連帯経済と、SDGsに関わる経緯については、2020年９月12日、「社会的連帯経済を推進する会」主催のオンラインセミナーで、講師の明治大学柳澤敏勝教授のお話が大変参考になります。

その全体は、社会的連帯経済を推進する会のホームページに記載してあるURLから、YouTubeをご覧いただくことができます。
（https://www.youtube.com/watch?v=yV4z_HgvAjs）

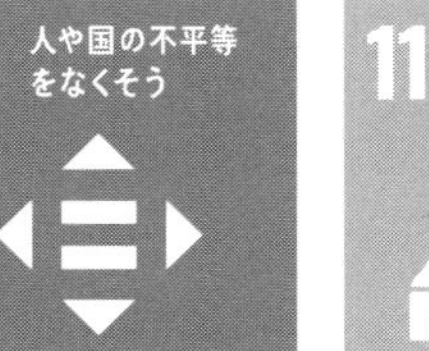

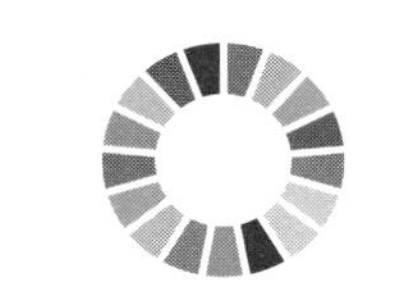

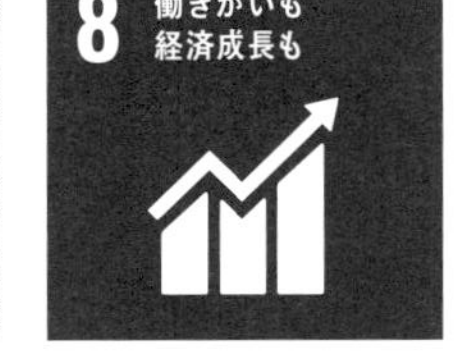

SUSTAINABLE DEVELOPMENT GOALS
世界を変えるための17の目標
1 貧困をなくそう
2 飢餓をゼロに
3 すべての人に健康と福祉を
4 質の高い教育をみんなに
5 ジェンダー平等を実現しよう
6 安全な水とトイレを世界中に
7 エネルギーをみんなにそしてクリーンに
8 働きがいも経済成長も
9 産業と技術革新の基盤をつくろう
10 人や国の不平等をなくそう
11 住み続けられるまちづくりを
12 つくる責任つかう責任
13 気候変動に具体的な対策を
14 海の豊かさを守ろう
15 陸の豊かさも守ろう
16 平和と公正をすべての人に
17 パートナーシップで目標を達成しよう

3）日本経済の現段階をどう捉えるか

さて、経済の状況からくるこうした社会の変化の中で、日本はどのような道筋を辿ったか、考えてみたいと思います。

1970年代に最盛期を迎えた活発な政治経済の活動は、需要の限界から、供給力　＞需要力　になった中で、日本社会は21世紀を迎えたと考えています。

日本経済が停滞期に入り、失われた10年が経過した頃から、これを脱却する方向として、当時の小泉・安倍政権は本格的に新自由主義的な道を採用していきました。しかし、この道は新たな成長には結びつかず、実際には福祉の切り下げ、貧富の格差の拡大等、様々な問題に逢着するに至っています。そして、安倍政権、菅政権に引き継がれた中でも、なお現在進行形といった形で続けられているのですが、様々な問題はさらに広がった形で問題を生み出しています。そして、もともとあった人々の間の平等志向が急速に失われていった時期に当たります。

こうなったのは、日本の政治行政システムの構造そのものが、明治維新の当初から先進国に追いつき追い越すという経済成長を目指すことを第一義として作られていて、これに代わる発想を現実化しにくい実態があると言って良いと思います。

しかも、日本では、規制緩和を進めるといっても、官主導のもとで、きめ細かに進められてきているといって良いと思います。民間企業の自由度を高める規制緩和をしているはずなのに、日本では、これが役所主導で進められてきました。現在企業に元気が出ないのは、新自由主義に名を借りた、行政指導の域を出ない政策の採用だったといって良いと思います。実際、人々の希望を育むことがないまま推移している新自由主義は、日本社会に応用するにはふさわしくないモデルであったということを意味するのではないでしょうか。このため、経済の好循環をつくること自体、たいへん難しい局面に日本経済は自らを追い込んで、失われた30年となってしまいました。
そして、さらなる問題があります。第２次世界大戦で敗北した後、アメリカの恩恵に浴してきたことが、アメリカ型の仕組みに倣うことが目標として掲げられたという点はあるかもしれませんが、今は、さらに、成長システムを復活させるために、明治のシステムに戻る必要があると考えている人たちがかなりいるということです。下部構造としての経済の発展段階の大きな変化のある中で、それを無視した発想で社会が好ましい方向に進むことは、あり得ない話です。生産力がこれほど大きくなってしまった社会で、さらに明治時代のような社会に戻って供給力拡大路線を歩むことで、人々の豊かな生活が確保される状況は全くないのです。
すでに供給力がこれだけ大きくなってしまっているのに、ただ単にさらに大きくして行こうとするだけの行動様式に戻っても、経済の原理を無視しているだけですから、貧富の差はさらに拡大し、落ちこぼれがどんどん出てくる（社会的な包摂機能が今まで以上に失われていくということです）だけなのがはっきりしています。これは官主導で社会の不安定化を助長しているといっても良い状況と言えます。ある意味で、第２次世界大戦で敗北するに至った道を、日本は再び、しかし前とは異なって静かに歩み続けていると言っても良いと思います。行き着く先は経済社会の崩壊です。おそらく今度崩壊したら、周辺の国々が成熟社会に到達していこうとしている現在、昔と同じように立ち上がるのはほぼ不可能に近いのではないかと思います。
こうしてみると、江戸末期に、優秀な官僚を抱えていたはずの江戸幕府が、状況を打開する道を歩むことができなかった状況と同じ状況が、政府を中心として出来上がっていると言えるかもしれません。しかも社会構造は複雑多岐に亘っているため、上司を見て行動することを宿命づけられている、官僚にはどのようにすれば打開できるのかの、道筋すらつけられない状況になっているといって過言ではありません。現在、政策的に採られている新自由主義的な方向は、先の見出せない迷路といって良いと思います。年号が変わって

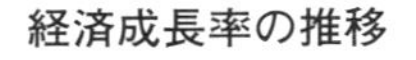

経済成長率の推移

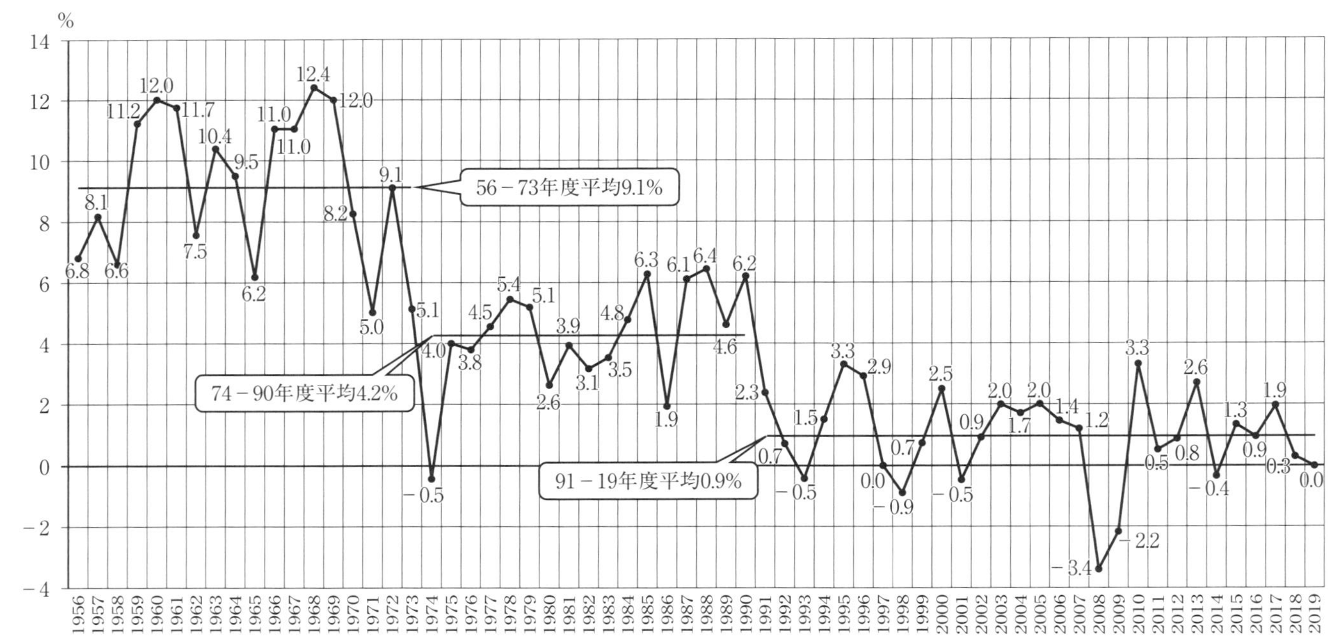

（注）年度ベース。複数年度平均は各年度数値の単純平均。1980年度以前は「平成12年版国民経済計算年報」（63SANベース）、1981～94年度は年報（平成21年度確報、93SNA）による。それ以降は2008SNAに移行。2020年4－6月期2次速報値〈2020年9月8日公表〉

（資料）内閣府SNAサイト

も何も状況は変わっていないのですから、このままでは希望の持てる展望は存在していないのです。

日本における高度経済成長の終焉

現在の日本経済は、経済運営上の何らかの不都合からたまたま失速したということではありません。生産力が高まって需要をはるかに上回る時代になってきたからです。売れる限界を超えてモノを作っても売れなくなったのです。その後も日本は海外進出に活路を見出してきましたが、今やアジアの諸国でも生産力は格段に高まってきて、いつまでも海外進出に未来を託せる時代ではなくなりつつあります。成長率ダウンという現象は、程度の差はありますが、供給力の大きくなった先進国を見ればわかるように、一様に起きていることです。経済があるところまで進んだ社会では、さらなる経済成長を続けることは難しい状況に到達すると考えるのが良いのです。

言い換えれば高度経済成長期は、企業も人々（国民経済）もベクトルは同じ向きで、並行して豊かになっていきました。しかし、経済成長のほとんど途絶えた今は、企業が取れば、多くの人々は貧しくなるという、ゼロサム時代に陥っています。現代社会では、企業と国民経済全体の利益とがほぼ逆向きのベクトルになっているのです。

これからの時代は、「需要力をいかに高めるか」に、政策を移行させていかなくてはなりません。

これから10年、20年先の展望としては、国内において、需要の中心である人々の消費を高める以外に資本主義経済は持続できない時代であると思いを定めるべきです。需要力が圧倒的に高まれば、（買うことができるようになるので）また生産拡大もできる、そういう時代だと認識する必要があります。

消費を構成する大多数の人々の所得を高めて、買う力を高めることによって初めて、経済がうまく循環できる時代に入っているのです。そのための、消費税ゼロは所得向上と同じ効果を持つので、当然進めるべき方向です。今や、財政問題に優先する喫緊の課題というべきです。

1990年代、バブル崩壊後の日本の状況をご覧いただけば一目瞭然です。内需拡大を目指す動きが活発化したのですが、これは生活の豊かさを目指すものではなく、単に内需型産業を強化する路線に転化しただけでした。日本では現在に至るまで、生産力を高めるための政策ばかりを追い続け、他方、需要力抑制の政策を続け、未来への期待が薄まりました。そうなった結果として人々の間の不安が、お互いの誹謗中傷ということで表れやすくなりました。効率性に名を借りて、生産力を高めるために需要力削減政策を取り続けてきたため、成長は滞り、貧富の差が拡大する状況が続いています。

行き着く先は、現在のアメリカのような分断社会になっていくことは必至です。そういう方向を転換するのが政治の役割です。日本でも、既に10年以上も前から、公益資本主義といった考え方をベンチャー投資家（原丈人さん）が提案していますし、ステークフォルダー資本主義（2020年ダボス会議）という考え方も、今また強くなってきています。真っ先にこの方向への転換をする政党のみが、これからの主導権を取ることができます。

今、デジタル庁といった話が出てきていますが、トップの志に依存するのがデジタルの世界ですから、デジタル化すれば何か変わるというものではありません。そうしたことより先に、今までの政策の基本を転換する覚悟がなければならないと思います。日本人の特性に鑑みて、デジタル庁が日本で成功する見込みはないと見ています。しかし、それ以上に、上で見たようにただ政策の分野に新たなものを追加するだけで、経済の発展が見込める時代ではないのだと言いたいと思います。

何よりも大事なのは、豊かになった社会で、生きることもできないほどの貧困が増えているというのはおかしいのであって、経済学的にはこれからの社会では、人々が皆、生活の豊かさを享受できるようになることを目指すということだと思います。

経済成長を目指すということは、もはや目的ではないということは言えると思いますが、それならどういう社会であればいいかを考える必要があると思います。豊かになった結果を享受できない人がいるということは、何のための豊かさか、ということになりますね。
経済成長は結果であってもはや目的ではない、ということは確かだと思います。

貧富の差の拡大は、政策の誤り

貧富の差が大きくなっていくということは、政策の誤りからきていると、私は考えています。高度経済成長が終わったあと、各国では状況を打開するためにどうしたらいいか、という模索を続けています。その中で、アメリカや、イギリス、そして日本はいかに効率的に生産力拡大をするか、という道を選んだのです。作ることを最優先したわけです。その歪みが、貧富の差の拡大に向かわざるを得なかったし、今でもどんどん進行中です。アメリカが現在見られるようにおかしくなったのは、この道を選んだ結果です。他国を押し除けても、自分の国の富を増やせばいいのだというのがアメリカで、富む人はどんどん富んで、他方では「貧困大国アメリカ」(堤未果さん)といわれるまでになっています。
違う道が必ずあるのです。北欧型社会がどうして維持されているのかということです。また、現在世界的に「社会的経済」を連帯する中で広げていこうという動きも広まっています。模索はいろいろ進められているのです。
かつてのように順調に経済の成長が見込めなくなったときに、方向を模索して、人々がこれならといって受け入れていった道が、実際には現在のような貧困の拡大をもたらしたと言って良いと思います。
私は、これは間違いなく政策選択の誤りであり、そうでない道を選び直していくことが大事なのだと思います。それが政治であり、今のままではおかしな方向に進んでいって、やがて破綻することは間違いないと思います。先行するアメリカの状況を見ればわかると思います。

大体の方向は、見える形となってきているので、いかにこれを理解し、納得する中で広げていけるかということだと思います。

菅さんが、総理になってすぐに竹中平蔵さんと会談したというニュースがありましたが、これは、昔の上下関係の中で意見具申を受けて、政策的にも誤った方向をさらに進む兆候ではないかという気がしています。（竹中平蔵さんは新自由主義経済しか頭の中にない人みたいです。）もしこの人の意見を受けて政策を継続していくとなれば、この政権には、全く期待できないということになります。携帯電話料金の値下げ（こんなことより、コロナの検診費用の均一化の方がはるかに、政府の役割としては大きい）とか、不妊治療費の軽減策（これも大事かもしれないが、子供を育てやすくする環境の整備の方がはるかに少子化対策としては重要です）とか、目先の政策をチラつかせて、支持率のアップを目指すということだけで乗り切ってよい局面ではありません。

これから20年、30年先を見ながら、今打つ手をどうするかを考えるのが政治であり、今はまさにチャンスであり、政策によって如何様にも変えられるというのが、今の状況であると思っています。

4）日本における社会的連帯経済の可能性

新自由主義経済から社会的連帯経済への転換を目指す

社会的経済をどのように浸透させていくのか、考え方の抜本的転換が必要

下部構造が上部構造を規定する、ということを言われる方が多いのですが、これは、下部構造自体の変化を読み取りそこから対応すべき道を探せばいいのであり、決定論的に考える必要はありません。

現在、日本では、下部構造と言うべき経済面で起きている変化（大きな変動）に対応しないまま、今までの道をそのまま進んでいるために、中流の２極分解が進んできたものと考えています。これからますますその方向が顕著になっていくでしょう。

アメリカ社会では、実態としてはすでに、この２極分解に伴う貧困問題で政治の形までがおかしくなるという、たいへんな状況に立ち至ってきているわけですが、日本も現在、自ら意図することもなくこの方向に進んでいると言えると思います。アメリカが目指すべき目標と考える人がかなり多いということで、この人たちはアメリカでこの間起こってきた問題を、対応を考えるべき基本的な問題とあまり認識していない可能性があります。

日本社会は、政策的に経済成長路線を歩んだがゆえに、自生的に成長をしていった欧米諸国に比べて、顕著に限界が現れる可能性が高く、また、それゆえに、ほんとうは状況を確認しやすいという面があるというのが私の主張するところです。しかし、1990年代以降、ゼロ成長に等しい状況が続いているのに、これへの対応を見いだせていないのは、今までの実績に目が眩んでいるのではないかと感じざるを得ません。ヨーロッパでは、さすがにアメリカとはやや違った動きが見られているのですが、先進国一般の問題ですから、流れとしては同じ段階を進んでいることに変わりはありません。

営利・非営利を問わず、さらには、地域の経済の結節点ともなっている自治体も含めて、利益の追求だけでなく、誰一人として落ちこぼれない形で、人々の生活の質の向上を図ろうという動き自体は、各分野でかなり進んでいます。

実質的には社会的経済組織による活動は多岐に行われているにも関わらず、これが、新自由主義に代わりうるもう１つの経済政策になるという認識は、国内には存在していないのが実情です。新自由主義の経済体制が構造化しているためと言って良いでしょう。

しかし、日本には、古来「貧しきを憂えず、等しからざるを憂う」（論語）という考え方が定着しており、格差に対しては、抵抗感も強いわけで、社会的連帯経済の風土は存在していると考えます。

1970年代、成熟社会に向かっていたヨーロッパでは、成長の持続性が懸念され、それまでの成長ありきの福祉国家路線を維持することが困難になるとともに、新しい社会の方向を模索する社会的経済の大きな胎動があったのです。日本でも市民活動組織の中では早くからこの動きに着目して、ヨーロッパへの視察等を通して日本における社会的経済の充実を目指す動きが進んでいました。

これからの社会の方向は、NPO、協同組合、共済組合、中小•零細企業、さらには農林水産業、自営業等の、社会的経済領域で働く人たちの発展を通した需要創出の方策を考えるべきときです。

社会的経済領域で働く人々が安心して働けるための所得（収入）を増やす政策こそが、人々の間の潜在的な需要を顕在化させ、結果として企業の生産拡大に結びつき、成長の軌道を導くことが可能になります。このことは同時に、貧富の格差や社会的排除など多くの社会問題を克服することを意味します。政策の投入ポイントを需要者サイドに大きくシフトさせて、新たな成長の仕組みを構築するときが来ています。

戻ることのできる過去はない

未踏の時代であればこそ、世界どこにも先例となるモデルはないと考えた方が良いと思います。今まさにその産みの苦しみの中にあると言っても良いかもしれません。皆それぞれがあり方を模索しているのです。

組織の内部から新たな展開を生む方向性が生まれ、組織の意思決定となって方向転換ができるようでないと、その組織の進む道には限界が生まれていくことになります。成長志向ばかりの今の政府の構造そのままで新たな好ましい結果が出る状況にはありません。

日本のIT関連企業が、鳴かず飛ばずの状況に陥ったのは、需要が頭打ちになり、拡大再生産の構造が限界に到達したにもかかわらず、そうした中で利益確保を進める発想しかなく、経費削減その他、利益を生まないと考えられている活動に対して抑制体制に入り、ボトムの活性が著しく失われた結果であると私は考えています。どの組織でも同じであると思うのですが、ボトムを構成する人たちを、単に労働時間数で計る単位としかみないのでは、未来を実現することはあり得ません。ボトムを大いに働かせなくてはならないのに、自由度を失わせることは、日本では究極的に自分の首を絞めているようなものなのです。同じように、人材育成支出を抑制し、対外的な活動も抑制して経費削減を図るといった動きは、役所をはじめとしてさまざまな組織に表れましたが、これ自体がボトムの育つ芽を断ち、活性を失わせる最大のものであるといって良いと思います。

ここでは、ボトムアップで年功序列の末にトップにたどり着いたマネジメント層の発想の限界を指摘しなければなりません。内部だけを見ていて、技術の変化、社会の動向に対する将来展望が、ボトムの活性化には程遠いものであったに違いありません。まして、ボトムに大きな抑制をかけることしかできなかったとすれば、現在のような形になっていくのは必然であったでしょう。いわゆる企業内組合からくる限界は、特に日本では表われ易いのです。

労働運動などもまたタテ型社会に埋没していきました。既存の多くの組織は、引き締めが最善の策と考えて、タテ型の構造に閉じこもっていく動きが一般化していったのではないでしょうか。

国や自治体の財政システムも、現状肯定を前提とした仕組みであり、もはや転換を目指す新しい方向を打ち出すことを期待できません。締め付けるだけのパターンであれば、ボトムアップは社会変動の時代には機能しなくなると考えてよいと思います。

社会変動は、私たちが認識に至らない中で静かに深く進行していきます。気が付いた時は、その変動のもたらすひずみが大きくなって、さまざまな問題が表面化した時です。しかしながら、そうなっても、そうした動きの背景を十分に認識することができず、起きた課題にのみ関わって課題解決を図るのが一般的なスタイルで、全体状況の認識は転換されないままなので、同じようなことを繰り返していくだけになります。そして、的確な対応を取らないままその場対応していくことは、ひずみをただ大きくしていくだけです。私は緩慢なる崩壊過程と呼んでいます。

日本における社会的連帯経済への方向について整理します

社会的経済への取り組みかたとして、次のようなことが大事であると考えています。

○成熟社会の認識に立つ豊かな社会の基本方向（成熟社会は、供給力が十分にある社会）

作る方ではなく、買う方へ視点・政策のシフトを図る。

需要力を高めることで生産力を高めることができる時代になっています。成熟社会では需要力が経済を引っ張る社会になっているということです。従って、成熟社会では政策投入点についての考え方を抜本的に見直す必要があります。

○高度経済成長期の考え方からの脱却　（新自由主義を排する）

失われた30年の実態をみるとき、政策的に方向転換を定着させることで、現在の新自由主義経済運営からの転換を進めていくしかありません。

○タテ割りの活動から横割りの横断的連携へ（タテ社会の限界を打破）

今までの国のトップダウン型による経済成長を主目的とする時代は終わりました。経済成長という単一目的を目指してトップダウンで進めてきたタテ割による経済運営は、成熟社会では通用しません。多様な地域社会のニーズに即した経済運営を進めるときに、現在のタテ割りの仕組みは機能しなくなります。地域の組織の連携の構築と運営を維持すること、言い換えると、タテのラインを通した上からの行動指針ではなく、地域に発して自ら課題解決を目指す運動がキーとなっています。

組織はできるだけフラットにということを心がけることが良いと

思います。

◯参加型への転換（ボトムアップ、全員企画）**ボトムアップで百家争鳴の中で地域政策を作り出す**（一人のリーダーの知恵から、全員の知恵の結集体制へ）

このためには、地域に基盤を置いた人々の自発的な活動を起点とすること、地域の抱える課題に応じて問題を解決するために、地域における市民の参加が必要になります。三人よれば文殊の知恵という諺もありますが、この考え方は特に日本にとって重要です。ボトムアップがフルに機能する仕組みをあらゆる組織＝団体・企業等で作り上げることがこれからの時代のポイントです。今の状況は、こうした方向から真逆の考え方の中で、社会としての葛藤を深めています。日本社会の特徴は、ボトムアップ型の活動が活性化している時に、人々の知恵が大きく広がっていくのです。

◯おもてなし精神の発揮（忖度の精神）

おもてなし精神は日本人の最大の特質です。相手を尊重する考え方が可能性を高めることに注目すべきですが、問題はリーダーの側がこの状況に安住することになりがちになる、ということにあります。リーダーのあるべき姿の転換が必要です。リーダーの資質の評価は、いかにボトムアップを活性化する力を持っているか、ということです。忖度は元々相互性を持ったものであるからです。上司だから、一方的に忖度される立場にあるということはないのです。組織運営の基本原則は、上司自体が、部下のためにいかに尽力するかということに尽きるのです。そうしたスタンスがとれない上司に支配される組織は、最初から破綻していると言って良いと思います。

このことを現実のビジネスに適用して考えると、成熟社会では、儲けは後からついてくるという考え方が大事な社会のなっていると言えるのではないかと考えます。顧客が何を望んでいるか、組織の枠内の発想を乗り越えてこれを把握するような仕組みを構築することが必要になります。大量につくることで利益を拡大していこうとする時代は終わっています。常に求める側のニーズの所在を把握し、ニーズを商品に反映させてこそ、新たな、事業の展開が生まれると考えなければなりません。儲けようと思って考えることは、活動の幅を小さくするだけです。商品を求める現場にこそ最大のビジネスの種があるのであり、それを組み込んで生産に結びつける仕組みを組織に組み込むことができるかどうかが組織の生き残りの可否を左右するポイントになると言って良いと思います。作る側が相手を忖度し、ニーズに合うものを作る仕組をどう構築するかに時代は転換しています。

○地域コーディネーターの発掘と活動の場の確保（地域リーダー）

民間であれ、自治体側であれ、地域全体を捉えてその改善・活性化を考え、推進する「地域コーディネーター」としての活動をする人を発掘するとともに、その人たちの活動の場を積極的に支援する必要があると思います。地域コーディネーターは、市民的な感覚で、人々、地域、自治体をつないで目標を達成することを使命とする人たちです。これからは、時代の仲介者と位置付けたいと思います。タテ型組織を横に繋いでいく人たちの存在は、日本の場合特に重要です。それぞれのタテ型組織は閉じられている面が強いので、そのままでは、それぞれの組織は孤立して、内部での活動の深化を図ることが多くなっていきます。こうした組織の内情を評価し、これを横に繋いでいく人材が日本では時に求められていると言って良いと思います。これをビジネス的に推進していく人がいても良いし、特定の組織間に注目して、それをつなぐことを目指す、という形もあると思います。地域コーディネーターは、閉鎖空間をつなぐ「仲介者」と見ることができるのです。

○個人として、ヨコの連携に踏み出す

今までのトップ人材を作り出す育成システムとしての年功序列型の人材育成システムを見直す必要があるのはもちろんですが、トップに委ねていて、自分の職務を誠実に遂行しているだけではこの時代は乗り越えることができません。ボトムの一人一人がその能力を最大限発揮できる状況を自ら作り出していかなくてはならないのです。むしろ、トップに新しい知恵を発揮してもらうようにするのに必要なのは、日本ではボトムの力なのだという認識を持つべきではないかと思います。

すなわち、組織に属しながら、なおかつ組織の枠を超えて変化の方向を見定める行動を一人一人が作り出していくことが、閉塞状況を乗り越える新たな展開のスタートになると思います。組織の中に縮こまり埋没するのではなく、そこに属しながら、外への目を見開き、一人一人が将来方向を見出すべく活動を展開するということです。日本では個人の能力はそうしたことに耐えるだけのものがあると私は考えています。すなわち、タテからヨコへの具体的展開の原点といってよいと思います。一人一人がミッションを抱き、その活動の幅を広げていくことが、乗り越えを可能にするのです。

今まで延々と続けてきたような、組織を大きくするという発想から転換し、一人一人が自由度を増して活動できる場を具体的に作っていくことが今必要なのです。そして、この有りようを進めるツールが、ネットワークであるといってよいと思います。このツールはすでに用意されているのですが、その活用方法がまだかなり未熟なままのようなので、これの活用をどのようにするか考える必要があると思っているところです。

○多様性に満ちた地域社会の創造を目指す（多様性、フラットな発想）

地域特性を生かし、歴史的生成に関しても考慮しながら、地域の課題の究極的な解決の方策を目指します。同じものを多くの地域で作るのではなく、地域特性に応じて、無数の、多様性のある取り組みに努めることとします。したがって、運営は民間の活動を主体としますが、自治体は極力こうした努力を支援する姿勢が求められます。この場合、あくまでもタテ割りでの参加は排除し、そうした視点に立たない形での姿勢で臨むこととします。これは、自治体の存在意義と深く関わっているので、国からの指示に従って行動する側面から大きく転換してきていると言って良いと思います。

○様々な活動の研究を通して、可能性を広げる（市民的研究基盤の構築）

海外の知識の吸収を図るとともに、国内各地の活動のあるべき姿についても学び合い、それらの成果を糧として、自らを主役として、社会的経済の考え方に基づいて連帯し、地域社会から日本の元気を取り戻し、希望の持てる社会を目指していくという形はこれからも大事なスタンスになります。今までとはスタンスを変えて、海外との関わりを閉じないための努力が、これからの日本では特に重要です。

○国際連帯を進める

新自由主義経済はグローバル展開をベースとして成り立っているので、社会的連帯経済も当然ながら、グローバルな取り組みを前提としなければ、解決の展望が生まれてきません。先に触れたように、国連社会開発研究所におけるSDGsアジェンダ2030の考え方と、社会的連帯経済（SSE）の整合性（柳澤敏勝教授の講義）などを踏まえて、鎖国的な状況から抜け出していく必要があると思います。

課題は、非営利組織への信頼度が低いこと（セールスフォースの論述）、横への広がりの論理を欠く＝タテ社会で閉鎖性、などの課題をどうしたら克服できるかという点で、知恵の結集が求められます。

5）なぜ日本では社会的経済が浸透していかないのか

日本で社会的経済、連帯経済が今まで広がらなかったのはなぜでしょうか。

一つには、日本の経済発展過程の問題があると思います。政府主導で進めてきた経済発展モデルに対して、これに代わるものが示されてこなかったということです。政策として主導するものとして社会的経済は取り上げられてきたものではなく、民間の経済活動の一環として進められてきたことから、政府の視点から外れたと言って良いででしょう。新自由主義に基づく経済運営についても、実態は行政指導として進められてきたくらいですから、純粋に民間の活動として進められてきた活動について、政府が無関心であったのではないかと考えます。企業の拡大再生産支援型の政府の構造は今なお続いています。SDGsの動きでさえ、ビジネスチャンスとしてしか見ない政府の発想では、社会的連帯経済はコスト部門の活動としか映らなかったと思われても仕方ありません。

もう１つの問題として考えられるのは、相当の浸透度を持っている日本の非営利活動ですが、形としては個々の活動を必死で進めるというボトムアップの活動である関係で、なかなか自己組織の外部にわたる活動として連携が強まらなかったということが挙げられます。

セールスフォースのレポートを見ると、日本の非営利活動は、あまり高く評価されていないという報告があります。そして、その原因の大きなものとして、あまりそれぞれの活動が知られていない、ということが挙げられています。つまり、日本の組織のタテ割り、ボトムアップの構造から組織外部との連帯・連携に進むまでにはなかなか至っていないということがあるように思われるのです。それぞれが、半分閉じた世界で頑張っていると言ってよいかも知れません。これは、これからの大きな課題として注目すべきことであると思います。相互連携を進めていくにはどうしたらいいかは大きなポイントとなってくると言って良いと思うところです。

退職した後のことになりますが、NPO活動をしていた時、NPOの資金集めの難しさと同時に、経理手続きなどが、非常に複雑であると感じました。NPOの場合、非営利活動に関する経理と同時に、事業内容によっては営利事業と同じ経理をしなければならない、という実態がありました。NPO活動が日本社会では特例的なもので、営利事業が日本社会をリードしているので、営利に関する部分はこれに従わなければならないということで二重の作業が乏しいマンパワーのもとで求められたのが実態なのです。

この度、念願の「労働者協同組合法」が制定されて、新しいステージに入りました。

この制定を求めてきた側にあっても、雇用者、被雇用者の扱いの違いなどについて、非営利活動の実態とは違うことから議論があったと聞いていますが、このことは、現行の企業における各種制度との綱引きの中で、諦めざるを得なかった、というのが実態ではなかったかと思います。非営利活動に従事する立場は、現行の営利事業の制度の仕組みを借りる形で進めることが必要というわけです。

現在はまだ力が弱いので致し方ないとも言えますが、展望としては、非営利の諸活動が標準とする制度の仕組みを周辺事項も含め全体をまとめる検討を進め、将来のどこかの時点で、営利事業の仕組みと両立するくらいに、その仕組みの実現を目指さなければならないと思います。

韓国と日本の違い

かつて日本の市民活動組織等を視察した朴元淳さんが帰国してから書かれた著書は、日本のこれら組織の持つ特質を、実に適切に把握したものとなっています。

> 日本の市民運動は分散孤立型だ。ネットワークの流れがないわけではないが、全国的に連帯して一致団結するとか、政府や企業のモニター活動をする団体は少ない。とくに政治的な性格をもった活動は、嫌われる傾向が強かった。政治を変えずして変えられるものがあるだろうか。(「韓国市民運動家のまなざし」序文よりp19)
>
> 総論に弱く各論に強いのが日本の市民運動だ。韓国の市民運動が戦略的な地点を爆撃し、社会の変化を導く空軍だとすれば、日本は、下からひとつひとつ変えていく陸軍である。
> 情報公開運動も、韓国では政府の省庁を対象にして進められているが、日本では地域からはじまり、全国規模に成長した。(同上　p20)

韓国と日本はさまざまな面で非常に近いと見られていますが、上に見るように、基本的部分で極めて大きな違いがあると私は考えています。それは、韓国は典型的なトップダウン社会であり、英明なトップが現れるとドラスティックに変化が生まれる。(韓流ドラマを、こうした視点で見ると面白い。)

一方日本は、世界的に見ても稀な、ボトムアップ社会であり、優秀な部下（官僚）がいれば、トップはその意見に従っていれば、大きくまちがうことはありません。

日本の場合、トップのリーダーシップはそれなりに工夫しなければならないのです。トップダウンが当たり前という西欧型の発想に立ったり、状況が厳しいという自覚のもと、上が抑圧型になると、ボトムアップが機能しなくなり、日本の組織が本来持つ優れた特質を失うことにな流可能性が大きいという認識が必要です。

第2章

地方と国の関係

成熟社会における経済運営の場として、分権型の社会構造となることは、ある意味で当たり前のことと言えます。量はすでに満たされているのであり、これからの経済は、大きくなることが目的ではなく、生活の質を求めて、きめ細やかな活動によって作られていくことになります。できるだけ相互に分かち合いを進めることで生きやすくなる社会を考えます。大きくなることは目標ではありませんが、需要と供給の合理的なバランスが取れれば、その範囲で成長も可能になると言って良いと思います。しかし、あくまでも成長は目的ではなく、結果であるに過ぎません。食べきれない食べ物、使いきれない金を抱えて私たちはどこでいけば満足するというのでしょうか。

1）高度経済成長時代の遺産からの脱却

社会的連帯経済を進める際の、もう1つの重要な主体として、自治体があります。社会的連帯経済は、民間の活動であることに変わりがありませんが、その活動は公的な関わりを持つものが多くあり、自治体の活動としても本来取り組まねければならないといったものも多いのです。その意味で、連携して活動する形は、大いに意義のあることです。

かつて、経済成長時代は、成長するためにどこに金を振り向ければいいか、大蔵省が全体をコントロールする位置付けであり、皆これに従ってきて先進国入りを果たしました。2000年に475の法律を一括して改正する地方分権一括法が施行され、国と自治体とは対等の関係になりましたが、自治体は今なお、国の事業の執行機関的な意味合いで認識されている向きがあります。

しかも、高度経済成長期に制度がさらにガチガチに固められるようになって、税制などその後遺症が大きく、財政的ゆとりがなくなったこともあって、事実上自治体の事業は枠をはめられた形となり、自由に活動できる余地も少なくなっているのが現実です。しかし、地域社会の中で、自治体として公的仕事の中で取り組まなければならない活動について、民間サイドで自主的に行われているから、行政は手を出さなくて良いというのは自らの存在意義を否定することにもなります。きめ細やかな仕事をすることが求められている現在、自治体サイドでは積極的に民間の自主的活動として進められているものについて、常のその意義を確認し、自治体サイドからの自発的な対応として、連携を進めることが望ましいと言えます。国の意向に従って事業を進めればいいという時代は過ぎて、地域社会の中で自治体として取り組むべき課題について常に点検をする姿勢が必要になります。地域で、社会の活動レベルを高めようと活動している様々な動きに注目することは、これからの時代につながる要素を持っているのだという認識が大事であると思います。

高度経済成長時代のように、札束で頬を叩かれて国の事業を取り込んでいった時代はもう終わりです。国自体、成長がないのに、相変わらず金で地域を誘導しようとする姿勢が変わりませんが、こうした国の対応に乗っている形では、新たなものは見出すことができず、社会の貧困化を促進するだけの時代に変わっていると言わなければなりません。

現在は、地域の特性を発見し、生かし、その方向を広げていく活動こそが自治体の大きな役割になりつつあると言って過言ではありません。そこに未来があるのであり、国の方針や政策に乗って地域が豊かになるということはほぼ幻想に近くなりました。国は、様々な海外の情報を収集してそこで政策づくりに結びつけているわけですが、これらは今や観念の世界に過ぎなくなっています。それで地域の未来が拓かれていくことはないと考えます。

経済規模が圧倒的に大きくなった現在、国が統一的な制度を作って経済社会をコントロールできる社会ではなくなっているのです。にもかかわらず、制度のフレームは変わったのに、実態は変わらないままで、人々の意識を変える動きもありません。これらの政策群は、供給サイドを支援する政策がほとんどで、需要力拡大を目指すものはありません。自治体の活動全般にわたって、働いているベクトルの方向を逆向きにする、という転換が求められているのです。

40年余り前に発信された「地方の時代」というコンセプトは、まさにそうした方向に向けての転換の考え方のハシリだったのです。転換が必要なときにそれができなかったツケが、今大きく、果てしなくのしかかっているのだと認識するといろいろなものが違って見えてくると思います。

高度成長時代のように、金で自治体を支配してきた形は続けられない

上での述べたように、自治体は、補助金が得られるという誘導策に乗って、国の政策に依存する形が今まで、そして今も一般的なものとして取られていますが、地域社会の中で自らの知恵を発揮して、人々の生活の充実を求めるために何をすべきかと逆向きに、方向転換をする必要があります。かつて、明治政府が廃藩置県を行なったのとは逆に、言うなれば、地域の主権を強めるという意味で、それぞれの地域の判断で廃県置藩を目指すといったくらいの、発想転換をすべきなのです。様々な知恵が地域から湧き上がってくると思います。国が金を地域にばらまく形で行う誘導政策はこれからは、すべて廃止する必要があります。今の状況は、そうした国の取り組み自体が、社会を崩壊させる結果をもたらすという時代になってきているのです。回復する見込みのない赤字の拡大再生産を行なっているのが実態です。先の見通しのない、そうした政策を、国が勝手に実施できる時代ではないのです。

この考え方は、日本社会の活性を取り戻すために、ボトムアップという方式を再認識することにつながります。参加型の仕組みをさまざまな局面に導入し、人々の力で、地域社会の未来を作っていくという考え方です。

消滅自治体、コンパクト・シティという発想の誤り

これからの日本の社会では、消滅自治体とかコンパクト・シティとか言って、人口減少に伴う地域の危機が前面に出て、これにどのように対処していくか、それぞれの地域は悩み深いわけですが、その発想の原点は、いずれも今までの経済のシステムの延長で考えられてきているものでしかありません。規模の経済の論理は、作るという視点に基づいたものでしかなく、その発想の延長において、地域が崩壊する、自治体が消滅すると言っていること自体が、大きなミスリードと言って良いと思います。

経済は、人々が皆豊かに暮らせるための道具であり、競争に勝ち抜くために貧富の差が拡大したり、特定のところに集まって効率よく働く必要があるといった、経済至上主義の考え方には、今や大きな倒錯があると考えなくてはなりません。人間のために経済があるのであって、経済のために人間があるのではありません。供給力が圧倒的に高まってしまった現代において、この富をいかに多くの人が共有できる仕組みにしていくかが最大の目的でなければならないし、またそのことによって新たな成長の道筋も生まれてくるというのが、今まで私の主張してきたことです。日本が今なおしがみついている新自由主義的な発想による経済成長システムは、実際問題としてもはや破綻しているのです。

むしろ、現在は日本にとって本来の力の発揮できる可能性がようやく芽生えてきた時でもあるので、先を見据えて今までの方向からの転換を図っていかなければなりません。全国津々浦々、無数の地域からの発想による活動の積み上げを通して、日本社会の活力を取り戻すということに他なりません。地域の課題解決を通してその活

性化に取り組んでいる、有為の地域コーディネーターの皆さん、今こそ結集して立ち上がれ！と言いたいと思います。

地産地消への転換

ここで、典型的な事例を挙げるとすれば、農業の問題があります。規模拡大を至上目標とする現在の農業政策は基本路線を転換する必要があります。規模拡大を最大の政策目標とした日本の農業政策は、今なお方向が変わっていません。

大量の農産物を安い単価で作ることができるようにするという政策の方向は破綻しているのです。規模の経済では、広大な土地を使った資本集約的な生産体制を築いている、アメリカやオーストラリアに勝てるはずもありません。そしてこれらの国では、さらに生産力を高め、支配力を高めるために、たねの独占問題や、遺伝子組み換え作物の生産を通して、独占的地位を確立していこうとする歪な取り組みが幅を利かせています。結果的に、作りすぎた作物のはけ口を作らなければならないため、他国の農業生産体制を圧迫し続けています。

しかし、量が充足された現在、必要なのは、大規模化ではなく、地産地消、安心して食べられるものづくりであり、そうしたものが購入できる需要側への支援こそが求められているのです。１つには規模の経済を求める方向を転換して、質の充実に向けた生産の仕組みや流通を確立するような形が不可欠になっているのです。

産業活動全般の方向として、良質のものを作り提供することを最終的目標とする経済の仕組みづくりを進める時代となっている、それが成熟社会であると言って良いと思います。量だけを増やしても、意味がない時代なのです。

２）「地方の時代」再考

かつて私が勤めていた神奈川県で、1975年に始まった長洲県政の

1期目、1977年に「地方の時代」が提唱されました。このコピーは燎原の火のごとく全国津々浦々に広がりました。それまでの多くの自治体では、自らの活動に満足していなかった行動派の職員に、自分たちが自治の中核を支えているのだという意識を根づかせ、さらなる活動に向けた行動を促しました。自治の発展を目指し、人々の活動が進みました。「地方の時代」は、自治体職員を勇気づけ、自らの仕事に誇りを持って取り組む機運が高まったのです。それまでは、国で作られた政策を地方公共団体としての県では、与えられた仕事に従順に従事し、実施にあたるだけでした。

自治体では自らの政策を作るという発想すらなく、政策課を作るというと、国では何だそれは、ということで嘲笑い、そればかりかこれを潰す動きまで起きました。現に、長洲さんの後に知事となった方は、元々革新的な国家官僚であったのですが、それでも神奈川で作られた政策課は、ほぼ潰されていきました。

政策づくりは、一元的に政策を管理する国の官僚の専売特許だったのです。国が推進する制度が標準で、地域特有の制度はないという思い込みが支配していたと言ってもよいと思います。

40年余りを経て、今、「地方の時代」は見るも無残な状況に追いやられています。相変わらずの集権型政治状況が進み、これを誰もおかしいと思わない状況が続いています。なぜ、「地方の時代」なのか、これを明らかにしなければ、「地方の時代」は死語として葬られていきます。

数年前、長洲県政についてシンポジウムで報告する機会を得てより以降、何かにつけて「地方の時代」について考えることが多くなりました。しかし、「地方の時代」がこれからの目指すべき本命であるという思いは、今なお極めて強いのですが、それを十分に説明づけることがなかなかできない面がありました。

この「地方の時代」という表現は、一般的には政治的な意味合いで受け止められてきた面が大きいと思います。政治的に、分権化がこれからの時代の方向であると直観的に受け止め、これに賛同する人が多かったと思います。現に阪神淡路大震災を契機に、民間の支援活動のレベルの高さを背景に、1998年には特定非営利活動促進法が制定されるとともに、2000年には475の法律を整合性のある形で改正する地方分権一括法（「地方分権の推進を図るための関係法律の整備等に関する法律」）が施行されました。

こうした地域の活動をめぐる動きは、1つの胎動としてうねりを持って受け止められましたが、新自由主義の展開に伴って現在は見る影も無くなってきた感があります。

大規模化を命題とする経済政策の転換

しかし、地域をこれからの動きの原点とする動きは無くなったわけではなく、脈々と底流を作っていると考えます。

まさに当時は、具体的な、人々の生活の充実を目指すことがこれからの時代の方向と考えられ、それは地方分権を進めることであるのは確かです。政治的には、これは国家主導の政治の運営から、地域の自治体を一つの結集軸とした、参加型のシステムへの転換と意味していると思います。

ここにきて、政治的な意味合いでの「地方の時代」に加えて、経済学的意味合いでの位置付けが考えられるのではないかと思い至ったのです。政治的に捉えられた社会の変化の予兆は、現実の社会の営みの中で大きく変化を生み出すに至っていると考えました。

資本主義経済において拡大再生産が進み、それまでのさまざまな議論をも乗り越えて、地球的規模でこの構造が浸透していきました。この典型が、グローバル企業の事業展開と言って良いと思います。賛否は様々ですが、規模拡大をすることが資本主義経済での生き残りの方向であり、大きくなることに誰もが取り憑かれ、究極的に世界を生産物で埋め尽くすことが、企業活動の使命とされてきたのです。

ここで、私の持論である成熟社会という考え方を入れてみると、別の視点が生まれることに気づきました。

先進国では経済規模がたいへん大きくなり、人々の需要を超えて生産する体制ができてしまい、結果として国家における活動をベースに展開する中では、巨大な無駄を生み出す可能性もある社会になってきているということです。需要限界から、いくら資本投下してもそれに見合う利益を生み出すことができない状態を作り出しました。経済学における法則の１つと言われる収穫逓減は、文字通り避けられない状況となってきたのです。

こうした中で企業は、資本主義社会での宿命ともいうべき利益確保を目指して、さきに何度も述べてきたように、国内におけるコストの縮減に始まって、海外への販売、さらには海外での生産・販売体制づくりとなっていくことになります。投資を国内から国外へと拡大を図っていくことを通して、規模の経済で利益を確保していくことができるという考え方がそこにはあります。しかし、このことが生み出す大きな矛盾を解決することができません。利益優先の中で、自国内では貧富の差を拡大させると同時に、途上国の搾取の拡大をもたらすものとなっていき、その結果、内においても外においても、人々の生活を安定させ、質的な向上を通して豊かさを作るということことができなくなってきているのです。

実際問題として、日本では企業も新たな投資を行っても先の見通しが立たないため、新規投資を躊躇する動きが強まり、資金自体はだぶつく社会になっています。日本に限らず、これは先進国一般で言えることで、現代の資本主義社会において解決できない課題、需要限界に逢着するという自己矛盾に陥っているのです。

「地方の時代」は、経済学的意味合いとしては、この規模拡大が豊かさを作るということに対する、アンチテーゼであったと思います。規模を拡大することによって人々が希望する未来を作るということが不可能な時代に入り、規模拡大という発想を原点から見直していこう、そのための方向性が、「地方の時代」であったと思います。生産力が需要を超えて拡大してしまった社会では、規模拡大が人々の幸せとイコールであるという発想は成り立たず、そうではないあり方、身の丈にあった仕組みを作り出していくことで、人々の生活の豊かさを作ることが第一であると主張するものであったのではないかということです。そして、盲目的に規模拡大を目指すしかない資本主義の現実の仕組みに異議を唱え、人間生活の向上に最大のポイントを置き、分散化、小さな単位のきめ細やかな活動の中に新たな方向性があると考えて歩もうとする考え方に基づく運動と見て良いと思います。こうした状況下にあって、自治体は転換を進めるコントロールタワーとして機能する可能性を持ったのです。

経済学者で文明評論家であった長洲さんは、ここまでの射程で「地方の時代」を考えていたのではないかと思います。「地方の時代」は、成熟社会化に伴う国民経済全体で、さまざまな課題が表面化する時期より、15年以上も前に提唱されているのです。その時に日本がこのような方向への転換を実現していたなら、平成の「失われた30年」は、「新たな希望に輝く30年」として、さまざまな新たの方向を生み出していっていただろうと想像しています。

これは、規模を拡大してきたそれまでの企業の取り組みを否定するものではありません。下部構造としての、経済の基盤が、今や明らかに変わってしまったので、これに対応するための転換の方向を示したものと考えることができるのではないかと考えるものです。

結集点は国家ではなく地域社会、そのため、諸活動の調整役としての自治体の役割が重要になります。人々の生活のベースは国家にあるのではなく、経済的にも、そして政治的に考えても私たちの手の届く範囲におくことで、具体的なイメージを作り上げることができるようになります。これからの社会では、規模を追求する考え方では、全ての人々にとって、経済の状況が好ましい状態に変わる展望を描くことはできません。この新しい方向で、経済成長が進むかどうかは、結果として現れてくるものでしかありません。成長戦略を第一の目標として作られる諸政策は、成熟社会においては、もはや最も非現実的な政策と言わなければなりません。

地方の時代の発想はボトムへの信頼の表現

振り返ってみると、地方の時代というコピーは、ボトムへの信頼を意味していると考えることができます。現代社会は、各地域に、問題意識に溢れた様々な領域の専門家が存在する時代になっているといって良いと思います。今まで国の金をあてにして、セクションごとに国の政策に従ってきたわけですが、今は、むしろ地域で生活する専門家の知恵でことを進めることがふさわしい時代になったと言えるのではないかと思います。その自由度を保証する政策こそが必要なのです。

一人のリーダーの発想（国の方針）に依存するのではなく、現場にいる無数の専門家の知恵を結集していくことができる時代になっています。日頃私が使っている言葉で言えば「全員企画」ということです。三人よれば文殊の知恵という言葉もありますね。国からの政策方針は、常にタテ割りになっていて、タテ割り組織間の政策の整合性がなかなか取られない構造になっていますが、全員企画、ボトムアップは、基本が横断的な知恵の結集を前提とするものです。そうした明確な視点で地域政策に取り組んできたことは、今まであまりないのではないでしょうか。そろそろ国のタテ割りに依存する発想をやめて、地域の様々な知恵、ノウハウの結集の形こそがこれからの社会を形成していく基本であると考えてみても良いのではないかと思います。…これが日本における社会的連帯経済の考え方であると私は考えているのです。

地域のリーダーというのは、一定の自分の構想力を持ちながら、自分の発想にこだわるのではなく、市民や地域の専門家との対話を通して、正、反、合、その構想を練り上げていける人だと思います。

長洲県政…独断と偏見の解釈

長洲さんが1975年の立候補にあたって作成した新神奈川宣言では、すでに成熟社会のコンセプトのあり方が表れています。具体的に展開されているのは以下の最初の3つであり、そのほかにも成熟社会に向けた提案をしています。

①自治と連帯の社会へ…横断型へ

集権型の統治の形から、いわば、市民一人一人を基本においた政策展開へと強力にシフトさせている。これは、経済学的には供給サイドの発想、生産する側からの発想から、使う側の需要（ニーズ）に見合う仕組みの構築へと180度の転換に繋がるものです。

参加型社会を目指し、共同作品とするべく取組んだ、社会計画としての「新神奈川計画」策定や、県民討論会、様々な団体・組織との懇談会の仕組みの導入などに端的に表れています。また、３大県民運動とも言われた、①福祉を視野に置く「ともしび運動」、②騒然たる教育論議からふれあい教育運動への流れ、③神奈川トラスト基金へとつながる、みどりのまち・かながわ運動も進められていきました。

②生活者の心が染み通り、脈打つ県政…生活者（需要者）の所得の拡大

長洲知事は、就任したばかりの1975年７月、軽井沢での日本生産性本部主催のセミナーで、「地域社会と企業」というテーマで、いわゆる福祉見直し論を展開しています。つまり、それまでの革新自治体が採ってきた、福祉関係の無料化路線に対して、そこからの脱却の必要性を強調しています。これは論争を巻き起こすものでしたが、このことも成長の限界の中でばらまき型の福祉から、人々の心に根ざした相互扶助型福祉の重要性を訴える、強烈な問題提起であったと思います。

この考え方はその後進められた「ともしび運動」に典型的に表れています。人は施しを受けるのではなく、助け合いながらも自らの足で立つことで、自己の尊厳を維持することが出来る。特定の人が福祉の対象になる時代ではなく、誰もが、自らもそうなる可能性をはらんだものとして考えれば、自分がしてもらいたいことを人にする相互扶助のあり方は、人としてごく自然なことと考えているものです。

③自治体の自己革新…構造転換を図る地方政府の構築

また、国の集権構造から「地方の時代」へ着実な転換を果たすために、「革新自治体から自治体革新へ」ということで自治体の質的転換と、職員の政策能力向上に取組みました。あまり具体的な形としては現れなかったかと思いますが、県を市町村連合の事務局と位置付けるという考え方は、ベクトルの方向をそれまで定着していた、国から地方へ、そして基礎自治体へという実態の逆転を目指するものでした。

さらに、行政の質的転換を進める一環として、早い時点で文化室を設置し、行政の文化化を図るテーマとして、高校建設に際して同じようなマッチ箱の乱造とならないように、「文化のための１パーセントシステム」を導入するなどの取組みを行いました。

また、行政の質的転換を図る最大の取組みとして、情報公開条例の制定が進められ、1982年に「神奈川県の機関の公文書の公開に関する条例」として制定され、翌年４月から施行されました。「文化行政」や、「行政の文化化」は、この情報公開条例より早くからとりあげられてきていたため、特に位置づけられていませんが、この条例こそ、行政の文化化を進めるための最も強力な戦略であったように私には思えます。

自治体革新を進めるための職員の政策形成能力の向上については、先に述べたように、長洲さんは、知事就任直後から職員に向けて月例談話を通して語り続けたのを始めとして、自治体職員の力を蓄えるために、自治体政策形成能力の向上を目指す政策部門の設置、職員の自主研究の支援、職員による研究活動の推進、自治体学の提唱、全国の自治体職員の間の切磋琢磨の場としての自治体学会の設立などを進めました。また、地方の時代の理論的基盤を固めるために、「地方の時代シンポジウム」の開催を重ねていきました。

④福祉型成長、頭脳センター構想…福祉で成長していく、そして技術革新がこれからの定番

それまでの高度経済成長時代には、国際競争の中でパイを大きくする方向に進み、この結果として雇用拡大を実現しました。しかし、需要の限界に直面して、時代は大きく変わっていきます。需要のネックで規模拡大が出来なくなった段階で、企業は、雇用吸収力を失い、一方で規模拡大を目指して海外進出に走り、他方で効率化を図るために極力雇用を抑制する方向に転換していきました。

これに対して、福祉領域は人に支えられる部分が大きく、雇用吸収力も大きいのですが、この領域は、市場に任せておいただけでは、生産力拡大に直接つながるものではないために、資金が回りにくく、給与水準も低く、人も雇うことが出来ないという実情がありました。高齢社会を迎え、人手不足が深刻になりながら、基本となる仕組みが構築されていないため、労働者人材の偏在を是正することが出来ないままでした。

しかし、こちらに資金が回る仕組みをきちんと作るなら、雇用吸収力はきわめて大きいのであり、この点に着目したのが「福祉型成長」です。雇用吸収力を高めることが出来れば、そこで得られる所得を通して、既存分野の企業製品の購入水準も高まり、そのことによって全体経済としての成長が可能となる。福祉の分野の成長が、新たな形で経済成長を作り出す。さらに言えば、こうした領域で働く人たちの所得水準が高まり、既存分野の労働者との所得格差が平準化していけばいくほど、社会全体としての購買力は拡大し、成長の源となっていきます。私はこれが本来的な内需型の成長パターンであると考えているものです。

また、産業自体の知識集約化が脱工業社会に向けた解決の方策であるとして、1978年に経済／エネルギー／環境／福祉政策等を括る総合的な産業政策や、そのための科学技術政策の推進を図る、「頭

脳センター構想」が打ち出されています。そこでは科学技術を産業の牽引役とし、環境・福祉・医療等、人間と生活に貢献する科学技術を目指し、その実施モデルとして、21世紀に向けた科学技術の創造拠点として「かながわサイエンスパーク」（1989年設立）を建設するとともに、県試験研究機関の再編整備や、研究開発型企業活動の活発化を図っていくこととしています。

また現在、開発途上国では、環境問題がネックとなって、成長の限界が表れつつありますが、長洲県政ではいち早く環境アセスメント条例の制定（1979年）など、環境の改善を図る政策を通して、この限界を押し上げる取組みを進めています。

⑤既存施設のリニューアル

（私は「メンテナンス社会化」と言っていますが、）成熟社会では、一方で非常に厳しい財政状況は避けられないものとなるので、厳しい財政の中ではハードは新たなものを作るのではなく、既存の施設等の再整備が中心になると考えていくことが重要として取り組みました。長洲知事は、県立病院の再整備を進める「かもめ計画」、福祉施設の再整備を行う「やまゆり計画」、職業訓練施設のソフトも含めた再整備を目指す「いちょう計画」など、既存の施設等のメンテナンス・再整備に重点を置く政策を採用しています。これらの計画のネーミングは、一見直接関係のないもののようでもありますが、既存施設の更新という目立たない事業にも、取組みようによって新たな装いを持たせたいとする苦肉の策と見ることを狙ったものといえます。

長洲県政の今日的意義

長洲知事が最初の就任時に掲げた「地方の時代」を目指す諸々の政策は、任期全体を通して続けられました。当時の状況を振り返った私の記録にもありますが、バブル崩壊後であっても、しばらくは明確に抱かれていた構造改革を進める諸政策自体も、だんだんと見えにくくなってしまった感があります。明らかと見えた方向が、その後低迷する時期を経過する中で曖昧となり、見えていたはずの方向性も定かならぬ状況に陥って行ったと思っています。たまたま、友人、故中出征夫氏の著作を読み直して、改めて当初長洲知事が目指そうとしていた考え方を、再認識することが出来たように思っています。

そして、長洲知事が立候補に際して掲げた考え方が、これからの日本社会の進むべき方向を示すものとして、高い現実性を持って蘇ってきているのではないかと感ずるところです。成熟社会に到達して、諸外国も手探り状態で、見習うべき先進事例がない中で、構造そのものを変えていくには透徹した先見性が求められると同時に、自らの知恵を絞っていかなくてはならなりません。そうした考え方が社会意識となり、人々の中の共通認識になることを願うところです。そうすれば、これからであっても失われた30年から抜け出し、未来に展望を抱くこともまた可能であると思っているのです。

地方の時代－市民自治を原点に置いて、多様な地域特性に応じ、それぞれ独創的で効率的な仕組みをそれぞれの地域で作り出す、また、生活者政治－生活の中で必要とされるものの総和として成り立つような政治、それに見合う市民側のニーズに基づいた経済社会の仕組みを構築し直すこと、これらのことは、現在においてもなお実現されておらず、また、実現を求められる重要な課題であると考えています。

ミュニシパリズム（地域主義）の動向

近年、ヨーロッパにおいて、新自由主義の広がりの中で格差拡大、貧困層の増大等を受けて、ミュニシパリズム（地域主義）の運動が広がりを見せているとのレポートが出されています。ここで、2019年に岸本聡子さんが報告された「ミュニシパリズムとヨーロッパ」ではいくつかの項目を取り上げています。

前章で述べた当時の韓国ソウル市長、朴元淳さん提案のＧＳＥＦ

の運動も新自由主義に対するグローバルな形での対抗力を作り出そうとするものであることは言うまでもありません。

これらの動きは、まさに日本で高度経済成長が終わったとき、今から40年あまり前にこれからの方向として長洲県政の中で打ち出された「地方の時代」に近いものと言えます。少し残念な気がしますが、海外発のものは抵抗なく受け入れるのに、すでに相当期間前に発信されているのに、日本発のものは、関心を持たれないということが、日本社会の実情としてあるようです。このことに限らず、日本の為政者、研究者の中では、一般的な傾向としてあると言わなければなりません。

「地方の時代」は高度経済成長期の終焉に伴い、まさに新たな方向を提案するものでしたが、現在EUの都市連合に近い形で起きているミュニシパリズム（地域主義）の運動は、弊害を生み出すことが明らかとなった新自由主義経済運営に対抗し、人々の生活を守ろうとする運動という局面であるという違いがあります。

3）担い手の問題

ここでとりあえず日本の地域活性化に向けた活動を進めるについて、いくつかの提案を行っておきたいと思います。国の事業推進案をそのまま地方にということではなく、地域課題を、自ら解決を図るための仕組み、そして、タテ割り型の発想ではなく、全体を把握しながら取り組むやり方であるということに特長があります。

地域のニーズに合わせて地域が事業をする時代になった

国家官僚は、従来とは様相がかなり変化してきており、国民、市民との接触が難しい中での、政策づくりを強いられるようになってきています。海外の先進事例を国内に普及させるという形のものはこれまでの間ずっと行われてきましたが、今や、海外に学ぶ新しい要素というのは少なくなってきています。つまり、国内の現場におけるさまざまな問題、軋轢に注目し、その中から解決の方向を見出し政策としていく必要があるのですが、現場との接触の場が限られる状態では、政策を作っても、実態にそぐわない政策になってしまう可能性が大きくなっています。

実際に日本政府の各機関がとっているやり方は、政策提案を自治体や、市民、各種団体に求め、その中の優れた案に予算をつける、あるいは顕彰するという形で、国内の課題を解決する政策を取り上げている傾向が強くなっているように思われます。しかし、面白い政策案を大々的に全国に普及させる、ということはあまり意味はないし、必要性も薄れてきているのではないかと考えます。それぞれの地域が他の地域の事業を参考にしつつ自らの地域のあり方に反映させていくというのがこれからの時代のあり方です。

国の役割は変化したのです。現場に委ねてそれぞれの地域で、地域の実情にあった政策を展開すればいい時代なのであり、国が金で釣ってこれに介入していく必要などはないのです。

今の状況は、政策形成過程自体が屋上屋と言ってもよい状態になっていると言って過言ではありません。そして、現実味のない政策が、余計な金を使って進められるということは、社会全体にとって無駄なことと言ってよいでしょう。国という大組織の中におけるタテ割組織による、部分受け持ちの仕組みの限界もあります。統合性に着目すべき時代に移っているのであり、これはボトムアップの形を取る以外にはまず難しい状況になったということを再認識する必要があります。スーパーシティ構想みたいなものを国家主導で進める、あるいは地方創生を国家主導で進めるなどということはもってのほかであると言いたいと思います。

①「地域コーディネーター」を位置付ける…組織をヨコにつなぐ仲介者

明治以来ということだと思いますが、日本の地方組織は地方の役所、「地方公共団体」であって自治体ではありませんでした。今でもこの位置付けは法律的に変わっているわけではありません。第2次世界大戦まで都道府県知事は官選でしたし、戦後になっても、地方分権一括法が施行される2000年以前は、選挙で選ばれている首長に対して、機関委任事務といって、首長を国の法律に基づく執行組織とする位置付けがなされておりました。機関委任事務は、国の法律に基づく事業を、国の執行機関という位置付けの首長が実施するもので、その事業に関して直接国の意向を受けて実施すればよく、地方サイドで条例で決めることが全く必要なかったのです。こうした時に、地方議会の持つ意味というのは一体なんだったのでしょうか。

また、従来は、国の指示が「通達」として地方に送られてきて、有無を言わせない行動指針とされてきたのですが、この2000年の法律改正に伴い「通達」はなくなり、「通知」がされるだけになりました。この意味合いは、国の法律に基づき強制的なものとして、地方に指示を発する「通達」はできなくなり、やってもらいたいという依頼文書である「通知」になったということです。

2000年の法律改正につながる事件は、いうまでもなく阪神淡路大震災です。その際のボランティアの様々な活躍を目の当たりにして、国だけでは満足な経済・政治の運営ができないという、それなりの認識があったと思います。

2000年に法律改正が行われて、地方は国と対等の関係ということになりましたが、実態としてはあまり変わっていないのが実情です。未だ、通達という表現を当たり前のように使っているメディア関係者も少なからずいます。

長らく、この国の指示・命令に、地方の側は慣らされてきてしまっていたのですが、その典型が、タテ割りの事業の進め方というものでした。そして、これは法律が変わってもあまり変わりがないまま運営されてきているのが実態です。国のタテ割りが、そのまま地方の事業形態となってきているのが実情と言って良いと思います。

地方創生にしても、タテ割りの事業の変更をしなくて進められていると言って良いと思います。上からの政策方針として総合的な取り組みを、と言っても、関連する事項はそれぞれタテ割りの法律に基づいて実施されていて、これを侵害することはできません。

これに対し、今起きつつある動きは、地域の中から総合的な取り組みを進めようとするもので、必然的に組織横断的な活動をベースとしています。人間というものは全一の存在であり、分割することはできないのです。これが地域に発する活動のベースです。ここで、それぞれの活動は、それぞれの地域の特性によって生じる課題への対応ということになります。それぞれの地域が解決を迫られる課題に対して、様々な分野の力を結集してその解決を図るために連携をするということになります。課題解決に向けて、地域の様々な力が連帯をするということです。そうした中で、既存のノウハウを活用していくのであって、端的に言えば、タテ割りの上からの仕事のスタイルから、ボトムアップ型の展開により、課題に沿った様々な力の結集を図るということを意味します。そして、何よりも課題は地域にあるということを忘れてはなりません。それぞれの地域にそれぞれの課題があるのです。

地域コーディネータの課題

今まで、役所は上の方、国のほうを向いて（また国では、政治家の言うことを聞いて）、そこで指し示される政策を実施するだけが役割だと、皆思ってきたから、必然的に特定のタテ割の中での話が多くなるのです。

現場にいる人々の生活と、どのようにコラボするかを考えるのが公務員と考えれば、ありようも変わってくるのではないでしょうか。また、コラボする形は、公務員の側だけが考えるべきことではなく、市民の側のありようも、極めて重要であると思います。さまざまな課題を一緒に考える形になっていかなければ、公務員もかわっていきません。

また、介護や、保育、医療に関わる人たちは、現場を抜きにしては考えられません。

公務員経験を持つことは、別の意味で重要です。しかしこれは派遣職員という形で達成されるものでは全くありません。現代の使命感を持った公務員を地域から育てていくことができるかどうかが日本の未来を決めるといっても良いと思います。

役所の人材を、給与の中抜きをされる派遣職員というかたちではなく、本人に直接支払われる仕組みにするということがなによりも大事です。

派遣という形ではなく、誰もが一時的に公務員であるという形は、これからっ推奨される1つのパターンと見て良いと考えます。

事例）　大型団地がいま抱える課題

横浜におけるある研究会で、高度経済成長期に建てられた、大型団地が今抱える課題をどう解決していくかという課題設定に対して、問題意識を共有する様々な人たちが連帯して課題解決を図っていくということが取り上げられていました。NPO法人を作り、そうした連帯を組織する形で、既存のタテ割り組織を包み込んで、新たな取り組みを展開しようとしているものでした。

建物の老朽化、住む人たちの高齢化（建てられた時期に入居した人たちが、子育ても終わり一斉に高齢化を迎えている、必然的に一人世帯も数多く生まれてきている）、コミュニティの人間関係の希薄化、孤独化、子育て層の孤立化、空き家の増加等々課題をたくさん抱えているわけですが、人口減少が進む中でこのまま皆バラバラの状態では、団地の魅力の低下に直面しています。日本社会では、コミュニケーションの取り方たいへんが難しく、特に都会で生活する世帯は孤立しやすいのです。

建物の管理組合、地域の自治会、老人クラブ、民生委員、児童委員、青少年指導員、学校のPTA等様々な活動がいずれの地域でも進められていると思いますが、いずれも社会的に認知されているタテ割りの活動の一環であり、それぞれの活動では上記の課題を解決することにはそのままでは機能しません。

そこで、これらの組織に働きかける意味合いを持ってNPO法人を組織し、まず、お祭りに似たようなソフトな事業を立ち上げることから具体的な取り組みを始めたとのことです。地域の横のつながりを作り出し、そのことから、ハード、ソフトを含めた課題の解決に向かおうとするもので、若い人たちのエネルギーを期待することから、団地の中に住んで、ともに取り組みを進めてもらうべく、大学（生）に働きかけも行なっています。（こうすることで、子どもたちのコミュニティも再生される可能性があるとも考えました。）

この活動は、役所の方から仕掛けられて進んできているわけですが、中心となっている人は、「地域コーディネーター」という感じの公務員活動家でした。その人の言としては、「地域の中の問題に取り組んでいくに際しては、タテ割りのことなど言っていられない」ということで、タテ割りに配慮しているゆとりなどない、といった感じでした。

私がここから得た発想は、「地方の時代の実際の展開ということは、従来の上からの体制の範囲での活動進めることではなく、地域の抱える課題解決のためにいわゆるボトムアップのエネルギーを引き出し、横断的な連携を進め、これを目標とする課題解決に向けて、結集していくということである」ということです。言うなれば、上からのタテ割りの流れの中では、今抱える地域の問題は解決することはできないのであって、地域という場の中で、様々な活動を横につないでいくことで、ボトムアップ的に解決につなげていくことができるというものでした。このことは、上から、総合的に課題解決を目指せといくら声高に言っても、それで問題解決には向かわないということでもあります。これからは、国は、金は出しても口は出さないという形でいくのでなければ、地域の問題解決には貢献することができない時代であると言っても良いのではないでしょうか。

そのように思い至ったときに、この研究会の前日にあった研究会の活動を思い起こすことになりました。大規模団地の再生の問題提起は、役所側からの動きであったわけですが、前日の動きは、まさに同じような地域再生の動きが、民間の方の活動として進められているものでした。つまり、地域再生は、自治体側からの提起に限られるものではなく、広く民間の活動が、目指すものでもあるということが言えると思います。この活動を推進する方もまた、「地域コーディネーター」であると思います。

事例）　FEC（Food Energy Care）関東自給圏を作る

FEC（Food Energy Care）関東自給圏を作るとしたテーマで、関東エリアで３つのプロジェクトを進めている方のお話でした。この話を伺っていたときは、珍しい活動に取り組む人がいると思っていただけなのですが、翌日の横浜での話を伺った時、この２つがいずれも同じ志に根ざすものと理解するに至りました。この方の活動スタイルは、まさに地域コーディネーターと言って良いと思います。

もともと環境関係に造詣の深い方で、その方面で活動されてきたのですが、東日本大震災に直面して、いずれ訪れる首都圏の大災害に対して、今から、都市と農村のつながりを強化する自給圏をつくっておかないと、実際にことが起こった時には、単なるパニックでは済まない地域社会（東京）の崩壊が訪れるであろうという問題意識から、人と人、地域と地域のつながりを作っていかなければならないと考えて問題意識を共有する関東圏の12の団体の方に集まってもらって、活動をスタートさせたとあります。

現在取り組んでいる３つのプロジェクトとは、

①雑穀街道における雑穀生産流通組合づくり、

②村、丸ごとホテルづくり（分散型で村全体の施設・住居をホテルに衣替えさせること）、

③地域分散型小規模低額費大学の設立と、地域と学校をつなぐコーディネーターの育成配置

といったもので、これだけでは何をしようとしているか。いまい

ち定かにはわかりませんが、それぞれの活動の舞台となる地域の持つ歴史と、現在の地域の実態を重ね合わせることにより、地域の課題解決の道を見出していこうとする試みと言って良いと思います。ここでは、自治体との連携も当然ながら視野に入っていて、必要に応じて自治体への仕掛けを進めているとのことでした。

先の団地の例と、後者の例では、いわゆる「地域コーディネーター」は公務員であったり民間人であったりするのですが、いずれも、その地域の抱える課題を解決するために結集の音頭を取り、人と人、地域と地域をつなぎ地域の可能性を引き出して、持続可能な社会づくりを目指しているという点で一致していると考えました。この地域コーディネーターを育てることこそ、現在最も求められている課題でもあると思います。

こうした「地域コーディネーター」は、日本の特有なタテ割り組織を横に繋ぐ役割を持つものと言って良いと思います。言うなれば、組織の閉鎖性を打破して地域の活性化を図るものとみて良いと思います。

②市民連帯を可能にするために（市民チャンネル　=　テレビの特質を逆手に取る政策）

現在のテレビチャンネルは、国家レベルの公的な報道機関としてのNHKがありますが、それ以外のチャンネルは企業が電波帯を買い取って有料で運営しているもの、民間の報道機関が広告料を取る形で運営しているもの（いわゆる民放）、自治体が地域の企業と連携して開設しているものなどさまざまです。（これらの相当部分に影響力を持ち、また力を行使しているのが「電通」であるように思っています。）

よく考えてみると、現在すでにかなりのウエイトを持っていて、地域で活発な活動を続けている市民同士の連携を強めるためのテレビチャンネルがあっても良いのではないかと考えます。情報の下達装置をしてのテレビではなく、ボトムで活動する人たちの情報の共有機関として活用するという考え方です。様々な活動は、市民メディアとしてのテレビを媒介させることによって、優れた事例の共有、学習を可能にすることから、圧倒的な広がりと展望・希望をもたらすことにつながるのではないでしょうか。

インターネットが普及しており、動画配信もかなり活発化していて、わざわざテレビの電波帯を確保しなくても良いという考え方もあるでしょう。また、組織化を考えれば、公共放送に匹敵するようなインターネットチャンネルを作り上げることもできそうに見えます。

しかし、公的な認知をさせた上で「共」の世界で市民活動の連携の場を確保するということの意義は、大きいし、誰でもいつでも自分の指向性に応じてアクセスできるという点では、インターネットを凌いでいると言えるでしょう。特に日本ではこのことが持つ効果は大きいと考えます。

非営利活動や、地域で生き残りをかけて事業運営をしている中小企業、そして一般の人々の規模は、今まで経済の領域で主流を歩んできた人たちに比べて、はるかに大きな人口規模を持っていると思っています。こうした人たちの知見の広がりを作る趣旨で、時間帯を割り振って全国放送を競いあっていくこととして、その視聴率を常時分析して地域情報の共有化を進めることで、連帯を強めていくことは、これからの地域社会の活性化を促すという点で、面白い効果をはっきすることになると思うのです。チャンネルは提供するが、国はこれに口を出してはならない、というのが条件です。こうしたチャンネルの設定は、既存のテレビ局の活性化にもつながるのではないかとひそかに思っているところです。

第3章
資本主義経済の再生に向けて

日本が現在のように貧富の格差が拡大し、生活の困難をきたす人が増えてきているのは、新自由主義経済を長期にわたって進めてきているからであると述べてきました。新自由主義経済方式を続けていくと、日本の資本主義経済は近い将来破綻することになると思います。他に様々な道があるのに、わざわざ破綻の明らかな新自由主義経済を日本の経済界の方々は選ぶのでしょうか。ここでの第一の問題提起はそのことです。需要と供給の関係という、単純な形なのに、自分のところの利害にばかりこだわって、いるとしたら、それはマーケット全体を見ていないことを自ら暴露しているだけのことです。

まずこのことを認識した上で、そうならないためにはどういう形があるのか、多くの方々の知恵の結集が必要です。ここで展開していることはありきたりのことではありますが、経済の論理から破綻しないためにどのような考え方が必要かを述べているものです。

1）新自由主義経済のもと、低迷する日本経済

停滞する日本経済、そしてコロナ

1990年代に入って、バブル崩壊後日本経済は長く低迷したままです。採られてきた経済政策から、新自由主義の破綻と言われていますが、日本の場合は自由なき新自由主義の破綻というべきでしょう。明治以来ずっと日本政府は経済発展を目的として政治の運営をしてきました。官で企業を作り、これを払い下げる形まで取ってきており、生産拡大を目指して政府の機能がフルに働くような構造となっ

て現在に至っていると考えることができます。つまり、目の届く範囲の企業の活動は政府のコントロールの枠内での行動をとってきたということであって、その枠内での自由を許されてきたに過ぎません。特に、大企業がこの範疇に入ります。

その政府にとって、高度経済成長の終焉があったからと言って、直ちに生産力拡大政策からの転換ということは困難があります。政策的に経済発展を目指した日本では、成熟社会の到来に伴い、成長限界が出やすい面があります。成長政策しか頭にないからです。

日本で進められた意図的な成長政策は、その限界が表面化しやすい面がありました。しかし、この方向は容易に変えられるものではありません。さまざまな政策がこれに対して取られることになっていったのは当然です。

何度も申し上げてきておりますが、国内にあっては生産コストの削減、また海外進出で、海外の市場開拓に取り組んで行きました。さらに、開発途上国において生産するという形も一般化しました。これはいくつかの副次効果をもたらすことになりました。

１つは、途上国の経済発展に寄与する結果を生むことが比較的多かったということです。日本の企業の海外進出は、アジアの諸国の経済発展を支援する結果をもたらしたといえます。

一方で、国内経済は空洞化の懸念が高まりました。グローバル展開をする企業に対して、国内生産だけの企業は、コスト面で苦しい展開を余儀なくされることになったと言って良いでしょう。

さらには、国内での投資は低迷し、企業は新たな生産拡大に二の足をふむ傾向が強まりました。売れないのだから、これもまた当然です。

それにしても、政府をはじめとして、企業は生産体制をいかに強化するかという方策をさまざま考えたとしても、別の道があるとは考えにくかったと言わなければならなりません。その時のフレームの中に成長政策から抜け出すことがありうるという発想が浮かびにくいのです。政府が成長志向構造の直中にいるからです。これは微修正程度で転換出来るものではありません。従って、この方向を転換すれば、新たな道が拓けてくるという認識が生まれにくいのです。

構造的に政府の構造の外にある課題に直面したと言っても良いのですが、別の形の政治経済運営があるのだという認識に基づいて政府自体の方向が変わらない限り、この生産力拡大路線の転換があるわけもありません。

今回新型コロナの問題にあたってすら、政府の方向転換は生まれませんでした。私は、コロナ対策か経済かの２分法があるのではなく、コロナ対策を最大の経済対策として位置付けることにより、新たな経済への転換が図れるようになると述べてきました。

２分法で行く限り、常に現在の経済のことが頭から離れないため、コロナ対策が中途半端になり、完全に押さえ込むことはできません。典型的な動きは2020年におけるGo Toキャンペーンであり、今年、2021年はオリンピック・パラリンピックです。コロナを将来に不安のない形で抑え込むことができないために、他の国々に比べて経済の低迷は大きくなっています。新自由主義経済運営が頭にこびりついて、たまたま発生した新型コロナ問題をこの枠内で解決できるものと、軽く思う意識が拭えないからです。

ゼロサムゲーム社会の日本の現在

現在の日本は、ゼロサムゲーム社会のようになっています。こうした社会では、企業が成長しても社会が豊かになる保証はありません。社会全体で成長しないのですから、企業がとった分だけ他の領域が貧しくなるのです。これは現在の日本社会で、貧富の格差が拡大している現実を見ればわかります。ここで、トリクルダウンが働くなどということはどう見ても考えられません。

企業とともに他の構成員の領域も豊かになる、ということは、かなり難しい社会になってきているということです。これからの時代にあっては、支援すべき分野は、人々の生活分野であり、企業の支援よりも、人々の豊かさをどう実現するか、ということに目を向けるべきであると言わなければなりません。

政府による育成措置による利権に依存して大きくなる企業は、今後ゼロサム社会では当然排除していかなければならない時代です。政府の意向に従順に従って自己の利権確保ばかりを目指すということになると、活性も失われていき、だんだんと統制経済に近づいていくことになるでしょう。

成熟社会ではケインズ政策は有効性がない

経済の発展段階に応じて、それに見合う有効需要があると考えるなら、ケインズ理論の有効性は、成長時代のことと考えなければなりません。生産力が小さい間は、生産力拡大は需要力拡大とパラレルであり、部分的な過剰生産状況は、需要拡大政策を取ることにより解消し、再びパラレルに拡大する循環軌道が回復したからです。

ケインズの有効需要に関する考え方は、高度経済成長時代、少なくとも供給力がまだ需要力より小さい時の発想であると自覚すべきです。経済環境の激変した成熟社会では通用しないもので、バブル崩壊後、国地方とも大規模な景気対策が何回も打たれたが、効果はその時だけで、成長にはつながらず、従って税収の増加も招き寄せることができないまま推移することになりました。現在の日本政府の膨大な赤字は、1990年代以降の産物なのです。基本的な構造転換を行うべき時にこれに気づかず、転換をしないままひたすら拡大生産と効率化と称するコスト削減を続けてきた「ツケ」ともいうべきものです。（16頁のグラフ）

供給力が過大となった社会では、ものが溢れていることから、所有から利用へ（サブスクリプション）という理論が生まれてきていますが、人々の意識はなかなかこれに適応が進まず、物を持ちすぎて、ゴミ屋敷化現象なども生まれています。多かれ少なかれ、都市の各家族の世帯では類似現象が多くなっています。モノを買ってもらうために、「捨てる技術」などという本がベストセラーになる時代となっています。

新自由主義経済政策の結末

マクロ経済で見ると、需要と供給が一致しなければ経済循環が不安定になります。供給力ばかりが大きくなっても、どこに生産物を売るというのでしょうか。

かつてはこの売り先、そして資源調達先をめぐって帝国主義的な領土獲得競争がありました。

なおかつ、近隣諸国を見ればわかるように、これからの社会では、それぞれの国が生産力を高めてきているので、もはや、海外の販路に期待する時代ではなく、それぞれの国の中で、いかに需要力を高めるかという考えなければいけない時代になっています。。

こうした社会では、供給力を高める政策から、需要力を高める政策に大きく転換することが求められているのです。

日本はこの政策転換を誤って、相変わらず生産力拡大が国の成長戦略だと思って政策転換をしないまま進んできています。いわゆる新自由主義経済運営がこれです。新自由主義経済の政策は、生産力拡大のための政策です。一時的には効果があっても、持続可能ではありません。

やっていることを見れば、よくわかります。経団連自体がまだ転換できていません。そしてその経団連のいうことに従順に従ってきた安倍、菅政権は、経済が大事といって、竹中平蔵さん達のいうことを聞いて、需要力削減政策ばかりを一生懸命進めてきました。これでは、経済成長などあるわけがないのです。

30年にわたって、日本は経済成長から見放され、韓国にも遅れをとることになりました。政治家は一体何を勉強しているのでしょうか。

マクロ経済で、ゼロサム経済となっている今（経済が停滞したままの状態であること）は、できるだけ、所得を平準化する政策が、需要力アップに繋がるのだという理解も必要です。経済成長はもはや主目的ではない社会になっているという発想からスタートしなければならないのです。

経済についての認識の誤りを正す

皆、高度経済成長時代の動きと同じ発想で、経済の状況を誤解しているのです。

供給力が大きくなってしまった社会では、需要をいかに高めるかが基本になります。需要を高めるということは、買う側の所得を高めなければ、できることではありません。

経済的に見れば、今までと真逆の政策を政府は取らなければならないのです。

その意味で、山本太郎さんの政策は、ほとんど全て、需要側の力をアップするためのものです。極めて的確に需要力アップ政策を取り上げていると、感心するばかりです。

私は、こうした山本さんの政策を、弱者におもねるポピュリズムということは正しいことではなく、日本社会の未来を見据えた経済政策と捉えています。直観的にここまでの発言ができる人は、日本ではまずいないのではないでしょうか。

未だ国の世話になっている企業・大企業はそろそろ自立を果たして自らの力で切り開いていく覚悟をしなければなりません。いつまで政府におんぶに抱っこされているつもりでしょうか。

日本社会では企業は、政府の指示に従って活動を進め、そして大きくなっていった。こうした状況を政府との癒着というのです。

欧米では、自らの努力・工夫を進めてその成果を出していった。こうした基盤の違いを認識すべきです。

2）需要力拡大政策への転換　日本の場合の難しさ

需要力の拡大を目指す

現代社会は、総供給力が需要を圧倒的に上回る状態になっています。ということは、供給力は必要を上回る時代になったということです。経済学的に見て、この状態を「成熟社会」と呼んでも良い、１つの大きな画期であると思います。

成熟社会になった時点では、企業の成長が、人々の生活の質の向上には、直接にはつながらない状態になっているという認識が必要です。従来は企業の成長は国民生活の向上に直接結びついていましたが、今は、逆方向に機能するようになっているということです。これがゼロサムゲーム社会です。モノを買うことができないのに、供給力を増す政策を相変わらず続けていることは、経済の歪みを拡大しているだけであり、致命的な政策の誤りです。しかも現在の政府は、今なお需要力を削減する方向の政策をどんどん進めている。発想の転換がないまま、高度経済成長の夢を追っている、これでは社会の崩壊につながるだけとみないわけにはいきません。

政策の基本は、ただ1つ、成熟社会ではあらゆる面で、政策を、需要力を増すことに向けるということしかないのです。需要力を増やすことができれば、買う力が増すので、売る方も供給の拡大に結びつけていくことができる、そういう状況になっているということです。成熟社会の経済においては、政府は作る側への支援をやめて、あらゆる面で買う側（需要側）への支援へと、政策を基本的にシフトすべきなのです。そうすることによって初めて、新しい経済循環モデルが確立し、経済が円滑に回るようになる。特に、政府の政策領域は、マーケットメカニズムに依存していては変化を生み出せない領域であるからこそ、政府の方針転換が不可欠で、需要力を増すための政府支出を、可能な限り拡大していく必要があるのです。

「ほどこし」として社会保障を考えるべきではなく、社会保障の充実が経済のさらなる豊かさを作り出す時代になったと考えるべき時代なのです。

高度経済成長期に有効に機能した役所のタテ割りのシステムは、今や政策の誤りの増幅をしていくだけの装置だとの認識が必要です。その指令に従っていても貧富の格差は基本的になくならないし、マーケットメカニズムに基本を委ねているままでは、貧富の格差の拡大を抑えることはできないのです。

3）需要にポイントを置いた政策について

需要面を継続的に支援する政策とは具体的にどういう政策なのでしょうか。

新しい経済循環作りを目指し、2極分化を阻止することが資本主義経済を護る

第一の前提として考えておかなくてはいけないのは、これは新しい経済循環を作るということ、あるいは、新たな経済循環に移行していくということです。そして、今までも述べてきましたが、政策投入ポイントを供給サイドから、需要サイドに移行させていくことを考えなくてはなりません。経済というのは、循環がスムーズにいかなくなった時には、クラッシュしてしまうのだということ、その際に利益を得る人もいるかもしれませんが、基本的にはクラッシュした被害はその地域に住む人すべてに影響が及びます。

現在でも社会のあり方としては、2極分化を阻止していこうとする試みは、様々なところで進んでいます。ただ、それらは、資本主義社会における一つの抵抗運動として行われていて、進みつつある2極分化を遅くする効果はある程度あると思いますが、阻止することはできないのが実態と言えます。意識の転換がなく、いずれも対症療法の域を出ないからです。

非常にわかりやすい事例としては、こども食堂を進める運動などがあります。これは、2極分化しつつある一方を支援することで、2極分化を抑制していることになります。2極分化はどんどん進むので、こども食堂の運動が広がることは、間違いありませんが、それによって、問題の本質が解決されることはあり得ません。

また、堤未果さんの著書、『日本が売られる』にあったような課題も、破綻に向かわないための警告の項目と見て良いと思います。

これらのことは、逆説的ではありますが、考えようによっては、いずれも資本主義経済を維持継続していくための、行動と見ること

ができるのではないでしょうか。成熟段階の資本主義経済が壊れないための、健気な行動と言って良いと思います。そして、もし、こうした行動がなければ、資本主義社会は不安定化の流れがどんどん進んで、一挙に破綻に到達することになります。余計なものを捨象して単純に考えれば、作ったものを買う人がいなくなれば、この生産社会は維持できなくなるのです。ソ連は、現在の資本主義社会のような、２極分化を抑制する装置がなく、また末端で需要供給を調整するマーケットメカニズムの採用がなかったので、ニーズを超えたもの、あるいは合わなくなったものの作りすぎの状態になって、即、崩壊しました。

モノからサービスへの転換

資本主義経済では、供給力の拡大の結果、グローバル展開が進みましたが、同時にモノからサービスへという転換が進みました。今までのモノづくりでもマーケティングの展開を通して、どのようにすればものは売れるかという検討は進められてきています。いらないものを買わされてしまうといった現象も起きてきているのではないでしょうか。ネットを通じて注意し届いたものを見てみたら想定していた内容ではなかったということがいくらでもあると思います。

同時に、ものとして売っていたものをサービスという形で提供する形が一般化してきました。特に、継続的に使用するものについては、サービスとして提供する形が多くなりました。ソフトウェア販売などはその典型です。ソフトの入ったＣＤ等を買い取る、あるいはＷＥＢ上でダウンロードして買い取ると言ったことから、ソフトの使用期限を定めて、月払い、年払い等の方式で、継続的に使用権をうるという形に典型的に表れています。そうしたことを進める中で、ソフトのバージョンアップも進めていけるので、一石二鳥ということでもあります。

しかしながら、これで購買力に期待できる領域は限られています。一般の商品について、買いたいけれど資金がないという現象は、２

極分化の中で進行度を早めていると言わなければなりません。

２極分化を阻止する装置を作る

こうして考えれば、むしろ積極的に２極分化を阻止する装置を作ることが、資本主義経済の崩壊を招かないために重要であると、発想を変えることができると思います。資本主義経済を維持するためには、物やサービスを買う側を支援することが成熟社会の基本政策であると考えるべきなのです。作る側を支援することから、買う側を支援することに注力先を変えることが政策の基本となっていかなくてはならない時代なのです。

現在の日本政府は、明治時代に作られた発想から抜け出すことができず、相変わらず供給体制のために知恵を絞っているのですが、これは、全くの政策の誤りだと気付いてもらわなくてはなりません。買う側、需要する側にテコ入れをすることこそが、資本主義経済を健全に維持するための基本政策であると発想の転換することが不可欠なのです。

なぜ、このようなことを長々と述べ立てるかと言いますと、これは国家の存立を左右する政策転換であるので、そのことの認識・意識の転換が、大前提であることを人々が認識し、これを社会意識とするまでにしていく必要がある、と考えているからです。

ここで、需要サイドがこれからの政策の基本であるということが、人々の中であたり前のことと認識されるようになれば、今ある政策の意味合いが大きく変化していくことになります。

ミクロに励んでもマクロを達成することはできない

企業は、商品を売るためのマーケティングを必死で進めています。テレビは、今やこのマーケティングのための不可欠の装置として機能しています。しかし、これはまだ、人々が金を持っているという前提のもとで行われていることです。こちらを買うか、あちらを買うか、よく見てくださいね、ということです。費消を促すためのマーケティングが日々、テレビから発信されています。しかし、こども食堂が流行るということは、もはや金がない状態で、社会を維持していくために止むに止まれず進められている運動です。金がなくなれば、いくら宣伝をしてもモノは売れなくなっていきます。

また、企業にとっては、物が売れることが自社の利益確保の前提ですが、社会全体にとっては、売れる前提として、人々の所得をいかに確保するかがポイントとなっていくのです。これは、ミクロ（企業）の世界とマクロ（国民経済）の世界の違いと言って良いと思います。高度経済成長期は、ミクロの活動がマクロの充実とパラレルに進んでいきました。この時代は、トリクルダウンが働いた時代でもあります。生産力の高まりの中で人々の所得も増え、買う力も増す、そういう時代だったのです。

しかしこれは永遠に続く形ではありません。現在のような、供給力が圧倒的に需要を超える時代においては、ミクロの世界で、企業が利益を得るために様々活動することは、マクロの世界、国家全体・社会全体にとって、モノが買える状態を作るということは直ちには結びつかず、逆にマクロの状態を悪化させるように機能するようになってきているのです。

働き方改革法案の時代錯誤——サプライサイドを強化する発想の延長議論

働き方改革法案が出されて、さまざまな議論がなされています。

これは、私の成熟社会論から見ますと、相変わらずサプライサイドの政策で、経営を安定させるために、さらなるコスト削減を達成するためのステップを考えるものと思っています。

相変わらず知恵のない発想で、企業が自由に活動する環境を作ることが政府の使命と考えていることが、ありありと窺われます。要するに経済界における積み上げられた既得権の中で、自分たちだけが潰れない体制を作るための準備工作としてどうしても必要なのでしょう。

成熟社会論では、供給力が圧倒的に需要をオーバーしている社会という定義をしているわけですが、そうした現代の日本で、供給側を支援することしか考えない政策というのは、いまや時代錯誤なのです。ますます供給力と需要との格差を拡大する結果になるからです。まして、需要を生み出す側の所得を削って、格差をさらに拡大して、どうして経済が安定的に成長するのでしょうか。買う力（需要側）を抑制して、成長が達成されるわけがありません。

成熟社会の政策は、需要サイドをいかにして高めるかという政策が基本です。需要を高めるために、売る側がマーケティングを強化するというような話は、マクロ的に考えるとほとんど意味がありません。需要を高めるマクロ的な対策は、需要側の所得をいかにして拡大するか、ということに決まっています。買うことの可能な状況が生まれて初めて、物が売れ、生産の拡大につなげていくことが出来るのです。これは要するに経済循環をうまく作っていくための政策投入のポイントをどこに置くかという問題です。マーケットに依存できない部分、それこそが政府の役割なのです。

今政府が取り組んでいる政策は、ほとんどこの真逆の政策を進めていると言って良いと思います。世界でも稀に見る徹底した需要削減策といってもよいでしょう。この方向を今や20年も30年も続ける状況の中で、日本の一人当たり国民所得は1990年台半ばを峠にして、世界での順位を落とし続けているわけです。

日本では、経済を回しているのは企業であるということが染み付いてしまっているので、企業のコスト削減を支援し、また国内で物が売れないとなると海外展開を支援していくしかないという、誠に貧しい発想から抜け出すことができません。

残された開発途上国

ところで、最近、残された海外の開発候補地で、大きな魅力を持っているところがあるのに気がつきました。日本に大変近く、また開発の初期段階にいる国が残されていたのです。いうまでもなく、それは北朝鮮です。今までこんなことは思いつきもしなかったことですが、状況が大きく展開しつつある今、魅力ある地域であることは明らかです。日本の企業の方で、どうして北朝鮮に進出していくことができるかを考え始めている企業のリーダーの人もいるのではないかと想像します。考えてみれば、非常に魅力的な地域と言えるのではないかと思います。

現在、日本としては、この地域への進出を考えるなどと言ったらひっくり返ってしまう状況でもあるような気がしています。しかし、ここへの進出が持つ日本にとっての意味合いを冷静に考えてみるべき時であると思います。単に戦後賠償とか、経済援助と言ったレベルで考えるのではなく、ビジネス環境としてどのように取り組むかを考えるべき時です。今のままでは、おいしいところは、中国や韓国、さらにはロシアやアメリカにその旨味を総て取られてしまい、日本は指をくわえて見ているだけということになるのではないかという気がしてなりません。

拉致問題の解決なくして経済支援や援助はないという発想も非常に貧しい発想です。最大限の圧力を加えることによって拉致問題を解決するという論法は、まったく的外れです。それが的外れであるということは、今までの経過を見て見れば明らかです。小泉さんの時に数名の方が帰国して以降、何一つ解決のステップが進んでいないのは、その政策が誤りだったということの証明です。私の思うところでは、北朝鮮への進出を進めるという政策転換を行なって、それに伴う政策を展開する中で、拉致問題は当然解決していくはずのものであると考えています。

せっかく今、北朝鮮が19世紀的な世界から抜け出し、21世紀の場に立つことを目指すかもしれないという時に、相変わらず、19世紀、20世紀型の、力を誇示して相手をねじ伏せる事が当たり前のような発想から抜け出せないようでは、対外政策においても日本の未来はとても暗いとしか思われません。

国と地方の関係の見直し

今までの成長戦略における役割分担としては、

国＝大企業対策＝成長支援

地方＝中小企業＝経済成長のために下支え（持続化給付金などの例）

という形が一般的に認識されてきました。大企業は、地方を相手にしてきたことはなかったのです。ただ地域における大きな企業は、自治体の中では名士のように扱われてきました。自治体の対象は圧倒的に中小企業対策が中心であったのです。

今回コロナ対策の中でおかしなことが起きました。国が、地方の対策に侵入してきたのです。これは、コロナの問題一般からやむを得ない措置であったと言えるかもしれません。しかし、地域に根っこのない大企業が、このテーマについて国から委託を受け、自分たちのルートを使って地域に入り込んできたのです。この政策は、地域に大混乱を巻き起こしました。結果として、持続化給付金その他の政策は、地域に本来あるべき姿で浸透していくことはありませんでした。既存のルートがあるにもかかわらず、中間マージンを取りつつ地域の活動を支援するというやり方は、コロナ対策というよりは、国の大企業支援策の一環でしかなかったと言えるのではないかと思っています。

環境を改善する

さて、需要面を拡大してそれが供給体制の拡大につながったとして、永久にこの体制は続けていくことが出来るのでしょうか。満ち足りた社会でさらに生産を拡大して、どんな意味があるか、ということです。これについては、成長が目的ではなく、経済循環が円滑に行われ、人々が誰も安寧な状態で生活してくことができればいいということで考えておく必要があります。定常社会になっても、さらもう少し貧しい状態になっても、人々が安寧な意識の元で生活できれば、それで問題はないということだと思います。しかし、大事なのは経済循環であり、定常社会を目的とする必要はないと思います。

人々が生き延びていくためには、もう1つの課題として環境の問題があります。環境破壊が進めば、別のエネルギーによって生活は物理的に破壊状態に向かいます。これも企業活動の延長から生まれていると言って良いので、需要面から抑制を図っていくことが課題です。需要面の拡大を図るときの1つの前提条件として、環境破壊を進めない活動であるかどうかということが新たな経済循環を進めるときの公準として設定されていくことが必要であると思います。

さてこのような諸々の前提を置いた上で、需要拡大の政策を考えていきたいと思います。

政策転換の方向

1990年代以降、成熟社会の入り口に立ったにもかかわらず、ひたすら生産力を高める政策を採り続け、一方で需要削減政策を取り続けてきて、その結果として、成長自体も滞り、貧富の差が拡大する状況が続いてきました。菅さんが実際に取ろうとしている経済の方向は、本人は自覚がないみたいですが、客観的に見ると、どうみてもすでに破綻している、この「新自由主義経済」そのものです。

何度も述べてきたように、これからの時代は「需要力をいかに高めるか」に、政策を移行させていかなくてはなりません。まさに政治の役割、政治による政策選択のあり方が問われているのです。

これから先の展望としては、国内において、需要の中心である人々の消費力・所得を高める以外に資本主義経済自体、持続できない時代になったのだと思いを定めるべきです。需要力が圧倒的に高まれば、(買うことができるようになるので)、供給力とのバランスが回復し、それまで手の届かなかった商品も買えるようになるので、売る側は生産拡大もできる、そういう時代だと認識する必要があります。そうすれば、投資も回復します。

消費を構成する大多数の人々の所得を高めて、買う力を高めることによって初めて、経済がうまく循環できる時代に入っているのです。消費税ゼロは所得向上と同じ効果を持つので、当然進めるべき方向の１つです。財政問題に優先する喫緊の課題というべきです。真っ先にこの方向への転換をする政党のみが、これからの経済面で主導権を取ることができるのです。

日本でも、既に10年以上も前から、公益資本主義といった考え方をベンチャー投資家（原丈人さん）が提案していますし、ステークフォルダー資本主義（2020年ダボス会議）という考え方も、今また強くなってきています。

何よりも大事なのは、豊かになった社会で、生きることもできないほどの貧困が増えているというのはおかしいので、これからの社会のめざすべき目標は、「人々が皆、生活の豊かさを享受できるようになる」ことに尽きると思います。豊かになった結果を享受できない人がいるということは、何のための豊かさか、ということです。

経済成長は結果であってもはや目的ではない、ということは確かだと思います。成長戦略などということを目標にする時代ではないということです。２極分化している一方の側の所得をあげ、全体としての平準化を進める役割は、政府をはじめとした公的機関が先導しなければなりません。今まで企業支援に費やしていた資金を全面的にこちらに振り向けることとしていけば、社会環境は瞬く間に変わっていくと思います。資本主義経済存続の要諦とみて良いでしょう。

技術革新とその進め方

これからの時代は、生産力を拡大していくためには、どのように作ったものを売るかに専念するのではなく、どのようなものを商品として作るかということがポイントになっていくのではないかと考えます。つまり、モノづくりであれ、サービスであれ、技術革新の方向が死活を決める時代になっていると言って良いでしょう。類似商品を、宣伝力でカバーして販売をして行こうとするのでは、商品の普及を図れない時代といって良いのではないでしょうか。

先を見通した商品の提案をするためには、透徹した先見性が必要です。そして、それをカバーすると考えられるのが、需要する側の意向をどのようにして捉えるかということです。商品を求めるユーザーの意向に合ってこそ売れるようになる、従って、組織の仕組みの中にユーザーの意向を、常に、的確に捉える仕組みをビルトインすることが、これからの供給側に求められることと言って過言ではありません。商品に対する不満や希望を受け止め、その内容をその後の事業展開に的確に反映する体制が取れるかどうか、これが、これからの企業にとっての死活問題となると言って過言ではありません。現に、そうした仕組みをうまく組み込んでいる企業と、聞く耳を持たない企業との違いは現在、私たちの生活の中で見て取れるのではないかと思います。

成熟社会となって、生活するのに必要な基本的な商品は既に一般化しているとすれば、これからの供給体制作りにあっては、先見性、そして同時に需要する側の意向を柔軟に取り込める商品作りをしていくことが必須とみて良いと思います。政府に依存せずに進めることは当然です。

ニーズを把握する仕組みを組織に埋め込む

日本企業は、ニーズを把握する発想が今まであまり強くありません。いいものを作れば売れると思っているようですが、その製品がいいか悪いかを判断するのはユーザーである消費者の方です。

売りたいものを売る社会から、買いたいものを選べるという方向に社会への基本政策を転換できる企業が生き残りのできる社会というべきでしょう。

テレビでの商品宣伝を見ていると、目を見開かせるような新商品ではなく、相変わらずの商品宣伝をしているのが実際です。これを見ていると、目新しさもないものをよく売りまくろうとしているな、と思ってしまいます。特に、サプリメントの宣伝がひどい状況です。金をかけるのは宣伝の世界であり、ヒット商品になれば儲けものといった感じです。この場面を見ている限りでは、名のあるタレントを使うというやり方ばかりで、買う側の意向を把握しているようには思えません。売れた分だけが宣伝効果、といった感じです。

大規模化を目標に据えることをやめる

モノは既に捨てるほど充満しています。大規模化を図る発想は、モノがない時代の発想です。ただそれが全ての人に行きわたらない社会になっていて、政府自体がそのことに目を向けていないということが問題なのです。中小企業の統合化による規模拡大を目指すといった発想は、今はまさに時代遅れの発想であり、さらに日本経済を衰えさせる企みであるように思えてなりません。

今や、組織の規模を大きくする必要などはどこにもないのであり、組織のタテ割りを極力廃してフラット化を目指す、ボトムアップを機能させる、権限をボトムに与える、信頼関係で進める、そうした覚悟こそが大事なのです。

誤ったトップダウンについて、認識を持つこと。トップダウンの下手

日本はボトムアップ社会なのですが、リーダーとなった人は、往々にしてリーダーシップの発揮の仕方を学んでおらず、組織に混乱をもたらすもととなっています。大体、リーダーになる前に、日本におけるリーダとしてのあるべき姿について検討したこともないのが実態ではないでしょうか。ボトムアップ社会であるが故に難しい面があるのです。

日本の組織においては、ボトムアップが機能しないと、閉塞状況に陥りやすいのです。ボトムアップが活性化が鍵であり、そのためには権限をセットにして、ボトムに分つというくらいの覚悟がなければなりません。ボトムから情報が上がってくるのは当たり前、いい情報をあげてくるやつはうい奴と言ったことを考えている限りでは、組織はいつ崩壊しても不思議ではありません。誰からも的確に

情報を上げてもらえる体制を作ることが、日本におけるリーダーの基本的な役割と言って良いのです。タテ社会である日本では、トップのところに情報がなく、自分がそれまでに培ってきた経験があるのみなのです。

トップダウンとボトムアップの不整合が進むと、部下は上司の指示待ち、上司は部下の情報待ちと言った現象が一般化していきます。また、ノルマを課すと言ったことも、当たり前のように行われますが、組織が不活性化する原因ともなっていきます。

4）アメリカの混迷　トランプの出現

①トランプ時代の経済政策

さて、ここでトランプさんの進めてきた経済活動ついて、今までの視点からその意味を考えてみます。

トランプさんが、輸入関税を高めるという政策をとっているのは、輸入品に高い関税をかけて、空洞化からかつての国内の産業の生産力に取り戻すことによって、人々の生活の安定を取り戻したいと意図しているのですが、海外から入ってくる安い商品によって国内産業が破綻していくのを避けるという意味では、一定の効果があるかもしれません。しかし、ミクロの企業活動の世界として国内で生産活動が活発になるために、海外からの輸入を抑制しても、買う力が大きくならなければ、人々は結局高いものを買わされる結果になるだけで、２極化はむしろ進むことが考えられます。社会全体を捉えたマクロの世界では、これは成り立たないはずです。しかもこれは、グローバル展開という、自分の国が率先して蒔いたタネを、他人のせいにして自国を守ろうという発想のように見えます。トランプさんは、ミクロの発想でマクロの社会の問題を解こうとしているので、これで解決に繋がることはありません。しかも、世界第一の経済大国であるにも関わらず、経済の需給関係を無視して、ごり押しが通ると思っている面があるようです。1980年代において日本がバッシングを受けたときには、こうした措置は成功しましたが、今やそれだけの力はアメリカにはありません。世界全体の経済関係を破綻に向かわせる、無能な政策の典型と見て良いのではないかと思います。

トランプさんがこの政策を強力に推進しているのか、バックの官僚群がこれを当たり前と思っているのか、見えない部分がありますが、官僚自体にも過去の驕りが残っていてトランプさんを通して実現させようと思っている面があるようにも見えます。政策的な大きな混濁がここにあるとしか思えません。

むしろ大事なことは、まず、自国企業の海外展開に歯止めをかける政策をとるべきと言えましょう。そして同時に、貧富の格差が、日本が直面する状況をはるかに通り越して拡大している状態から、需要サイドに政策のポイントを移すべきだと思います。その方向が見えず、方向転換できないのがミクロの企業家、トランプさんの限界なのではないでしょうか。

新しい資本主義を構築する運動として捉える

経済の論理からすると、供給力が過大になった社会でとるべき政策は、需要力を高めるということしかないということであり、サンダースさんの行動はそうした主張をしているものと捉えることができます。いくら供給力を高めても、買う力がなければその体制を続けることはできません。供給力が需要力を超えてしまった社会では、需要力を高めるように基本政策の転換を図らなければ、資本主義経済は決して持続可能にはならないということです。

現在のアメリカで起きている現象は、自覚の有無は別として、過去の社会主義に戻ろうという運動ではなく、供給過剰社会を見直して、需要力拡大に目を向けようとする先見的な行動の一環と捉えるべきであると考えるものです。需要力が拡大（単純化して言えば、買う側の人の所得を拡大させること）することによってものが売れるようになれば、これが生産活動へフィードバックし、新たな消費～生産の経済循環が成り立つようになります。これがこれからの経済のスタイルであり、だれもがものが買えるようになる、そしてできるだけ等しく豊かになっていくことが、資本主義経済を持続可能にする時代に入っているのです。

需要力を拡大し、供給力とのバランスを作り出す経済循環の仕組みを作ることが、現在の資本主義経済を守るための最大の課題と言っていいのです。今までは、開発途上国が多かったので、海外展開で拡大再生産を続けることができたのですが、これから途上国自体が成長を遂げていく状況の中で、新自由主義経済運営は遠からず完全に破綻することになります。市場メカニズムは、具体的な個々の局面で需要と供給のバランスを確保するために有効ですが、マクロ経済において自律的に需給バランスをとれる性格のものではありません。それを調整するのは、政府がどのような政策を採用するかによって決まっていきます。そうした意味で、サンダースさんの登場は、直感によるものと思いますが、時代のはるか先を見通した動きであり、このために人々の支持が集まっていると考えるのが妥当と考えています。

ただ、今の状況では「社会主義」という言葉遣いには、あまりにも過去の東西対立の時のイメージがつきまとっています。実際の動きとしては、需要力を拡大することによって守られるのは資本主義経済であり、未来への展望を与えるものなのですから、「社会主義を目指す運動」と捉えずに、最先端の「新しい資本主義を構築する運動」というべきではないかと考えているところです。

社会主義を表明することによって、わかりやすさと結集軸を作り出すためには好都合ですが、かつてのイメージに戻るということもまた容易に想像できることであり、それは不毛な対立を生み出すだけになってしまうのではないかと思います。

覇権主義

アメリカの国力は世界経済の中で相対的に低下してきています。

こうした状況の中で、トランプさんのような行動に限らず、アメリカは他国の主権に関わりなく、覇権の維持をめぐって他国を自分のコントロール下におこうとする動きを見せてきました。今までアメリカの力は圧倒的に強かったから、その企みは大体成功してきましたし、日本はまさしくアメリカの経済的覇権の動きの中で敗北を強いられてしまいました。

その後遺症もあって、日本経済は今なお停滞状況を続けている。しかし現在は相対的にアメリカの力は低くなってきています。こうした中で、覇権維持のためにどのような行動をとっているか、今後とるか、については経験的な動きの中から判断する以外に予断することはできません。他国の人権無視を批判することもその手段の１つになっていると言って良いのではないでしょうか。自らの国家の中における人権無視の部分をそのままに、他国を非難することをやめない、また、さまざま裏工作を行っていることに注意していかなくてはなりません。

②新自由主義経済はいかにしてアメリカ社会を破壊したか

既に現在は結果が出ているので、いまさら当時の主張を繰り返しても意味がありませんが、なぜサンダースさんのような考え方に同調する動きが大きくなってきたのかを展開しておりますので、そのまま当時の記述を経済させていただきます。２月27日付と４月26日に小さなＳＮＳに投稿したものです。

新自由主義経済の登場

(2020.2.27)

日本ほど明示的ではなかったかもしれませんが、アメリカにおいても高度経済成長期には人々は、経済の成長に伴って自分たちも豊かになっていくという、確信にも似た状況があり、実際多くの人々の生活水準が向上していきました。そして、それなりに豊かな社会を迎えましたが、この高度経済成長が終焉を迎えたあとの現象として、新自由主義的な経済運営のスタンスが定着していったと考えています。一般的にはレーガン、サッチャーさんの時代と言われています。福祉国家の方向が見えなくなり、新自由主義経済が本格的になったのは、時点的に見て高度経済成長の終焉を契機としていると、私は考えています。

レーガン時代、新自由主義の動きが出てきた時点で、アメリカの経済が１つのメルクマールを超えたのだと捉えています。このメルクマールとは、マクロ的に供給力の拡大が進み、人々の基本需要を満たし、さらに供給力が常に現実の需要を超える状況に立ち至った状態と考えています。つまり、基本需要が高原状態に達し、それ以上いくら生産を拡大しても、売れる量の限界から生産のスタイルの変更を余儀なくされるようになったのです。

それでもこうした現実に直面して、企業は利益をあげ、生産を続けることを宿命と考えているので、事業存続をかけて、国内活動においては生産コスト削減、そして海外進出という、新自由主義的な考え方に基づいた行動に進んでいきました。グローバル化は新自由主義的経済運営では必然的な方向と言って良いと思います。そして、この動きは、海外市場にて売り込むということにとどまらず、海外での生産という形にまで進みます。この過程で、一方では国内的には貧富の格差を拡大し、他方では途上国を搾取するような行動も進んでいきました。そして、企業の海外生産体制の拡充の中で、国内的には産業の空洞化をもたらすことになりました。

今から10年ほど前（2008年から2010年にかけて）に、堤未果さんが「ルポ 貧困大国アメリカ」という冊子を中心に三部作を書かれました。この時点ではすでにアメリカ国内では貧富の差の拡大が、誰の目にも見える状態にまでなっていたように思います。この時期は、新自由主義政策が採られて久しくなっていましたので、貧富の格差が相当程度拡大して、覆い切れないまでになっていたということであると理解しています。

そして現在、一方では、半ば新自由主義経済の延長のような形で供給力拡大で経済の再活性化を目指す、トランプさんのような経営者が政治の場に出てきたのに対して、他方で、対抗力として出てきたのが、サンダースさんやそれに近い考え方の方々であると捉えたいと思います。

しかし、トランプさんのように国内に産業を呼び戻したとしても、供給拡大路線ばかりを続ければ、需要力とのアンバランスがさらに大きくなっていくだけであり、いずれ、経済システムとしては崩壊せざるをえないと思います。かつて私は大学（もう50年以上も前のことですが）の経済政策のゼミでソ連経済を学びましたが、その後、ソ連経済が崩壊したのは、マクロ的に供給力が需要をオーバーするようになったときに、市場システムがない中で、それを調整することができなかったためであると考えるようになりました。ソ連の経済システムは、イデオロギーは別として、中心となるシステムは生産力（供給力）拡大システムだったのです。経済の循環システムは非情であり、需要とマッチングしない供給を増やしてしまう状態となって、その無駄に耐えられず、経済システムの全体が崩壊したのです。

サンダースさんの登場は、そうした中で進む貧富の差の拡大などに対する抵抗力のように考えられがちですが、実際はそういったことでの理解は、十分ではないと思っています。

アメリカで進められている2020大統領選挙の民主党予備選で、バーニー・サンダースさんが現状ではトップを走っている感があります。来週の３月３日のスーパー・チューズデーの結果でかなり方向が見えてくるのではないかという気がしています。

前回2016年の大統領選での民主党候補者選びの際も、サンダースさんは終盤までかなり支持を集めていた経過もあります。

なぜ今さら、民主社会主義者を自認するサンダースさんに高い支持が集まっているのか、多くの方々はアメリカ社会の異様な変質が進んでいると捉えているのではないでしょうか。前回の選挙でトランプさんが選ばれたのも奇異に思った方が多いと思われますが、今回、もしサンダースさんがトランプさんの対立候補となったとしたら、どう見てもトランプさんが有利になると思っておられる方が多いと思います。アメリカ社会は混沌の極みのようにも見えます。
　しかし、大きな転換期には、まだ分析が及ぶ以前に現実が先行するのは当たり前のことです。アメリカの現在の政治状況を「混沌」として捉えるだけでなく、新たな社会に向かう予兆として見ることも出来るのではないでしょうか。
　ここで、私は、私自身が整理してきた考え方に基づいて、アメリカの政治状況について、展開してみたいと思います。このことは、直ちに日本社会の状況の説明にもつながるものと考えています。

③資本主義の再生はあるのか

（2020.4.26）

　４月９日付の新聞夕刊に、米国、バーニー・サンダースさんが民主党の大統領候補からの撤退を表明されたとの記事が掲載されました。候補者が絞り込まれて合従連衡の進んだ中で、多数派を形成できない状況になったわけです。
　２月末に、サンダースさんを支持する人が多く、うねりがあるのを感じて、サンダースさんに関する１文を書き、私のかつての上司で、今でもなおご厚誼を賜っている久保孝雄さんにお送りしたところ、数時間後にすぐ、下記のようなお返事をいただきました。
『サンダース現象の一方、シアトルでは「ロシア革命の理想をアメリカで実現」する事を目指す「トロツキー主義」のサワント議員が大活躍中とのことです。ただしやっている事は最低賃金の引き上げ、ホームレス対策、冬期は家賃滞納者を退去させない条例作りなどの労働・福祉政策です。サンダースのいう国民皆保険、公立大学無償化、奨学金ちゃらなどにも通ずる大胆な所得再配分による社会の底上げ、国民の懐を温かくする政策で支持を広げているようです。ダボス会議の「ステークホルダー資本主義」というのも、資本家、株主だけでなく、労働者、消費者にも利益をシェアする資本主義にしようという事のようです。なにか皆一脈通ずる動きのように見えます。』

ここで、初めて「ステークホルダー資本主義」という言葉に接したのですが、無知を恥じるとともに、慌ててこの言葉をインターネットで検索いたしました。そこで見つけたのが、1つは世界経済フォーラム（通称ダボス会議）の記事であり、もう1つは原丈人（じょうじ）さんという経営者・ベンチャーキャピタリストの出版物でした。

世界経済フォーラム（ダボス会議）

世界経済フォーラムですが、今年は設置されてから50回目にあたったそうで、1月に開催されました。当初の創設者、クラウス・シュワブ教授の理念そのものが、ステークホルダー資本主義の考え方にあるとのことで、今回50回目の議論は2つの主題（「気候変動」と「ステークホルダー」の2テーマ）を中心として議論されてきたとのことで、50年間の間の紆余曲折ののち、設立の趣旨に立ち戻ったと言えるかもしれません。

今から20年前の、2001年には、このダボス会議に対抗する形でブラジル、ポルト・アレグレで大勢の人が参加して第1回「世界社会フォーラム」（WSF）が開催されたと聞いていますので、ダボス会議も、途中、さまざまな変化があったことを窺わせます。（WSFはその後も回数を重ね、各地で開催されています。）

原丈人さんの最初の著書は、最も早く書かれたものでも2007年ですから、ダボス会議の歴史よりずっと新しいのですが、今年、50回目のダボス会議が当初の精神に立ち戻ったのは、ユニークな活動を続けるベンチャーキャピタリスト、原さんの考え方や行動に触発されたところもあるのかな、と想像したりしています。

今回、ダボス会議で取り上げられた企業のあり方について、「ダボス宣言2020」から日本税務協会がホームページで引用されている内容は以下のとおりです。（若干、意味の取りにくいところもありますが、翻訳のせいでしょうか。）

第４次産業革命における会社の普遍的な目的

Ａ．企業の目的は、すべての利害関係者が共有され持続的な価値創造に関与することです。このような価値を創造する上で、企業は株主だけでなく、従業員、顧客、サプライヤー、地域社会、そして社会全体のすべての利害関係者に貢献します。すべての利害関係者の多様な利益を理解し調和させる最良の方法は、企業の長期的な繁栄を強化する政策と決定への共通のコミットメントを通してです。

ⅰ．企業は、顧客のニーズに最適な価値提案を提供することにより、顧客にサービスを提供します。公正な競争と公平な競争を受け入れ、支援します。破損に対する許容度はゼロです。信頼性と信頼性の高いデジタルエコシステムを維持します。これにより、顧客は製品やサービスの機能を十分に認識できるようになり、悪影響やマイナスの外部性も含まれます。

ⅱ．会社は従業員を尊厳と敬意を持って扱います。多様性を尊重し、労働条件と従業員の幸福の継続的な改善に努めています。急速な変化の世界で、企業は継続的なスキルアップとリスキルを通じて継続的な雇用適性を促進します。

ⅲ．企業は、サプライヤーを価値創造の真のパートナーと考えています。新規市場参入者に公平なチャンスを提供します。人権の尊重をサプライチェーン全体に統合します。

ⅳ．企業は、その活動を通じて社会全体に貢献し、働く地域社会を支援し、公正な税負担分を支払います。データの安全、倫理的、効率的な使用を保証します。それは、次世代の環境および物質宇宙の管理人として機能します。それは私たちの生物圏を意識的に保護し、循環し、共有され、再生する経済を擁護します。知識、革新、技術のフロンティアを継続的に拡大し、人々の幸福を改善します。

ⅴ．企業は、発生した起業家リスクと継続的なイノベーションと持続的な投資の必要性を考慮した投資利益率を株主に提供します。

現在の未来を犠牲にしない持続可能な株主還元を追求して、短期、中期、長期の価値創造を責任を持って管理します。

B．企業は富を生み出す経済単位以上のものです。より広範な社会システムの一部として、人間と社会の願望を実現します。パフォーマンスは、株主への還元だけでなく、環境、社会、および優れたガバナンス目標を達成する方法についても測定する必要があります。役員報酬は、利害関係者の責任を反映する必要があります。

C．多国籍の活動範囲を持つ企業は、直接関与しているすべての利害関係者にサービスを提供するだけでなく、政府や市民社会とともに、私たちのグローバルな未来の利害関係者として行動します。企業のグローバルシチズンシップでは、企業がコアコンピテンシー、起業家精神、スキル、および関連リソースを活用して、世界の状態を改善するために他の企業や利害関係者と協力する必要があります。

（下線は井上）

21世紀の国富論

そして原さんの著書については、4冊ほどを走り読みいたしました。

『「公益」資本主義』（2017年3月、文春新書）

『誰かを犠牲にする経済はもういらない』（2010年6月ウェッジ）

『「新しい資本主義」～希望の大国・日本の可能性』（2009年5月PHP研究所）

『増補・21世記の「国富論」』（初版2007年5月、増補版2013年9月平凡社）

原さんのご著書の考え方を体系的に展開されているものは、2007年に書かれた「21世紀の国富論」と思われます。その後、PHP研究所、ウェッジ、そして文春新書と展開していったように思います。その意味で、『21世紀の国富論』が原さんの原著といってよいのではないかと思っています。（私が読んだのは2013年の増補版です。）

この方は1952年生まれで、大学時代、中央アメリカのピラミッドに魅せられて考古学を志したのですが、慶應大学を卒業した後、遺跡の自前での発掘等を目指すには資金作りが必要ということから、スタンフォード大学で経営学大学院、工学部大学院を出られたのですが、その後、ベンチャーキャピタリストになられたという、たいへんユニークな経歴をお持ちの方です。

企業は株主のものであるとする、株主資本主義を全面で進めてきたアメリカの企業、そして金融資本主義の仕組みを強く批判して、これからのあるべき方向は『「公益」資本主義』にあるとしてその視点に沿った理論構築しておられます。

日本には近江商人の三方よし（売り手よし、買い手よし、世間よし）の考え方がありますが、現代の資本主義経済においても、この考え方で進めていくべきであるとしています。そして、近江商人の商売の考え方のような基本スタンスがもともとある日本は、これからの資本主義経済の進むべき方向を主導できる資質・可能性を持っているとしておられます。

「公益資本主義」という概念にはやや引っかかるところがあります（「公益」という言葉には、強い価値意識が込められているように感じられます）が、ベンチャーキャピタリストとしての原さんは、これからの時代は、中長期にわたる支援を覚悟して、ベンチャー企業の育成を目指すべきとしています。そして、できるだけ短期で利益を回収しようとする仕組みを作って経済運営をしているアメリカを、「株主資本主義」として厳しく批判しています。新たな開発に取り組むベンチャーに対する支援は、製品化まで息長く進める覚悟が必要なのですが、現在のアメリカで作り上げられてきた仕組みで経済運営を進める限り、短期利益追求の仕組みであるため、画期となるような新製品を生み出すことができないシステムになっています。このような状態を続けても本来あるべき資本主義を続けていくことはできなくなるとまで言っています。

また文春新書の中では、公益資本主義を実現するためのルールとして12項目を挙げています。

ルール1　「会社の公益性」と「経営者の責任」の明確化
ルール2　中長期株主の優遇
ルール3　「にわか株主」の排除
ルール4　保有期間で税率を変える
ルール5　ストックオプションの廃止
ルール6　新技術・新産業への投資の税金控除
ルール7　株主優遇と同程度の従業員へのボーナス支給
ルール8　ROEに代わる新たな企業価値基準（ROC）
ルール9　四半期決算の廃止
ルール10　社外取締役制度の改善
ルール11　時価会計と減損会計の見直し
ルール12　日本初の新しい経済指標

（※1）ROE（Return on Equity株主資本利益率）
ROE＝EPS/BPS（＝当期純利益/株主資本※）
EPS（1株あたりの利益）＝当期純利益／発行済み株式数
BPS（1株あたりの株主資本）＝株主資本※／発行済み株式数
※株主資本とは、株主が出資した資本と、それを使って生まれた利益の合計
（※2）ROC（Return on Company会社全体を支える社中貢献度）

新自由主義による経済破綻を回避する

1980年代以降、経済の成熟化に伴う行き詰まり打開方策として、アメリカやイギリスを中心に強まった新自由主義経済は、貧富の格差拡大や、金余りを背景に金融資本の専横をもたらしました。経済は人々の生活全般にわたる下部構造を規定しているので、新自由主義に基づく経済運営を進めた結果として、上部構造としてのアメリカの政治環境にも大きな混迷をもたらしています。アメリカの民主主義はこれを乗り越える道を発見できず、現在は、資本主義は終焉

せざるを得ないという認識も生まれています。

このように、新自由主義経済の破綻はあきらかなのですが、変わる方向はまだ見定まっていないために、誰も将来を見通すことができていません。(日本はこのアメリカの状況に対して、むしろ追随する動きを強めているので、現在でも大きな課題となってきている中間層の2極分化を抑制することもできないまま時間を経過しています。)

ここで、今回のダボス会議、そして原丈人さんの展開している考えに共通しているのは、こうした新自由主義経済運営の破綻を目の当たりあたりにして、これから歩むべき道の模索にあると言えるのではないでしょうか。今回のダボス会議にグレタ・トゥーンベリさんが招かれたのは、利害関係があり、ステークホルダーの最たるものと言ってよい地球環境、そして地球上のすべての人々の生活にまで問題が拡大したことに対する、主催者側の危機感の高まりがあったからと言って良いかもしれません。そして、ステークホルダー資本主義の必要性が縷々展開されているのですが、この動きは、企業活動をもう一度、全ての利害関係者のために活動する方向に戻そうとする考え方の高まりを表していると言えます。

原さんが分析しておられる、時価会計、減損会計、あるいは四半期決算の実態は、すでに法的整備がなされ、制度として位置づけられてしまっている現実があるので、制度の見直し、法律改正といったところまで進むためには、そのことの問題をもっと明らかにして、代わる道筋を示していかなければならないという思いが強くあるのを感じました。ただ、原さんの主張を見るにつけ、「株主資本主義」として定着してしまっている現状を打開するためには制度の変革がなされなければならず、乗り越えなければならない課題は大きく、また非常に困難なものであると感じます。

成熟社会論の視点から2つの資本主義論を捉える

そしてこの動きは、成熟社会におけるマクロ経済のあり方に関する私の議論と重なるところがあると思い至っています。

私の視点は、マクロ経済では、日本においても、すでに1980年代には生産力が飛躍的に高まって、供給力が需要をはるかにうわまわるまでに大きくなってきていたというものです（「日本語人のまなざし」104ページ上段を参照）。こうした状況に立ち至った時点で、政府は今までの供給力拡大に向けた支援ではなく、政策の方向を需要力の拡大に全面的にシフトするべきなのです。そうしなければ生産力をいくら高めても、消費能力との格差は広がるばかりとなり、ついには生産を続けられなくなってしまいます。

こうした状況に対応して、現在は生産物のグローバル展開、ひいては国内での生産コスト削減、生産の途上国への移転による生産コスト削減、という形が一般化します。これが新自由主義政策と言われるものです。しかし、このやり方を進めていくと、国内的には需要・供給のアンバランスがどんどん拡大し、結果として経済は疲弊の度合いを強めるとともに、途上国の経済をも毀損することにつながっていきました。究極的には生産力と消費能力の格差の拡大が経済の崩壊を導き、政治の混迷をもたらすことになっていきます。こうした資本主義経済はこのままでは持続可能になりません。このように、豊かになった社会の生産力と消費能力の格差が、経済循環を困難なものとし、資本主義経済を破綻に導くという考え方は、ステークホルダー資本主義、公益資本主義の経済システムへの考え方と、奇しくも結論としての方向が一致するのではないかと、（私の独善かもしれませんが）考える次第です。

ステークホルダー資本主義や公益資本主義の考え方では、株主だけでなく、従業員、顧客、サプライヤー、地域社会、そして社会全体のすべての利害関係者に貢献するようにするべきだとしていますが、株主以外の様々な利害関係者の所得の拡大を図らなければ、マクロ経済においては、資本主義は持続することができなくなる需給ギャップに直面していると、言い換えても良いのではないかと考えています。

逆にいえば、様々な利害関係者の所得を向上させるような政策をとることによって、需要と供給のバランスが回復されると言って良いと思います。つまり、成熟社会では様々な形で需要力を増す政策をとることが資本主義を守ることになるのです。

アジアの経済成長

また現在、国際社会を見てみると、アジアを中心として大きな変化が起きてきています。途上国が生産力を高めてきており、このことは同時に、それぞれの国における生産に際しても生産コストが高まってきていることを意味します。この結果、日本ほかの先進国としても途上国へ進出して生産する体制のメリットが弱まりつつあり、国内回帰の現象も少しずつ出てきているというのが現状でしょう。

これからは先進国も、生産物は自国内で消費することをシステムの基本とし、お互いに不足するものを相互の交易を通して、調達する効率的な仕組みを構築するようにこれからの仕組みを考えていく段階に入っています。そしてこうした現場にマッチした体制を早く作るほど、生き延びるチャンスは大きくなります。グローバル化を前提とした新自由主義の経済運営を続ければ、近い将来、維持・継続することができなくなり、崩壊していくことが予想されます。

新型コロナウィルスへの対応の中で

現在、否応なしに訪れている感染症の拡大は、考えようによっては、この転換を促す１つのサインともなります。

経済か、命かという選択が今問われており、「命と経済」ではなく「命と命」の問題であるとする提起があったのですが、こうした提起自体が新たな取り組みへの認識を深めるチャンスであると考えます。経済を崩壊させることなくこの危機を乗り越えることがポイントであると誰もが思っていると思いますが、ここでは、「命」にあらゆる政策をシフトさせていくことが必要と考えることはできないでしょうか。あらゆる経済資源を人々の「命」を維持することにシフトさせるということです。今までの「経済」を視座からはずして「命」を大事にすることでこの場を乗り越えることができたら、それ自体、私たちの中の基本的生活スタイルの変更を意味します。人々の命をいかに守るか、そのための経済を考えることが現在求められていることであると思います。

そして、それを達成できた時には、新しい経済の循環システムができていくのではないかという予感を持っています。また、医療崩壊とならないために最大限の資金を注ぎ込むことも、新しい経済を作っていくことに貢献すると考えるべきです。これらは需要拡大の新しい道の一環であると考えるからです。

したがって、ここで注ぎ込まれるさまざまな資源の投入を、一時的な対策と考えるのではなく、需要力拡大の一環として半永続的なものと考える必要があると考えるものです。

ポイントは、財政です。今の日本の財政は、供給力拡大を本命とする仕組みとしか考えられません。これを維持するために、命に関わる政策がいかにも中途半端になっているのです。そして、今の財政当局は、営々と導いてきた今までの道で、全く正しいと信じているということが一番問題です。消費税ゼロ%、十分な休業補償・失職保障といったことで、今までの財政の枠を打ち破り、需要力を拡大させなければなりません。そうするうちに、経済の仕組みはどんどん変化していくと思います。

経済の論理からすると、供給力が過大になった社会でとるべき政策は、需要力を高めるということしかないということであり、サンダースさんの行動はそうした主張をしているものと捉えることができます。いくら供給力を高めても、買う力がなければその体制を続けることはできません。供給力が需要力を超えてしまった社会では、需要力を高めるように基本政策の転換を図らなければ、資本主義経済は決して持続可能にはならないということです。

現在のアメリカで起きている現象は、自覚の有無は別として、過去の社会主義に戻ろうという運動ではなく、供給過剰社会を見直して、需要力拡大に目を向けようとする先見的な行動の一環と捉えるべきであると考えるものです。需要力が拡大（単純化して言えば、買う側の人の所得を拡大させること）することによってものが売れるようになれば、これが生産活動へフィードバックし、新たな消費～生産の経済循環が成り立つようになります。これがこれからの経済のスタイルであり、だれもがものが買えるようになる、そしてできるだけ等しく豊かになっていくことが、資本主義経済を持続可能にする時代に入っているのです。

需要力を拡大し、供給力とのバランスを作り出す経済循環の仕組みを作ることが、現在の資本主義経済を再生するための最大の課題と言っていいのです。今までは、開発途上国が多かったので、海外展開で拡大再生産を続けることができたのですが、これから途上国自体が成長を遂げていく状況の中で、新自由主義経済運営は遠からず完全に破綻することになります。市場メカニズムは、具体的な個々の局面で需要と供給のバランスを確保するために有効ですが、マクロ経済において自律的に需給バランスをとれる性格のものではありません。それを調整するのはどのような政策を採用するかによって決まっていきます。そうした意味で、サンダースさんの登場は、直感によるものと思いますが、時代のはるか先を見通した動きであり、このために人々の支持が集まっていると考えるのが妥当と考えています。

5）れいわ新選組は維新勢力。維新は新撰組

> 今、日本の政治の中でも同じような対応を求める動きが起きてきていると思っています。この運動に心より賛同するところです。

産業化を目指すことで、先進国に追いつこうという目標を立てた時代を明治維新としますと、維新勢力は新しい産業社会化を主導した人たち、新撰組は江戸幕府の存続にかけて、先兵として働いたが結局新しい時代に抗しきることができなかった人たちということに

なります。

今、日本が１つの時代の終わりと新しい社会の幕開けに向かいつつあると考えています。私は、この新しい社会を下部構造である経済から位置付けて「成熟社会」と名付けたいと思っています。生産力が高まり、需要に比べて供給力が圧倒的にオーバーするようになった社会です。

れいわ新選組はその窓を開き、あるべき姿を現実の中から見出そうと努力している人たち、維新はこれに抗って、今までの社会を維持しようと強引な活動を繰り広げている人たちということになります。現在がこの新たな画期にあると考えると、「れいわ新選組は維新勢力。維新は新撰組」ということになります。（※ 山本太郎さんの命名の意味は、私とは違います。れいわ新撰組は、国民主権のもとでその主権者の体制を守るという意味だということで、新選組と名付けたとしています。昔の新撰組ではなく、令和における組織であるということが重要です。同時に、主権者を守って戦うことを辞さないという意味合いも込められていると、私は感じています。）

どこで新たな転換が始まったか

日本における新たな画期、「成熟社会」の入り口は、今から考えると、ほんとうは1985年プラザ合意の頃にあったのではないかと思います。

誰にもはっきりと認識されることのない、しかし明治維新に匹敵するくらいの転換期の入り口に立っていたと言えるのではないかということです。豊かになったのです。先進国と言われる国々は、例外なくここに到達し、成長率は低下していきました。日本では乗り越える方向として、このプラザ合意から、内需拡大を目指すことになりました。

しかし、供給力が拡大して需要が追いつけなくなった時点なのであるから、国民全般の所得の上昇を政策的に採用し、需要力を高めることによって危機を乗り越えるのだという認識はまず存在していなかった。日本ではあまりにも産業面の政策にコミットしすぎていて、これを転換することで新たな社会が到来するのだという発想が生まれないままでした。

プラザ合意により内需拡大を目指したのですが、この内需拡大も産業面から捉えたものでしかなく、成長を可能にするために、結果的には、内需産業ともいうべき公共事業に向かうということしか選ばなかった。この時点で、生活面から内需を拡大するにはどうしたらいいかを考えたなら、人々の所得拡大策について新たな政策提案がいくつも出てきたと思いますが、視点の転換なしに産業面での内需産業にシフトしただけのものでした。のみならず、本来内需の主体である人々の所得向上の方策をことごとく切り捨てていったのが、この30年でした。

そしてここから日本の失われた30年がスタートしたと言えます。需要面から見て必要以上に作っているから、それ以上に売れなくなるのは当たり前で、成長が持続できないのは当たり前と言わなければなりません。しかし、新自由主義の政策は、相変わらず生産力の拡大を目指すだけのもので、自民党は、明治以来の産業社会推進派の考え方を持ち続けたまま（新自由主義を選んできた）でしたから、時代の画期からすると古い時代を営々と続けていこうとする人たち、維新は、その先兵（これが、私が新撰組として位置づける意味合いである）と言って良いと思います。いずれも明治を理想として、明治に戻りたいと考えている人たちの集団です。

また、今までの既存野党は産業社会の中で、新自由主義政策推進派に対する抵抗勢力といったところに止まってきたのではないでしょうか。

国民はすでに新たな胎動を何度も選択していた。

日本では政治的な動向として、1990年代の細川政権当時と、2009年の民主党政権が誕生した時には、この新しい未来への扉を開きたいとする国民の選択がありましたが、政党人自体が時代の画期の認識がないままであったので、それまでの政策の推進をしてきた官僚の主張に乗って、結局産業化時代に逆戻りするしかありませんでした。

そして今回、３度目の挑戦が、新しい装いを持って登場してきたと言えます。

ここで、れいわ新選組の政策を見てみますと、基本的に人々の所得向上を目指すものであり、あるいは、政府として政策の基本を人々の所得を維持・確保するために国が出費の肩代わりをするというもので成り立っています。

１から５番目までの

○消費税は廃止　○全国一律！最低賃金1500円「政府が補償」
○奨学金徳政令　○公務員増（これは説明がいるかもしれません。行政職公務員ではありません。）　○一次産業戸別所得補償

という政策提案は全て、人々の所得を保全・拡大する政策であり、まだ、これ以外にもいくつもあると思います。これらは、現代社会において展開すべき方向に合致した、比較的控えめな政策提案であると考えています。

（※これらの政策提案は、2019年の参議院議員選挙に際して出されたものですが、その後の基調としても変わっていません。）

また、６番目には、こうした方向の真逆を行こうとしている法律の見直し・廃止をあげています。

これから先の社会で、真に人々の生活の安定と未来への希望を持つことができるようになるためには、人々の需要力を大きく伸ばすことで、これが生産面に反映して拡大再生産も可能となっていくという考え方に転換すべき、待ったなしの時期に来ています。目指すのは、人々一般の所得の向上、その具体的あり方としての所得の平準化の一点にあります。ただ安定を最大目標としても、安定が得られる時代ではなく、今のままではどんどん生活領域が侵食されて、社会の２極化が進行していき、結果的に社会の不安定化を促進していくだけになります。

この需要力拡大への政策転換により、経済成長も可能になると思いますが、経済成長は、もはや目的ではなく、経済の仕組みとして、上記の方向での経済循環システムが確立した時に得られる結果に過ぎないと考える必要があります。すでに豊かになった社会（先進国）の目標は、すべての人がこの豊かさの恩恵を受けられるような仕組みをどのように確保するかということに尽きるのです。ここで単純化して言いますと、人々の所得を抑制することではなく、逆に拡大するための諸政策を採用することによってしか、経済成長が見込まれない、そうした時代に来ているということです。買う力こそが成長をもたらす時代になったのです。

ポピュリズム、左翼ポピュリズム

こうした政策の主張は、ポピュリズムとか、左翼ポピュリズムといったものとはなんの関係もなく、時代の未来を見据えた、的確な主張であると考える必要があります。安易に、既成の概念に押し込めて安心を得たいとするのが、学者的な立場にある人の陥りやすい発想ですが、それでは新たな方向を見誤っていくことになります。私の述べてきたことからすれば、これら政策は、大衆迎合的な政策の範疇だ、などと言うべきではなく、これから日本の進むべき方向について的確に取り上げているものと考えるべきなのです。

富が外資に吸い取られる社会

今採られている政府の政策で最も大きな誤りと思われるものの1例として、日銀と結託したゼロ金利政策があります。金利をゼロとすることで、企業の投資を促進しようとしたのだと思いますが、供給力がこれだけ大きくなっているときに、こんな政策で投資が復活する時代ではありません。政策投入の結果として、当然ながら、人々の蓄えた預金にも利息がつかなくなり、企業は売れる見込みのない新たな投資に向かうことに慎重となって、内部留保として溜め込んでいく結果になりました。ゼロ金利政策は、人々の預金による蓄積した富を奪い、企業の内部留保の拡大へと付け替えたにすぎません。

この内部留保を寄付として大々的に社会の平準化の方向に寄与させれば良いのですが、政策的にこうした方向を全く支援していないため、内部留保は溜め込まれていくだけになった感があります。しかも、この内部留保は、それぞれの企業の株主の意向を無視することができません。金余り社会となって投資先を見出せなくなった金融資本は、確実に金が金を産む、投機を選択しつつあります。また、外資があまりガネを日本の企業に投資して、目をつけたのはこの内部留保です。株主への配当要求として、外資がこれを求めるのは当然の選好です。この結果として、優良な企業の内部留保は外資にどんどん吸い取られていくことになります。要するに日本の国富であるはずもののが、株主としての外資にどんどん吸い取られていくのですから、日本の企業が働けば働くほど富が外に流出していくことを意味し、人々の生活が豊かにならないばかりか、どんどん貧しくなっていく方向を推進しているという結果をもたらしているのです。新自由主義による政策選択の誤りの１つの典型と言って良いと思われます。こうした状況の中で、若い人たちが外資系企業に就職しようとするのは当たり前の選択になってきています。

企業こそが自己責任で行動する時代

なお、最近、人々生活に関して自己責任論が流行っています。しかし今まで述べてきたように、政府の誤った政策がもたらした貧困は、自己責任論でカバーすることはできません。本来政府の役割は、そうした格差が生じないように対策を実施することにあるはずです。

むしろ、今まで政府の庇護の下、生産活動を推進してきた大企業こそ自己責任で生産活動を進める時代になってきたと言って良いと思います。企業活動において、今までのように政府に依存する考え方を捨てて、自己努力にかけて生産活動に邁進するようになれば、また生き抜く力も湧いてくるというのが実際ではないかと思います。

政府の庇護の下、政府の意向に従っている間は、これからの企業成長も見込まれないのだという自覚が必要です。企業こそ、租税特別措置法などに頼らず、自己責任に基づく行動を推進すべき時代になっていると言えましょう。そうすることによって、真に需要者の心に寄り添う生産活動を展開するという道も生まれてくると思います。

めざすこれからの社会

今までの経済運営は、国家主導であり、タテ割りの仕組みが地方末端まで浸透して経済成長を促進してきた。基本構造は今に至るまで変わらないし、今尚この形で進められています。今までの構造に、利権が張り付いていることから、この構造を変えていくのは非常に難しく、至難の業と言わなければなりません。しかし、このままで人々の豊かさを確保することはまず不可能と言って良いと思います。こうした中にあっては他者依存で予定調和的に豊かな社会は訪れることはあり得ないという認識が必要です。

新しい需要優先型の社会を目指す方法として、日本ではボトムアップ型の仕組みによる運営が最適であると考えて来ました。地方の、いわば末端から、わかりやすい言葉で言えば、参加型で人々を横につなぎ、連帯を強めながらこれからの生活の基盤を作っていくということです。ここで大事なことは、そうした形にしていくためには、人々一人一人の自発性に基づく行動が求められているということです。他人任せで新しい社会は構想することができません。

このように地方の末端からの自発的な行動によって生み出される社会は、ほんとうに多様性に満ちたものとなっていくことは間違いありません。他人の真似をしてもダメなのであり、その土地土地で現れる形は様々であるのは当たり前です。

こうした考え方が人々の間に浸透していくなら、需要拡大に向けた政策展開も飛躍的に進んでいくことになると考えられます。与えられるものを受け取るのではなく、必要なものを自ら求めていく姿

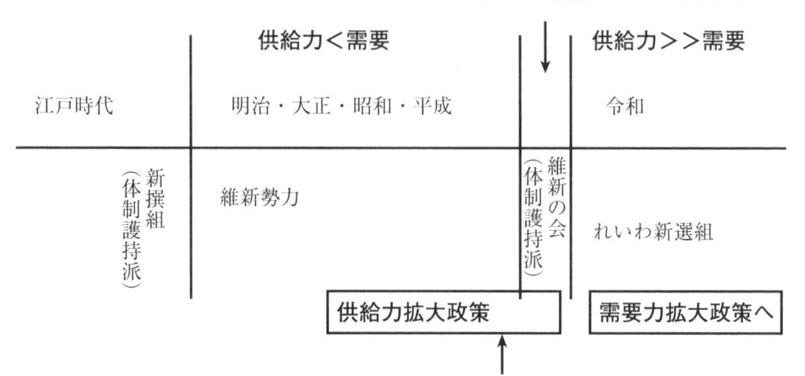

勢が大事な時代なのです。

日本における経済発展について私の描く図式は、単純ですが上図の通りです。

需要の拡大が新たな成長にもつながる可能性がある、これが成熟時代の経済政策です。

維新の会は大阪で政権を担っていますが、この政権のスタンスにより、またこの政権のスタンスを忖度した警察権力により、とんでもないことが起きています。中小企業潰しともいうべき形で、社会的経済領域の所得削減を、当たり前のように行っています。これは、私の視点からすると、前世紀的発想であるとしか見えません。資本主義社会を潰すつもりなのだと、私は言っています。

不思議なことに彼らは、資本主義社会を守る行為であると思っているのです。これは時代錯誤の典型で、政治家の発想が古いままであることを示しています。

6）「資本主義の新しい形」（諸富徹著、2021年1月）の読後感想

> 最近の研究では、時代の転換期にあることを示す論文がいくつも出てきています。諸富徹教授の著作もそうした方向を模索しながら展開しておられます。

（2021.4.3）

京都大学大学院教授、諸富徹さんの「資本主義の新しい形」(2021年1月28日初版発行、岩波書店）を、数日前に読み終えました。すぐに感想を、と思ったのですが、他用もあって遅れをきたしました。

「シリーズ現代経済の展望」という中の1冊で、「変化を遂げる資本主義に、日本はなぜ、ついていけないのか」という問題意識に基づいて分析が進められています。

変貌しつつある資本主義とは、知識化、デジタル化を含む「非物質主義的展開」であり、ものづくり先進国であった日本は、ものづくりにこだわり、世界の非物質化、サービス産業化といった方向で遅れをとってしまったことから、この道をいかにすれば打開できるかということがテーマとなっていると思われます。

「実は、新しい投資機会は生まれてきているのだが、従来型の「ものづくり」に執着する経営者には、その新たな機会が見えていないのではないか。これまで論じてきたように、資本主義の非物質化にともなって、「投資の非物質化」が進行する。だが日本の経営者は、「ものづくり信奉」が強すぎて、こうした資本主義の構造変化に気づくのが遅れた。…アメリカでは少なくとも1990年代に始まり、2000年代以降、加速化していった。経済の非物質化に対応できなかったことで、日本企業はビジネスモデルの変革に遅れ、すっかり変わってしまった競争の土俵で、次々と敗北を喫し、市場を失うことになった。」（第2章資本主義の進化としての「非物質主義的転回」p89）

「製造業がサービス産業化していった主要因としては、物的消費の飽和を挙げることができる。…生活の質を物的な意味で根本的に改善するようなインフラや製品・サービスがすでに行き渡ってしまい、製品への爆発的な需要が生まれなくなってしまった」（第3章製造業のサービス産業化と日本の将来127頁）としています。しかし、

「日本では、サービス化の台頭が明白になっていたにもかかわらず、それに抗うかのように1990年代後半ごろからメディアで「ものづくり」という言葉が押し出され、やがて神聖化され、ものづくりを磨くことこそが、日本企業の国際競争力を高める途だという説き方が

強調されていった。それ自体としては間違っていないし、製造業を鼓舞したい気持ちも分かるのだが、それが過度に生産者中心主義的な発想を強め、製造業が消費者起点・需要起点の発想に切り替えるのを妨げ、彼らによるICT投資・デジタル化の真の意義に関する理解を遠ざけてしまった側面はなかっただろうか。さらには、「ものづくり/サービス」の二分法の世界にどっぷり浸かり、両者の融合という潮流への認識が遅れてしまったことを併せて想起すると、「ものづくり神話」が喧伝されたことの弊害もあったと考えざるをえない。」（同128頁～129頁）

そして、低炭素化に積極的に取り組むことによる成長を実現している国も多い中、こうしたことについてもコスト要因として取り組みを怠る一方、ものづくりに執着して、製造業のサービス化を図ることをしてこなかったとしています。このことによって、日本経済は世界の流れに遅れを取り、成長から取り残されるようになった、ということになります。

そして、第４章資本主義・不平等・経済成長では、「近年、IMF（国際通貨基金）やOECDなどの国際機関が、現代資本主義における不平等と格差の拡大傾向に強い警告を発するようになっている点である。その要点は、（1）不平等の拡大は、経済成長の阻害要因となる可能性があること、（2）格差を縮小させる再分配政策は、成長率に負の影響を与えないばかりか、むしろ経済成長にとってプラス要因にすらなる可能性がある」（141頁）として、142頁から144頁にかけて、論拠となるIMF、OECDの分析が続いています。

これは、日頃、私が主張していることと全く重なるのではないか、と（自己満足の嫌いはありますが）私は納得しています。

また、著者は、ベーシックインカムと、来るべき時代に向けた人材への支援を行う人材投資を、「社会的投資」として取り上げています。この２つを比較検討して、後者の方が、国家の取り組むべき方向としてこれからの時代に相応しいとして、取り上げています。この社会的投資は、供給面に着目したものであるが、「サプライサイド経済学とは異なるとしています。「国家の役割を縮小するのではなく、グローバル化と知識経済化という、21世紀に入ってより顕著になってきた経済構造の変動に適応すべく国家の役割を再定義し、その機能強化を図ろうとしている点に特徴がみられる。そういう意味でいま起きている事態は、「国家の黄昏」というよりも「国家の再定義」と捉える方がよい」（160頁）と述べています。

そして「終章社会的投資国家への転換をどのように進めるべきか」（177頁～）において、この本で扱ってきた日本経済の課題として、

[1]資本主義の非物質主義的転回にどのように対応すべきか

[2]労働生産性と炭素生産性の低迷をどう改善すべきか

[3]不平等・格差の拡大をどう防ぐか

の3点を挙げる（177頁）とともに、そのための政策体系として、社会（環境）政策とのつながりを想定しつつ、

[A]人的資本投資（「積極的労働市場政策」）の拡充~「社会的投資国家」へ

[B]同一労働・同一賃金の導入

[C]失業/家族/住宅手当の充実

[D]脱炭素化へ向けた産業構造転換とカーボンプライシング導入

の4点を挙げておられます（180頁）。

「不平等や格差を縮小させながら、経済発展を図るにはどうすればよいか。この二律背反ともいうべき課題を解くことこそが、日本経済にとっての真の課題である。それを可能にするには、平等化を図る社会政策と経済成長を促す成長戦略を一体的に実行する経済発展戦略を打ち立て、実行に移す必要がある。さらに言えば、社会政策の追求こそが、経済成長を促すような経済発展戦略が求められる。」（同179頁）として、以下これらの政策についての検討を進めておられます。

ここでA～Cは、私の視点からすれば、需要力拡大につながる政策とみて良いと思います。同時に、これら政策について考える際に、

社会政策との繋がりで考えるとしておられるのですが、もう少し根の深い問題があるように考えています。ここには、「文明の衝突のミニ版」、或いは「ウチなる文明の衝突」があるように思うとともに、このことに留意しなければ、適切な解決への道には繋がらないのではないかという気がしているところです。

欧米からの新たな事物が導入されてきた中で、私たちは、「和魂洋才」ということを当たり前のように胸に刻みながら、ことを進めてきたのですが、経済環境の大きな転機に当たって、洋才を導入するに当たって、和魂の領域に遡って検討を行わなければ、次のステージに移行できない状況にまで立ち至っている、と私は考えています。経済環境の大きな転機とは、もちろん、マクロ経済における、供給力　＞＞　需要力の状態ということです。

特に、日本は政府自ら、組織全体の目標として生産力の拡大（供給力の拡大）に取り組んできたために、必要を達成した状態になってから後の政策転換は、あまり簡単ではありません。政府自体の構造が供給力拡大のために出来ているといって良いからで、経済成長を円滑に進めるための障害をいかに取り除くかが政府の機能であったといって過言でありません。このため、ＩＭＦやＯＥＣＤが需要拡大の政策展開を勧めても、企業に対しては、いかにして供給力を拡大するか、という視点から抜け出すことが出来ないまま、政府主導の新自由主義経済にはまり込んでいったのです。

例えば、ここで政策体系の１つとして取り上げられている「人的基本投資の拡充」ということですが、日本では、年功序列、終身雇用が当たり前とされてきました。これが徹底していているのが、製造業企業というよりは政府、自治体という役所です。民間企業ではこうした形が崩れたところも多く、特にサービス業や中小企業ではもはやないに等しいところも多いかと思いますが、大企業であれば、この形は厳然として残っていると思います。終身雇用の中で生え抜きとして、内部でバトルを繰り返しながら、組織のトップを目指しているのではないでしょうか。

著者によると、日本では人材育成投資が著しく少ないということですが、今まではそうした終身雇用型を基本とする組織の中では、オンザジョブ型の人材育成が進められてきたために、表に出る金額は少なくなる傾向があったと思います。

しかし、ＩＴ時代、ＡＩの発展もあり、雇用の領域が大きく変化を遂げる時代に入っています。人材育成は、人生の途中で新たにチャレンジしなければ乗り遅れる可能性も大きくなった時代と考えれば、１つの企業の中で営々と技術を磨くという形では、生き延びることが出来ない可能性が大きくなっています。このためには企業の内部教育の範囲を超えて、新しい仕事のノウハウを学ぶことの出来る装置を作る必要は、極めて大きいと言えます。当然ながら、転職をしても不利にならない扱いを含めて、大きな制度変更がなければなりませんが、何よりも新たな仕事へのチャレンジが不可欠な時代であるという社会意識ができていかなくてはなりません。

終身雇用型スタイルから、どうやって変化に対応していくこととなるのか、そのための人材育成投資を誰が、どのような共通認識のもとで進めていくのか、今のところ何も見えてくるものがありません。終身雇用の徹底している役所に期待しても、この意識変革はなかなか難しいのではないかという気がしています。学卒のマーケットにおいて、就職率何パーセントなどという話が、今でも当たり前のように話題になっているということは、終身雇用という仕組みの上にまだ安住しているということを表していると思います。

同一労働・同一賃金という考え方も、年功序列型給与体系とどのようにして整合性が取れるのか、まず、こちらを改革してからでないと始まらないように思います。

日本社会で誰もが当たり前と思っていた制度・慣習…これが「和魂」を構成している根源であり、そこから変えていかなければならないという認識に立って、制度や仕組みの見直しに取りかからないと、経済学や社会政策学の領域だけで考えていたのでは、なかなか望ましい方向への転換は進まないのではないかというのが、感想です。

7）武建一さんの本を読む（読後感想）

> かなり異質ではありますが、武建一さんの著書も過激な内容ではありますが、1つの資本主義論として私は捉えています。
> 日本社会が停滞経済に陥った1990年代に需要力拡大を実践し、成果をあげてきた活動として捉えています。

（2020.12.24）

数日前に、「武建一が語る～大資本はなぜ私たちを恐れるのか」（旬報社）を読みました。（このご本は、本年12月10日発行で、発行されたことを知ってから注文し、届いたのが17日でした。ちょうど他の本を読んでいたので、この本にかかるのが少し遅くなりました。）

読んでみて、いろいろ勉強させられるところがありました。

武さんは全日本建設運輸連帯労働組合近畿地方本部・関西地区生コン支部（以下、関西生コン）執行委員長、ということで少しわかりにくい肩書ですが、関西生コン支部執行委員長、そして（一社）中小企業組合総合研究所代表を兼務しておられます。

今回この本を出版された経緯は、2017年12月に行った組合のストライキに関連して、2018年８月に逮捕され、641日間勾留され、本年５月29日に保釈されたことに伴い、この間の事実を述べておきたいと考えられたものだと思います。このストに直接、間接関連して89名の方々が逮捕されています。武さんが主導する組合は、今回のまえにも２度、抑圧を受けています（1980～83、2005年）。

以前より、関西生コンが、日本経済が停滞状況に陥った1990年代以降にむしろ活動を活発化させ、積極的な活動を進めてきたというのが、私の率直な印象で、なぜ、そういうことが出来ているのか、強い関心を持っておりました。また、関西生コンは労働組合が中小企業協同組合と連携する形での事業展開をしているということも、まず理解を超えることでした。
しかし今回このご本を読んで今までわかりにくかったことを、よく理解することができました。
全体は４章構成になっています。
第１章　刑事弾圧…今回の逮捕の経過が述べられています。
第２章　「タコ部屋」の過酷労働…武委員長の生い立ち等が描かれています。
第３章　戦いの軌跡
第４章　大同団結…産業別組合の意味合いがよくわかります。
解　題　「私自身が自由に生きていくために」と題して、安田浩一さんが14ページにわたって書いておられます。
日本の労働組合は、企業内組合が主流ですが、企業内組合の場合は、企業の伸びが頭打ちになると、従業員の立場がどうしても優先するようで、労働組合としての活動が抑制気味になってしまう傾向があります。このため、1990年代に入る頃、組合に対する抑圧が増したこともありますが、企業内組合では抑制の方向へと変化が生じていたのではないでしょうか。
関西生コンが属する労働組合は、産業別組合ということに特徴があります。企業内組合が抑制に向かう中でも関西地区生コン支部は、武委員長のもと、非常に活発な活動を続けてこられたと言えます。読んでみると、産業別組合になる必然性が感じられました。
一方で、セメント製造業界、他方で建設業界という２つの業界（大企業群）に挟まれた業界で活動をする中小企業で働く労働者自体が、双方の様々な圧力にさらされ易い環境にいるので、連帯して活動する形が選ばれたのだと思います。また、この生コン業界を構成する多くの中小企業自体もこの圧力に直接さらされています。
こうした中から、この業界で働く労働組合が、中小企業の連合体として作られた協同組合と連携することを選んでいき、現在の姿に到達したと考えられます。
折から、バブルが崩壊し、経済の成長への展望がなくなっていく中で、２つの大企業群としてもコスト削減のターゲットを探さざるを得ない状況になっていて、間に立つ立場の弱い業界は双方から抑圧を受けざるを得なかったと言えます。こうした中で、関西生コンは、労働者の待遇改善を目指して、中小企業者でつくる協同組合と連携して、様々な局面で自らの業界の力の拡大に取り組んできたのだと思います。中小企業全体の力を強めることにより、そこで働く労働者も豊かになれるという展望を持たれたわけです。経済停滞の続く中での、その活動はめざましいものがあったのです。

平成に入る頃を転換点として、企業がなかなか成長出来なくなった現在について、私は成熟社会に入ったためとしています。ささやかな経済学の知識のもとで次のように考えています。

経済成長が順調であった時代は、生産力が需要に対してはるかに低かった時代です。この時代は企業の成長はそのまま国民経済の成長に繋がって行きました。トリクルダウンが働き、一億総中流化間違いなしと思われた時期すらありました。

しかし、生産力が需要力に拮抗しさらにはるかに大きくなった現在は、作ってもそれ以上は売れない時代ですから、企業の成長は、国民経済の成長とはむしろ逆方向になる時代に入ったと言って良いと思います。国民経済全体が成長しないのですから、企業が成長した分だけ、国民経済を構成する他の分野は細っていくことになります。

こうした時代に各層の所得の平準化を目指すことは、逆説的ではありますが、幅広い需要力を高めることに繋がり、結果として生産力拡大に向かう可能性を高めることになるのだと考えています。

労働者や中小企業の活動に関しては、むしろその分野の所得を拡大することによって、生産力拡大に寄与する余地も生まれることになると言って良いと思います。この仕組みを定着させることこそ、成熟社会における国民経済として不可欠の方向であると考えています。その意味で、現在こそ、関西生コンのような所得拡大を目指す活動は、むしろ政府としては支援すべき対象であり、その活動を破壊するような動きは、時代の状況に全く反していると言わざるを得ないのです。

ご本の中に、旧日経連の会長であり、セメント協会の会長でもあった大槻文平さんの1981年の発言が記載されているところがありました（最初の組合に対する抑圧のあった頃ですね）。

「関西生コンの運動は資本主義の根幹に関わる運動をしている」（127頁、日経連の機関紙の記事とされています。）

当時はまだ生産力＜需要と言った環境にあり、誰もが成長が疑いのない目標であった時代ですから、それなりの意味を持っていたのだと思います。しかし、成熟社会の現在に当てはめてみると、この言葉は別の意味を持つものと聞こえてなりません。武さんも意味深長な取り上げ方をしています。

80年代にあっては、資本主義を脅かす存在ということで大槻さんの危機感の表明であったかもしれません。

しかし、この言を現在に当てはめて言うと、関西生コンは、その活動を通して自己の属する業界の所得拡大を通して、需要力の拡大を図り、さらには生産力拡大を可能にする一環を担う活動をしていると見ることが出来、その意味で資本主義の根幹を守る活動をしているということです。

公益資本主義（原丈人さん）、あるいはステークホルダー資本主義（ダボス会議）といった資本主義の新たな方向を模索する動きも出てきている時代です。新自由主義の経済政策を唯一無二の政策の方向と思っている、日本政府そして関西の政権、そして警察の活動は、自覚ないまま、資本主義経済の破壊に直走りしているのだと思えてなりません。

8）新自由主義にゆがむ公共政策（新藤宗幸著）

> 新藤宗幸先生の著書は、自治体の現状をも展望して、あるべき日本の新たな政策の方向を示していると捉えています。

（2021.1.12）

暮れに届いた１冊の本を、年末年始にかけて読みました。新藤宗幸さんの「新自由主義にゆがむ公共政策」（朝日選書）、2020年12月25日発行です。250ページ程度の本ですからボリウムは、たいしたことはないと言って良いと思います。

大変読みにくかったのですが、どうもこちらの知識が不足していて、新しいと感ずる事項が多すぎたのかもしれません。同時に、私が今まで考えてきたこととのすり合わせのできるところも多いため、その確認と言った面も多かったかもしれません。また、今まで、ただ聞き流していたことについての記述も多く、どうしてもメモを取っておきたいという気持ちに駆られました。

読んだ感想ですが、役所の世界に新自由主義の政策が実際にかなり浸透してきて、今まで思いもしなかった方向に行きそうで、日本はどうなってしまうのか、抜け出す道のない袋小路を彷徨っている感じを強く持ちました。新自由主義経済を地域に徹底させる企みであるという印象を強く持ちました。

1990年代に入って、バブルが崩壊するとともに、成長軌道を取り戻すために、社会のさまざまな仕組みの効率化を図ってなんとか現場を脱出したいという取り組みが本格化しました。選んだ（意識的に選んだというより、これしかない唯一・当然の方向と思っていたに違いありません）のは、大雑把にいうと、企業活動にかかっていた規制を緩和して、自由に活動する環境を用意し、成長につなげたいという考え方であると思っています。マーケットメカニズムの可能性を最大限高める形にすれば、成長軌道を取り戻すことができるという視点に立っています。

その視点に立った時に、どういう政策が必要かを政府が考え、そして政策化したかが書かれています。特に取り上げられているのが、教育、生活保障、居住問題の３つになります。

しかし、ここで取り上げられている政策は、私の視点からすれば、その多くが必要のないものであり、その政策をとった結果として、もはや日本は立ち戻る可能性を失ってしまうところまで来ているのではないかと、憂慮の念を持ちました。この時期に至ってからの政策の誤りは、むしろ膨大な無駄を生み出します。

私の視点については今まで何度も書いてきましたが、1980年代後半以降、経済の領域では供給力が圧倒的に高くなって、需要が不足するような社会（これを成熟社会と言っています）になったという考え方に立っています。その視点からすると、需要力を大きくするような政策に基本的に転換すべきであるのに、政府はなお、供給力拡大にしか目を向けておらず、マクロ経済の需給バランスがどんどん狂っていっているということです。

個別経済（ミクロ経済）は、需要と供給が常に一致することで経済は回っていると言えますが、マクロ経済として考えると、作っても今まで以上には売れない時代に入ったわけで、売れるためには買う力（需要力）拡大政策に政府の政策を基本的に転換しなければ、経済は循環がうまくいかなくなり、早晩崩壊していくと言って良いと思います。新自由主義経済政策では、しかし、この作る方ばかりを支援して、その一方で買う力をどんどん削いで行っているので、これでは経済循環は成り立たないのです。需要力がないのにどうして経済は成長するというのでしょうか。マクロ経済におけるイロハと言って良いと思います。これは、社会主義でも何でもありません。需要力拡大政策への転換は、むしろ資本主義を守るための政策と言って良いと思います。

そうした視点に立つならば、新藤さんの書かれている現実の具体的動きが、極めて危機的なところにきていると見ないわけにはいかないのです。

この本を読んでいて、非常に気になったのは、自分が自治体に在職していた頃には微塵もなかった、新たな動きが生まれていることを感じたからです。現時点で現職の方の中には、セクションによっては日常的な活動の一環として取り組んでいる人もおられるのではないかという気がしております。例えば、「連携中枢都市圏」、あるいは、国家戦略特区としての「スーパーシティ」といったコンセプトの世界です。また、「全世代型社会保障」といった言葉もあります。

こうした言葉（政策？）に接するにつけて、バブ崩壊後の経済の低迷の中で、政府の経済打開の方策として、官僚の方々が政府の意向に沿ってなんとか新しい方向を打ち出して、成長の軌道を取り戻したいという必死の思いで作り出した政策のように思えました。しかし、これらは、あまり必然性のない政策を無理やり作り出してきているように思えてなりません。

方向の基本的転換がないまま、人がおり、仕事をしなければならないという状況の中で、むだに時間と貴重な資源（人、金）を費やして作り出した政策群のように思えてなりません。

つまり、政策の基本方向が誤ったまま、日本は30年を費やしてきたといって良いのではないでしょうか。これらの政策群の中に示される方向によって、日本はどんどん別の道を進んできてしまったのだなと思います。この歳で、この本に書かれている内容を、新たな視点で再点検をするにはエネルギーが全く足りない、しかし読んでいて、だんだんと重苦しい気持ちになっていったのは、そうした点検をしない限り、そして明らかな転換の方向を示さない限り、希望の持てる状況はうまれないだろうという気持ちを抱いたからであろうと、今思いをいたしております。

第4章

ITで日本は最先端を取り戻せるか

やや奇想天外な日本語論の立場から、日本ではトップダウン型の仕事のツールであるＩＴを使いこなすことはたいへん不得手であると、私は考えています。ＩＴは電気製品を作るのとは異なり、タテ型かつボトムアップ型の情報流通システムを持っている日本では、ＩＴに基づく情報システムとの間に不整合があるからです。日本の情報システムでは、バラバラに上層部に情報が上がる構造で、情報の部分集合がトップに至る形であり、またトップのところで、システムとしてその全体を統合する必要性が認識されてもいないため、ＩＴのシステムにとって代わるニーズにならないからです。

ＩＴにおける考え方では、システムの範囲をどこまで設定し、その全体をどのようにまとめていくかの発想から出発して、システムとして構築していきます。要するにトップにいる人がシステム全体の統括者であり、具体的にどのようなことをシステムの中で行うか、自らの思想の発露として作っていくものです。しかし、今まで日本の組織で作られてきたものは、業務を所管する人たちが、自らの仕事の効率化を目指して作ってきたものに過ぎず、これらたくさんある個別システムは、皆バラバラの設計思想に基づいて作られているもので、統合すること自体も難しい代物です。トップに設計思想、そして具体化の手立てがないのにどうして優れたシステムができるでしょうか。

これからもこの課題は日本では常につきまとっていくものと考えます。デジタル庁は、こうした認識もないまま、遅れを取り戻したいという発想しかないので、これまでにない壮大な無駄遣いを生み出す失敗作となることは間違いありません。

１）日本の組織はボトムアップ型情報システムを持っている

経済成長が当たり前であった時期には、日本はコンピュータ産業においても世界の最先端をいく状態で、よもや現在のような状態が訪れるとは誰も思わなかったでしょう。現在、ＩＴ分野は日本企業が苦しんでいる最大の領域ですが、なぜこのようになったか説明できないのではないかと思います。ここで展開しようと考えていることはあるいは間違いかもしれません。その場合、それではどうすれば今から最先端を確保できるのか、考えてみたいと思います。私は1967年から2004年までの公務員勤務37年間のうち、半分以上の期間について、何らかの形でコンピュータ関係の仕事に関わってきました。コンピュータ関係業務を選んだのは、当時、ＭＩＳ（経営情報システム）旋風が吹き荒れていて、役所の体質転換のまたとないツールになるのではないかと考えたからでした。しかし、実際に私の勤務した期間を通して、まだバッチで大量業務処理を行う大型コンピュータの時代が大半を占め、次にクライアント・サーバー型のシステム開発が進行したような時代で、ＩＴは終盤の頃にようやく検討の俎上に乗るといったような時代状況でした。そこから現時点で導き出した1つの結論が、「ＩＴはトップのためのツールであり、ボトムアップ型組織には、容易になじまない」ということでした。

日本社会は、ボトムアップ社会であると何度も述べてきました。担当者が、自分の領域でこれから進めなければならない方向を模索し、上層部に提案していかにしてそれを受け入れてもらうか、必死で考えて提案をすることが当たり前とされるところです。（こうしたやり方自体も学業の世界では教えられることはありません。業務に就いて、初めてそうした場に直面するのです。）

こうした仕事スタイルの社会で、ＩＴは、業務実施担当者にとってはニーズは高いのですが、組織上層部にとって必需品と言える程は高くないのです。なぜなら、情報はボトム（担当者）が用意してトップに向けて意思決定情報として提供する形が日本では一般的だからです。

かつて勤務していたところでは、トップは「私のところには、方針を書いた紙１枚がくればいいんだよ」と言われたとか、言われなかったとか、とにかくＩＴは必需品ではなく、部下から情報が上がってくることが意思決定の基礎となっているのです。この日本の仕組みは、それ自体が情報システムと見なければなりません。

ＩＴのニーズがトップにとって高くはないと言えるのです。

特に行政ほど、この日本のボトムアップの仕組みの徹底したところはありません。また、政治家がイデオロギーの世界に安閑としていられるのは、日本社会がボトムアップが徹底しているからと言わなければなりません。

しかし、e-Japanの事業が、ＩＴ企業に膨大な補助金を出すだけにとどまったのは、トップにはＩＴに関する何ら構想がなかったためです。イットの首相から小泉さんにバトンタッチされた時に、小泉さんならＩＴに対する理解度が高く、何らかの推進の方向が出てくるものと期待したのですが、出てきた方向は、極めて役人らしい方針でした。つまり、e-Japanの推進を早めて、差し迫ったイベントに間に合わせようということでしかありませんでした。コンテンツはが業者任せだったのです。

ここで私は確信を持ちました。日本の役所では、ＩＴを使って行政事務の合理化を進めることは、まず期待してはならない、ということでした。

誰も評価することすらしなくなっていますが、ネットワーク時代としてはみるも無残な住民基本台帳ネットワークシステムは、多額の運営費を使って今なお細々と事業を継続しているのが実態ではないでしょうか。

そして、これから取り組むいかなるシステムについても期待を持つことはできないと思います。役所の組織に、ＩＴをフルに使いこなすシステム観を持った人材がいない、あるいはそうした人がトップとしてシステム開発に携わる体制になっていないということから、こうしたことにいかなる期待を抱いてもいけないというのが実態であると思っております。イデオロギーでシステムを作ることはできません。

言い換えると、ITは、行政であれ、ビジネスの世界であれ、トップ自らが全体システムの構想を持ち、自らの構想に従ってシステムとして構築していく装置であると言って過言ではありません。言うなれば、ITはトップのITプロとしてのシステム観の具現ツールであると言って良いと思います。

現実にはITに関しては素人の大臣が、新型コロナに際して、国民への緊急支援策として10万円を支給する事業に際して、支給を早める手立てとしてマイナンバーカードの活用を指示し、現場に大混乱をもたらしたりしているのが実態です。

2）ITシステムが日本で適合しないのは何故か

このように考えると、なぜ日本でITで遅れをとっているか、少しお分かりいただけると思います。

日本企業は、大企業といえども今なお行政指導に依存している面があり、システム観のない行政指導に従順に従っているという状態があります。

その上、企業は年功序列型の企業がもはやないと言われながらも実態は、年功序列型の構造が定着したままで、この形と相まって、ボトムアップが当たり前の形として普及しています。今日内部のバトルを勝ち抜いてトップに立った人が、組織のフレームを遥かに乗り越え、自己のシステム観を実現するITシステムを開発するかと考えてみると、どうみてもそういう状況からは遠く離れているように思えてなりません。

GAFAについて見てみても明瞭なように、IT関係のシステムというものは、トップダウンの重要性をはっきり認識した上で実施するのでなければ、絶対に成功しないと私は考えています。トップダウン社会のアメリカは、ITで復活しつつあります。また同じような形で、中国、韓国も先端を走っています。中国は、ある面ではアメリカの先を行っていると見ることもできます。

トップの人がITのプロであって、しかも、どのようなシステムを作るか、本人の強いシステムへの構想力があって、初めて有効なシステムができるといって良いと思います。作成主体が誰であり、誰のためのシステムを作るかが、まず真っ先になければなりません。国の提案は、できてもいないものについての、民間事業者の発想をもとにした仮りものの提案にすぎません。

何よりも、日本社会は、ボトムアップ社会です。下から情報が上がってくることを当たり前とする社会で、トップにこの構想力を期待することはなかなか難しいところがあります。

日本企業がアメリカはもとより、中国、韓国にも遅れをとるようになった問題の本質は、こうしたところにあります（これらの国々はいずれも、トップダウンが常識として機能する社会なのです）。組織における情報流通の仕組み自体が日本型情報システムとなっているために、その仕組みを崩してトップダウン型のシステムを考えることはとても出来ない相談ということになります。

こうした中で、ITをベースとしたシステムを作っていこうとして、実際始めてみると、システム構築から運用まで含めて考えると、やたらと金がかかり、同時に情報もどんどん吸い取られていく、ということになりかねません。そして、トップが考えることの第１は、皮肉にも、ＩＴは金食い虫だなということになるのです。ＩＴこそは価格破壊装置ともいうべく、今までの破壊的な価格形成が可能な装置なので、世界にこれだけ普及しているのだと、まず認識の転換が必要と言わなければなりません。

ITは価格破壊装置

（2018.2.2）

かねてより、ITはまだ無限に近い発展可能性を持っていると考えてきました。本の中でも何度かこのことに触れています。今考えてみると、このITの特質は、その従来ビジネス取引の中にあっては、今までと比較にならないくらい、コストパフォーマンスが高い代物であるということではないかと考えるようになりました。つまり、ITは現在のビジネス社会に於いては、圧倒的な価格破壊力を持っているということではないでしょうか。価格破壊ツールと言ってよいと思います。今までの商慣習の中でのビジネスの手法に頼っているところに価格破壊力を持ったITが入り込むことによって、従来のビジネス慣習の世界から仕事を奪い取って快進撃を続けることになっているのではないかということです。

しかも、ITのシステム構築にあたっては、ユーザー志向での構築がしやすい側面を持っているということもあります。こうした特出すべき価格破壊力は、おそらく、皆がこのことの認識を持ち、今までの商慣習に替り、ITを使っての新たな商慣習になじむまで続いていくのではないかと思います。要するに、ITについての認識を改めて、組織のトップが新たな発想に基づいて様々なシステムを再構築するまで、この状態は続くということになるのではないかということです。ここでは結果は後からついてくるのであって、どのようにして儲けるかという発想から抜け出してシステム構築を図る必要があるのです。ＧＡＦＡのシステムの中では、（どこかに大きな皺寄せがされているかもしれませんが、）利用者の側で無償で使える部分がなぜこれほどあるのか、考えたことがあるでしょうか。ビッグデータを取られて不安という警戒心を持つ人も、多いのですが、例えば無償で使えるGメールはそのメリットの大きさで普及しているわけです。

最近のテレビで、仮想通貨をテーマに議論をしておりました。そろそろこれについても１つの例として、従来の通貨についての発想から抜け出して、本格的に検討を進め、将来社会にどこまで使えるかを皆で考えて行く時代になってきたのではないかと思いました。不安視しているだけではこれからの社会の設計はできないのではないかと思いました。

役所の全てのコンピュータ・システムの作り替えをＩＴを使って

進めるといったことを構想する首長が現れたら、その組織は大きく変貌すると思います。価格破壊の場を役所に作る、それだけで、大きく役所の仕組みは変貌する可能性を持っています。

ITと日本型情報システム（ボトムアップ）との不整合の解消

先ほど来述べてきたように日本の組織内の動きはそれ自体が１つの情報システムとして捉えることが大事です。そのシステムをより合理的に作り出そうとしても、この日本のボトムアップ型情報システムを変えるまでの発想がなければITの成功はないのだとまず認識したところから、不整合解消のための取り組みは始まります。

このためには、まず第一に組織のトップが、日本型のこの情報システムの持つ意味合いについてはっきりと認識しなければなりません。部下から上がってくる形の情報システムに変えて、自分はどのような仕組みが必要なのか？　実際のところはトップは大体部下から発信される情報に満足してその範囲で意思決定をしているのではないでしょうか。つまり、ＩＴによる新たな情報システムへのニーズがないのです。ニーズがないところで、新たにＩＴ活用のシステムを作ってもこれは実質的に機能しません。

何よりも、トップの中に情報システムに対する発想があり、これをどのように具体化するかを考えるスタンスに立った時に、ＩＴは大きな役割を果たすようになります。この構想については人任せはできないのです。GAFAの経営者は皆ＩＴのプロであることをお考えください。ＩＴはトップダウンのツールとして使って、初めて機能すると言って良いと思います。

デジタル庁とボトムアップ社会の相克

今、新政権において、デジタル庁といった話が出てきていますが、そうしたことより先に、上に述べたように、今までの政策の基本を転換する覚悟がなければならないと思います。この分野に新たなものを追加するだけで、経済の発展が見込める時代ではないのだと言いたいと思います。

日本人の特性に鑑みて、デジタル庁が日本で成功する見込みは、まずないと見ています。今まで述べてきたように、なぜ日本ではITで遅れをとったか、今述べてきたことを考えてみればすぐ分かります。日本はボトムアップ社会で、情報はボトムから発信されていきトップに至るという構造であり、今のところボトムアップは人々の生活スタイルそのものであり、トップ自身がこれに浸り切っているわけですから、こうした状況で、ＩＴを導入したとしても、現在の情報システムを具体的に変える発想がなければ、変えることはまず困難です。トップは下からの情報を待っているので、自らデジタル化するという発想にはならないのです。

そうしたプロとしてＩＴの構想をする自覚なしに、ＩＴを活用すれば何かが良くなるだろうなどと考えるのは、通常の商品開発の枠を出ていませんから、決して成功しないのです。今のＩＴはトップの思想の産物、思想なしには、ユーザーの心を掴んで使用に耐えるシステムは作れないといって良いと思います。つまり、ボトムからの情報を待つ日本の一般的な組織の中では、ニーズもなければ、どのように作るかの発想もない。海外の製品の真似をすれば、あとはその作成方法を合理化してトップに躍り出ることもできる電気製品のようなものとは全く違うのだという認識を持っていただきたいと思います。

それでは、このシステムを変えればいいではないかということですが、先ほど述べたように、これは様々な日本の仕組みと関連していて、簡単ではありません。年功序列的な昇進システム、タテ型の、トップにたどり着くまでやたらと長い情報伝達の形、さらには学卒採用システムも深く関わっています。特に巨大組織ではこれを変えることがほとんど期待できない、と言って良いのではないかと思います。また、役所はその最たるものです。

IT化　全体の奉仕者としてではなく、部分の奉仕者として使う可能性

デジタル庁にまつわる取り組みは、国家権力維持目的での使用したいと思っているみたいですが、特定の方々の利益になるのが現在の日本の実態です。住民基本台帳ネットワーク、e-Japan構想のような失敗を見れば一目瞭然です。

これからのITの使い方の方向としては、圧倒的な低コストで、既存システムの全面的な作り替えを行うことができるのだという、発想の転換がまずなければなりません。そして、ＩＴの導入・普及を進めるポイントは、日本社会の持つ特質を認識し、その前提を踏まえた情報システムの構築を考えなければなりません。

システムの中で何をやっているかわからないシステムは、信頼されることはありません。また、信頼されないシステムは有効に機能することもありません。ウィキペディアなどはいい例でしょうが、様々な課題に関して、開発のオープン化が行われて大きな成果を生み出してきています。そうしたパターンを業界がきちんと取り込むことができれば、新しいコミュニティの創生につながっていくことも想定されますが、今の政権がやろうとしていることは、まさに部分の奉仕者として国民をコントロールしていくための道具としてしか考えていないと言えましょう。そうした不信感を払拭してもらえるような情報は全くありません。

また、システムを作る時に、それによって何を合理化するのか、明確な目的なしに作るとこれは金食い虫になるという結果を生み出すだけだと認識しなければなりません。

ちょっと旧くなりますが、こうした発想を抱くに至った過去の記録を以下に記載させていただきます。

3）なぜ、日本のITは遅れをとったか

（2014.6.20）

日本語人のまなざしp150

昨年、2013年4月13日渋谷区宇田川町の首都大学東京同窓会八雲クラブで久しぶりに開催された「考える会」で、次の考える会での取組みについて話が出たときに、私の方から、「なぜ、日本のITは遅れをとったか、どうすればこれをカバーしていけるのか」といったことについて提案をさせていただきました。

いま、私が自宅で使っているパソコンやスマホはアップル、文書関係は今のところoffice、メールや検索はグーグル、商品購入は、メーカー等のホームページで内容を確認した上でアマゾン、ホームページ作成ソフトはjim-do（最近はデザインに優れているソフトとしてwixというのも出てきていると小林さんからうかがいました。）…一時、ビジネス関係ソフトとしてセールスフォースを使おうとしたりということで、まず、日本のメーカーのソフトは出てきません。なお、今のところ私はfacebookとtwitterはやっていません。（※この後、しばらくしてfacebookは始めました。）

なぜ、日本のITはこれら分野で世界の中で遅れを取っているのか、伍していけるソフトを提供出来ないのか、専門の方が、皆様大勢いらっしゃるところですが、敢えて、私なりに考えるところを少し申し述べてみたいと思います。

まず、何よりも大きいのは、メーカーはもとよりユーザー組織のトップにおいて、ITへの感度の悪さということが言えます。私は、役所に在職中の経験の中で、トップが自ら展開していく意図を持たない組織では、ITはいろいろとある技術のうちの一つに過ぎず、技術的な必要があるときだけ使えばよいという理解しか持っていないということでした。トップが戦略的に使う構図を自ら描くことをしない中でこれを使うときはほぼ、金の無駄遣いになると言う認識でした。もっとはっきりと申し上げると、トップ自らが、具体的、戦略的に使う目的をはっきりと描けないときには、ITは使っては

いけない、とまで思い至っておりました。

現に、時代の流れだということで大々的に進められたe-Japanの取組みは、壮大な金の無駄遣いとして、一時的に日本の大手IT企業に大規模な補助金を出して終わりという結果となりました。トップに、（政治的な意図は別として）これを日本再生の最重要の道具として多分野で活用しようという戦略的発想は全くありませんでした。

さらに言うと、ＩＴの導入の際の基本ともいうべき、市民の目から見た役所の人員削減等の合理化、仕組みの簡素化について示されたものがなかったように思います。

日本では、ITをほんとうに必要と考えるトップは非常に少なく、また、なくて済んでしまう組織構造を持っている、というのが、今まで何度か私が申し上げてきたことです。

その典型として、ある首長が、「私のところには、（決裁に際して）紙一枚来れば良いんだよ」といったことばに端的に表されています。要するにボトムアップの稟議書が、途中の中間過程でもまれて修正を重ね、推敲を経た最終案文が一枚来れば、トップとして必要なことの判断はするんだよ、ということです。ここでは、ITは必要ではなく、ましてITのシステムの質を判断する意図などはどこにもありません。まずもって、ボトムアップ社会としての日本では、トップとしての判断形成にITはあまり必要のないことなのです。

次に、トップがそうした感覚ですから、IT人材育成に力を入れない結果になります。ITを、トップが対外戦略を練る上でのもっとも有効かつ可能性のあるツールという認識がなく、携わる人たちを技術者として捉えていますから、技術者養成レベルでの措置に止まります。つまり、処遇もそこまでの話です。特に役所では、事務職に比べて技術職は比較劣位に位置づけられていますから、技術者として位置づけられたIT技術者は、特定分野に止めおかれる形となります。従って、組織内にITの浸透を図ろうとするときには、彼らは上層部を甘い言葉でまるめ込むしかありません。

システムを作るということは、システムとして想定する範囲の総体を捉えて、構築に向けて現状の改革を行いシステムとして新たに作っていくわけですから、全容の掌握なくして最適のシステムづくりは出来ません。システムのフレームが大きくなればなるほど、全体を掌握したシステムエンジニアが中核をなしてシステムづくりをしていかなければ、使い物になるものを作ることが出来ません。

例えば、アマゾンのシステム。（多分私は一部機能しか使っていませんが、それでも、）流通関係との連携（郵便局、ヤマト運輸等幅広い連携が当たり前のように組まれています）、出版界、古書店との連携がこれほどはっきりと見える形でシステムのフレームに含まれているのに驚かされます。配送の案内や、また、（こちらとしては面倒くさくて仕方がないのですが、）１件ごとの評価システムの組み込み、それらを統計的に利用者サイドに示しつつ類似品の案内もきちっとやるという仕組みをみると、ユーザー志向のシステムとして当初から設計、開発されたことがうかがわれます。何よりもアマゾンが全体責任をもっていることを感じ取れる内容となっており、また、安心感を利用者に与えるものとなっています。この仕組みを日本の企業でどこか作れるところがあるだろうかと考えると、思いつくものは何もありません。徹底したユーザー志向でシステムを作り、それを自らの最終利益に結びつけることがITの世界でのやり方であるように思います。これは、21世紀型企業と私たちが呼んできたもののように思えます。

私は、IT技術はまだまだ計り知れない発展可能性を持っていると思っているのですが、日本では、これを進める可能性を持っている企業というところで思いつくところは全くありません。

これらのことからつらつら考えていくと、ITは、トップのためのツールであるという理解をするのが正しいように思います。トップの戦略的発想を実現するツールなので、戦略的発想の不得意なボトムアップ社会の日本では、ITの本格的活用というのは非常に難しく、まして、そうしたことまで包み込んだ人材養成は、とても思いが及んでいかないということだと思います。本来であれば、組織のトップが、システムのプロであるべき時代に入ってきているということです。

さらに、３つ目ですが、日本ではシステムの正当な評価を行える体制がありません。これは、小保方問題に見られるように、システム業界に限らず日本のあらゆる分野について言えることなのですが、客観評価を行える仕組みが非常に弱体です。日本におけるシステムは、従って十全の信頼をおいてシステムを利用するということがはばかられる面があります。社内システムの援用といったシステムがやたらと多いのは、新たに開発したシステムが、ほんとうに有効性があるかどうかの判断が出来ないものであることが多く、現実に使われてきたシステムなら一応安心と言った話でしかありません。これは、逆に言えば、タテ社会であるために、一般システムを開発する視点から、タテ組織の精緻な仕組みになじむシステムを構築する（使いものになるシステムを構築する）のは、なかなか難しいということを意味していると思います。

なぜ、日本のITは遅れをとったか～その２～

（2014.6.21）

日本語人のまなざしp157

日本が、ITで主導権を握るチャンスはあったと思っています。

そのためには、国際化の推進ということであっただろうと思います。

日本語表現と、アルファベット表現の間で、日本のパソコンはやたら面倒な仕組みを組み込まなくてはならなかったのではないでしょうか。これが遅れをとった原因と考えている人も多いと思います。

私は逆に、これが日本が国際的にリードしていけるチャンスであったと思っています。コード変換という形で対応するしかなかったときに（日本語のかな、カナ、漢字の世界ですが）、この技術は、国際的にも非常に有効な手法として一般化出来たのではないかと思います。

何よりも、中国です。現在どのような変換技術を中国語の世界でとっているのかわかりませんが、当時、中国を視野に入れてコード変換技術を組み込んだ仕組みを売り込めたら、最大のマーケットを取込みつつ国際的にリードすることが出来たのではないかと思っているところです。（実際、そのようなチャンスがあったのかどうかは、私の思い過ごしかも知れませんので、詳しくご存知の方はぜひお教えください。少なくとも30年〜40年前にそのような発想を実現する土壌がなければならなかったと思っています。）

しかし、当時、業界をリードしていたNECは、そのようなことは考えもしなかったようです。国内のシェア拡大、確保しか頭になかったのではないでしょうか。結果的には、DOSV機に組み込まれてアメリカが主導して進んでいってしまった、というのがわたしの理解ですが、事情をご存知の方がいらっしゃいましたら、ぜひお教えいただきたいと思います。（これは私の妄念のたぐいですので…。）

結局日本はパソコンの分野からの撤退を余儀なくされるまでになってきています。その後のIT分野での動きからパソコンは全般に斜陽化してきているのは確かですが、その場合でも、先を読み、戦略を構築することで、先導して新たな分野への展開を進めることが出来た筈です。

国際化を念頭に置くということは、客観性が常に求められることになりますので、日本人の好きな身内重視、お手盛り型の開発ということでは進めることが出来ませんので、非常に有効な方向ということになると思います。海外に自衛隊を派遣するとか、海外協力隊に応募するとかいうことを考える前に、国際的に貢献出来るITとはどうあるべきかを考え、その中からビジネスチャンスを捉えていくという視点で共通認識を確立することが一番求められることであると思います。

昨日、テレビで、養殖魚の世界で日本の業界が縮小してきて、ノルウェーや、オランダの養殖魚の日本進出が進み、これらの国に負ける状況が出てきているというような放送がなされていました。日本人は養殖魚と食べないと言うならともかく、日本向けに開発され、それに押されて、日本の業界は縮小を余儀なくされるようになってきたということです。IT（パソコン）について起きたと全く同じような現象です。しかも、悪いことに、この養殖魚ですが、日本国内では、立ち行かなくなって廃業も出てきているために、価格維持のために国が主導して生産調整を行う状況になっているという説明がなされていました。これは最悪のパターンです。昔から日本では当たり前のこととして理解されてきているのですが、マーケットに関わりのない国家が、価格操作に介入するという事態は、状況の改善には何ら寄与しないばかりか、さらに悪化させていくだけということを認識しなければなりません。もう、そのような時代ではありません。問題を把握した現時点で、今後どのような対応策をとるにせよ、ここでも国際的な進出を図る絶好のタイミングを失してしまったと、私は思っています。

ITに関する能力は実際100倍程度の個人差があるというのが、役所時代の私の認識でした。最近は、子どもたちも小さい頃からITへの接触の機会が増えているので、若い人たちの能力は相当高まってきていると思いますが、そうした人たちのIT能力を高めていくためには、機械で遊ばせることと並行して、幅広いシステム感覚の養成をしていく必要があります。また、そうした人たちの活動の場を大いに拓いていく必要があります。お金のあるところでは、そうした人たちが自由に発想し、社会のシステムとつながるところでの最適システムを考える環境を用意するぐらいのことをしなければ、まず、新たな展開にはつながらないでしょう。つまり、組織内のバトルを勝ち抜いてトップを目指す現在の企業システムから、社会的にユーザーの願望を実現するために何をするかという視点に立ち、戦略構築の出来るITプロを育てることが求められます。これはすなわち、ITプロを育てるということは、トップを育てることなのだというくらいのパラダイム転換を図るのでなければ、まずいというのが私の考えです。

特定分野の中でオンザジョブで人材を育成していっても、そのような戦略性を持った人材は育ちません。組織風土自体を変えていくことが必要であり、終身雇用型の仕組みに大きくメスを入れるとか、年功型の給与体系の抜本見直し、外部人材を内部組織と調和出来る形で積極登用するといったことで、人材の育ちかたをイメージして組織のかたちを転換していかなければならないと思います。

例えば、小林信三さんのような特異な能力を持った人物を、トップのIT知恵袋といった形で契約し、組織を洗い直して柔軟に新しい仕組みに再編成して行くといったことが不可欠です。何よりも、ITによりトータルシステムの再構築をする技術であるという共通認識のもと、鳥瞰する幅広い領域の情報共有と再構築の視点の確立をしていかなくてはならないと考えます。（こうしたことは、昔からシステム開発の視点としては何ら変わることがないので、いまさらの感もありますが、実はこの環境が日本ではなかなか一般的な視点として成り立ってきていないということを言いたいわけです。）

第５章

政治主導と行政独裁〜

政治がリーダーシップ発揮できる仕組みを考える

１）選挙は政策ではなく人間関係で決まる日本社会…なじみの構造

なじみの構造が世襲を生む

日本語の特質として、「なじむ」という言い方があります。簡単に言えば、徐々に時間をかけながらお互いの親和性を高めていくというありようを指します。日本語の相対的敬語の世界では、見知らぬ人とのコミュニケーションは相互に親和性（相性といったことでしょうか）があってもすぐには親密になることはありません。１度から２度、２度から３度とコミュニケーションを重ねるとともに、相手の人柄も分かり次第に親和性を増していくことになります。これは言葉からくる日本人の生活スタイルそのものです。そして徐々に作られた相互の関係は、時間の経過とともに通常は絆が強くなっていくという形になります。信頼関係が確立する前に、トラブルが起きて関係が崩れたりするとそれを回復することはまず不可能ですが、そういうことがなければ、相互に意思を持って作られた関係は、ずっと続いていくことになります。これが「なじみ」ということです。このなじみの構造は、政治の世界に限られたものではありません。社会のさまざまな分野に浸透している、というか、日常生活の根幹を成しているものであり、簡単に変更できるようなものではありません。（このことについて「なじみの構造」（1996年３月　創知社　今はkindleにアップしております。）を書きました。）

現在の日本の政治システムの中で、この「なじみ」という特性は極めて大事なものと言えます。具体的な現れは、選挙です。選挙で投票に行くのは通常の場合、名前が知られ、よくなじんだ関係の人への投票行動が起きるということがあります。名前で信頼するということがあるのでしょうか、親しんだ名前の人が立候補すると、政策はともかくとして、選挙ではその人に投票する。そして一度投票すると次の時も同じ人に投票する、こうした傾向が日本社会ではごく一般的に行われます。日本の選挙では政策で投票先を決めるという人もある程度いますが、人物を見て投票するということはごく普通におきていることで、簡単にいうと“なじんだ候補に投票をする傾向が強い”ということです。

ここから世襲議員の続出ということにつながっていきます。なじみのある人との関係は、さまざまな形で続いていき、世代が代わった時にはむしろその関係が強まるということが起きてくるのです。日本社会では世襲議員は保守系、革新系を問わず強いのです。この現象があるところから、後継者を選ぶ時には同じ性の人にターゲットが絞られやすい傾向が出てきます。日本では議員職が世襲化の道を辿っているのはこうした「なじみ」に由来していると考えるところです。

ただ単に親の跡を継いで政治家になるというだけではなく、職業政治家一族というような形も与野党問わず生まれてきています。もとより、世襲化した議員は、選挙に強いという特質があるので、名前（姓）が知られているというだけでも、選挙する側（選ぶ側）にとって「なじみ」があるから投票しやすいのです。日本では、民主主義制度を使って、王族を選ぶのと変わらない結果をもたらしているといって良いかもしれません。政策で人を選ぶのではなく、人で選ぶという形が支配している限り、この投票行動は変わることがありません。

これではマニフェストが流行らないわけです。人間関係で選ぶ形が日本社会の一般的な形であるのに、政策選択は普通はあまり関心を持たれないのが実情と言って良いと思います。

選挙という場面は、制度化された権力闘争ですから、当否が決まるまでのプロセスは並大抵のことではいきません。しかし、日本では有権者にとっては、選挙による選択の場面は、一般的にウチではなくソトの世界のこととして扱われてしまっています。ですから、なじみのない、知名度のない候補者に対する投票行動はなかなか起きません。ソトの世界のことですから、投票に行く必然性がないのです。

こうした場面で、突然身近な人が立候補すると言った話になると、話は全く変わります。ソトの世界であった選挙が、突然ウチの世界に変貌するからです。もちろん投票に行くことになりますし、身近なその候補者の応援ならいくらでもすることになるのです。ここでも変わらないのは政策でその人を応援するというのではなく、自分にとってウチにいる人だからです。ここで政策を誘導するように本人に働きかけることはできますが、そういうケースはあまり多くはないでしょう。まして、政策的に合わないから応援も投票もしないとまで言い切ることのできる人は、少ないと思います。人で選ぶという投票行動は、簡単に変わることはないと言って良いと思います。

2）政治主導と行政独裁

日本の選挙制度と官僚制の間には、さらに大きな問題が存在しています。公務員は終身雇用制で、しかも年功序列の仕組みに基づいて特別の問題がなければ定年まで務めることができます。これに対して、政治家は選挙の洗礼を受けなければなりません。政治主導は、1990年代頃より特に強調されだした考え方のように思われます。行政独裁という言葉は、本年１月のオンライン講演で保阪正泰さんが使われた言葉です。

政策を作る者が一番強い〜日本の官僚制の成り立ち

日本社会の政治制度の中で考えるべき基本は、政策を作るのが誰かということです。このことが曖昧なままの選挙が行われてきている結果として、国民は、漠然と政治家が政策を作っていると思っていると思います。しかし、政策を作っているのは相変わらず終身雇用が保証されている官僚であり、政治家は、その政策体系に対して、部分的な介入、いってみれば「つまみ食い」をしているにとどまります。政治家自身、政策を作るのが自らの役割と自覚していない人が大半、というのが実情ではないかと思います。

このような形となっているのは、明治以来ずっと、政策を作ってきたのは官僚の側だったことに由来しています。民主主義制度（選挙による政治家を選ぶシステム）は、戦前においては、人々の間の不満のガス抜き装置といった面がありました。いずれにしても、政策はずっと官僚が作ってきたのです。日本の経済発展の礎を築いてきたのは、まさに官僚の皆さんだったのです。

こうした形を保阪正泰さんは、「行政独裁」と名付けておられました。なぜ独裁と言うかと言えば、（保阪さんのお考えと若干ずれるかとも思いますが、）私は政策を作るという権力を行政が独占している状況を指すものと考えています。そして、政策づくりを学ぶための場、トレーニングの場が、東京大学をはじめとした旧帝国大学であったのです。ちなみに政治家にあっては、今に至るまでこうした理論的な面も含めたトレーニングの場はないに等しい状況です。

第２次大戦後に、敗戦を契機に日本に、本格的に選挙制度が導入されてからも、この構造は変わることがありませんでした。しかし、どういうわけか、こうした点は認識もされてこなかったのです。

政策を作るのは終身雇用である官僚の役割としている、現状はどういう意味を持つのかということです。政策を作ることが官僚自らの権力基盤なのです。もちろん、自己利益の保全も含まれます。政治家は、官僚に日本社会の基本的政策を全般的に委ねていながら、選挙での公約は一体何を国民に選択肢として、提示し、投票を促しているのでしょうか。
政策を作るのが官僚、いくら潰されても政策を作っているうちは政治家はこれに依存せざるを得ないのです。それでは政治家は自らすべての法律、制度を作ることができるか、というとまずこれは、現状では不可能と言って良いと思います。
かなり前の時期の話ですが、世界の各国の政府は、行政権力がだんだんと強くなった結果、行政国家という概念が生まれるくらいになったようです。
この時、私は、日本はもともと行政国家だった、いまさら行政国家というほどのこともないと感じていました。このことを私は次のように捉えてきました。
欧米では政治権力が基本であったのですが、政治経済の発展に伴って社会の構造が複雑になるにつれて、それら法的なことをカバーする行政の存在を無視して制度を考えることができなくなっていったのです。しかし、日本ではもともと政治的な活動の基礎は行政が用意してきたのです。
政策づくりを行政に依存している間は、実質的に行政独裁状態であると考えたときに、行政と現在の民主主義制度との間で、大きな矛盾を抱えていることに気づくのです。

行政独裁の過渡期

(2021.5.30)

過日、伺った保阪正泰さんのお話では、日本が戦争にのめり込んで行ったときに、内閣で意思決定の中核に軍関係者が就くことによって、行政独裁が作り出され、戦争の深みにハマっていってしまったというようなお話であったように思っています。「行政独裁」の結果というようなお話しであった。ここで行政というのは、選挙で選ばれた人たちではない政治・行政関係者という意味合いです。
明治政府は、もともと民主主義的な形で選ばれていった政権ではなく、クーデターにより、時の政権を倒して新しい政権を樹立したものです。今からの振り返りでは、志の高い国士として、明治政府を牽引していき、西欧に肩を並べる状況まで進んでいったと考えることができます。まさに行政独裁でことを進める体質が根付いていたのです。国民のおおかたはこの行政に信頼を寄せた。現在でも行政に対する信頼度は高い。この時期に、しばらくしてから選挙制度も導入されたが、列強に対する民主主義的国家としてのスタンスを示すための装置に過ぎなかったという話も聞いたように思います。しかも、内閣の大事なポストは行政の側で維持できるようになっていたようです。行政独裁は、時間経過とともにむしろ強まったとみて良いだろうと思います。

行政と政治の間で相互に利権許容の動きが高度経済成長期に作られていきました。しかし、アメリカからもたらされた民主主義制度が定着するのに伴い、選挙で選ばれた人たちの、いわゆる政治権力の方が徐々に強まって現在に至っている。この間に政治主導の様々な模索が進んでいきました。

小沢一郎さんが推進した小選挙区制について

政治主導の体制を作り、政権交代可能な政治状況を作ろうと、努力されたのが、小沢一郎さんです。朝日新聞出版で2020年９月に出版された「職業政治家　小沢一郎」を読ませていただいた限りでは、この本の全体のトーンは、小沢さんが欧米のような政権交代が可能となる、政治主導型政治構造を作り、本格的に政策を争う形にしたいという願いが根底にあるということがよくわかりました。

政治主導を進めていきたいとする考え方が具体的に始まったスタート地点であったと言っても良いと思います。背景には、行政が政策づくりで主導権を発揮していることへの不満があったかもしれません。

欧米の２大政党制を参考に、1994年公職選挙法が改正され、政権選択の選挙と言われる衆議院議員選挙において、小選挙区比例代表並立制が導入されることになり、1996年の選挙から施行されました。

政治主導という点では、間違いのない方向を考えておられたと思います。その志の深さに心より敬意を表するものです。しかし、ここで、志と実態との乖離という点で、いくつかの問題点があることを指摘しなければなりません。

一番大きな問題は、ここまで述べてきたような、公務員制度と選挙制度との間に横たわる問題です。政策づくりを公務員に預けていて行われる選挙で、政治主導の意味が半減していると言っても過言ではありません。本来政治主導という意味は、政策は政治の側で作るということが含意されていたはずです。

現状では、政権側としては、いかに争点を少なくし、決まった人以外に投票に行かないようにするかということが、自らが当選するためのポイントになると言って良いと思います。そうすれば、ソトにいる一般有権者は投票に向かう意義をあまり感じず、また政策は信頼できる公務員が作っていると思っているので、現状を変える行動を取る必然性をあまり感じないであろうと思います。

今までは、日本では政策本意で人を選ぶというよりも、あいつが好きだとか、嫌いだとか、親の代から名前を聞いているからと言ったふうに、人について選ぶ行動が当たり前のようになっているということです。日本人のなじみの構造から考えると、選挙区選挙で政策本意の選挙が進むことはあまりないのではないかと考えざるを得ません。

なじんだ候補であれば圧倒的に強くなるということを意味するからで、対立候補は比例区で当選することを期待するしかなくなります。たまに番狂わせが起きるとすれば、実施される選挙が国を２分する大きなテーマで沸き立って実施されるという場合ぐらいしかないと思います。

また、私は、1995年に「なじみの構造」で、この選挙法が制定されたことに触れて、地方を置き去りにした選挙であるということを申しあげました。国においては衆議院選挙区選挙では一人を選ぶ選挙ですが、地方議会議員選挙では、小選挙区制ではありません。これが、国の小選挙区制にどのような影響を及ぼすかということは、今に至るまで何も言及されていません。小選挙区制の制度設計は、システム的にトータルな視点から考えていないのではないかと思ったのです。選挙をする側の意識として、自分が親近感を持つ政党について、国政の場、地方の場でそれぞれどのような折り合いをつけているのか、考えておかなければいけないのではないかと思います。同じ有権者が、地方選挙で票を投じ、国政選挙で票を投じるのです。

日本では議会で検討されるさまざまな法案は、全体システムとして検討されるよりは、その場その場の部分合理性しか達成できないものがあまりにも多いのではないかという気がします。特に議員立法はその傾向が強いと言わなくてはなりません。予算編成を含めて、部分合理性までいかない、自己利益誘導型のものが多いというべきかもしれません。

小選挙区制では、なじみのある候補者は圧倒的に強くなるわけですから、政策選択が大事だと考えるなら少なくとも世代交代に当たっては選挙区を変えなければいけない、といった制度を導入することは最低限必要なことだと思いますが、今はむしろ同一であることを誇るような選挙の構造になっており、世襲議員が増えることを奨励していると言ってよいと思います。

政治主導の具体化

2009年に有権者の大きな支持を得て、民主党政権が誕生したときに、「政治主導」ということで政策づくりをしようとしました。しかし、おそらく上層部公務員の側では、政治主導がテーマとなっていただけに、逆にお手並み拝見、いずれ政権はひっくり返るとみて、サボタージュ気味になっていったと思います。積極的に政権に嘘をついて、足を引っ張った公務員もいるようです。

私などが、こうした想像を巡らすぐらいですから、国民のみなさんは、直感的にその実態を把握して、やはり自民党でと、半分諦めの中で政権を元に戻す投票行動を行なったと思います。野党の政治家は、この点に留意すべきであると私は思っております。今のまま政権を担うことは、また足を引っ張られることになる可能性が大きいと言わなくてはなりません。

民主党政権が、政治主導と言ったのは、方向として間違いではないと思います。民主主義の仕組みの中では、選挙をするということは政権選択をかけて行うわけですから、転換を進めるための政策づくりは、特に政治主導である必要があったと思います。しかし、そこには今まで政策づくりを進めてきた公務員の世界との間に克服できない溝があり、乗り越える術がないまま、民主党は敗退する結果となり、国民の側に大きな失望が残りました。

自民党は、この結果を受けて、政治主導を実現する方法として、内閣官房で上層部公務員の人事権で縛る形を実現しました。これは、政策づくりを一手に担う行政を傘下に収めて、ある意味で永久政権構造の底固めといって良いかもしれません。

しかし、政策を作るのは相変わらず官僚です。予算編成の際の官僚のテクニックとして、有力議員のメリットを生む予算をある程度、それとわかるように組み込んで予算全般に介入させない手法を取ってきていますが、政策一般もこれに似た手法がとられています。人事権を握られたということは、その度合いを強めることになったといってもよいと思います。まさに、部分の奉仕者に妥協する仕組みを強化するだけのものでした。

現在の日本の政治家はイデオロギーがあるのみ

しかも、安倍政権で見られたように、特殊なイデオロギーを振り回している政治家が、主導権をとった時にはとんでもない政策が作られていくことにもなります。現状は傘下に入れられた行政が、抵抗できないがんじがらめの状況で政策を作っていった結果であると思っております。

安保法制などをみますと、安倍政権では、特殊なイデオロギーを振り回している政治家が、安保法制をまとめるべく強いたのであり、現状は傘下に入れられた行政が、抵抗できないがんじがらめの状況で政策を作っていった結果であると思っております。また、教育分野についてもそのような形で変化を求めてきていて、これが若者の保守的発想を根付かせている面があるのではないか、と考えています（「新自由主義にゆがむ公共政策」第2章（新藤宗幸著、朝日新聞出版、20201225)。今の日本は中国の政治体制を批判・詮索できる状況ではありませんね。

この、安倍政権、菅政権と続くイデオロギーに基づいた政策づくりの行方は、日本社会の崩壊への道となると考えていますので、これをどういう形で転換させていくかを考えなければならない喫緊の状況に、日本は立ち至っていると考えているところです。

永久政権構造

ところで、政治が政権選択の場として選挙で争われるのは、政策です。ここで大きな問題は、事実行為として政策を作っているのは選挙で選ばれた政治家ではなく、公務員・官僚であるということです。しかも公務員・官僚の雇用形態は、基本的に年功序列型・終身雇用となっています。

つまり、官僚の終身雇用制度の仕組みは明治以降現在に至るまで、全く変わっていないので、ここには、民主主義制度としての選挙制度と公務員制度との間には解消することのできない矛盾が横たわっていると私は考えます。これを解決しない限り、日本の次のステップは安定していくことはないと思います。

政権を取った政党は、政策づくりを一手に引き受けている終身雇用の公務員・官僚を全て傘下に置くという形になります。これは、「永久政権構造」と言ってもよい状態だと思います。

公務員は、全員が政権の下で働かなくてはいけない（公務員総取りの構造)、しかも終身雇用・年功序列ですから、選挙でたまたま別の政権ができたとしても、前の政権のもとで政策づくりをしてきた上層部公務員（部下の公務員を率いていく立場の人たち）が、すぐに新政権の下で、違った方向の政策づくりが進められるものではありません。公務員も人間ですから、自分の思想信条をコロコロ変えることはできませんし、また政策作りに際してコロコロ判断や行動の変わる公務員を信頼することはできません。

また、長く政権を維持していく中で、政治家の既得権が強くなり、政権にある旨みが大きくなっていきます。自分の信条によって立候補する政党を選ぶのではなく、政権の旨みを獲得するために政党を選ぶということが、立候補者の中で強くなります。政策づくりをする公務員・官僚が簡単に変わることはないから、という点を見ていることもあるでしょう。

安倍政権の時に行われた、上級公務員の人事権を内閣官房に移す措置は、公務員が独立して政策づくりをしてきた仕組みを、政権と一体化させるという意味で、この永久政権構造をさらに強化する意味合いを持っています。

こうした中で、選挙の持つ意味はどうなるのでしょうか。国民の側は、政策は公務員・官僚が作っているということを承知しているので、選挙で争っているのは、イデオロギーであると思っています。このことから、政策の大半は公務員が作っているので、選挙に行っても行かなくても変わりがない、という判断も生まれます。近年、投票率が下がってきているのは、政治家が政策を作っているのではないということから、投票してもしなくてもそれほど直接的に変わるものではないと、暗黙のうちに誰もが思うようになってきているからです。政権党が、全ての、公費で仕事をする公務員を傘下に置いて、政策づくりをする、そんな状況で、どうして選挙が政策選択の場であるということができるでしょうか。

これは、日本が伝統的に抱えてきた時間意識から生まれた、政策づくりを行う終身雇用型の公務員制度と、政権選択を争う選挙制度(民主主義制度)との間の埋めることのできない矛盾であると考えます。一方は、公務員をフルに使って政策づくりをするのに、他方は政策づくりをするためには志あるボランティアや、自らの努力で、政策案づくりをしなければならない、こういう矛盾を半ば永久に続けていかなくてはならない、そういう状況にあるのです。

マニフェスト不要＝自民党

私たちは、ひとつのＮＰＯを作って、10年近くの間、マニフェスト普及運動を進めてまいりましたが、その中で、国政における自民党は、マニフェストの意義をあまり積極的に評価してこなかったという印象を持っています。政権党の立場から考えると、マニフェストなどは、真面目に作る必要のないものだということがあったのではないかと思います。考えてみれば当たり前です。本格的な政策集団を公費で抱えているのに、わざわざ格好をつけるだけのマニフェストなど必要ない、ということだったのです。

もう１つは、先にも述べましたが、時間の長さの利用ということです。政治は、タテ社会の生活感覚からすると、人々の生活の外にあるものという発想が強いのが日本社会であり、時間をかけてなじんだ政党が政権を取っているのだから、これはさらにそのまま続いていって当たり前とする意識が定着しています。まさに永久政権構造という状況になっているのです。

官僚が自分たちの政策を作る集団としているのだから、わざわざ選挙だからと言って官僚の政策に反するマニフェストを作る必要がないと考えている。官僚は、自分たちのスタッフであり、常に社会の状況に合わせて政策づくりをしているのだから、わざわざ苦労して自分たち用のマニフェストを用意する必要もないし、またそんなことは時間と労力の無駄と考えている。官僚は自分たち（政権与党）だけの部下であると思っている。つまり、一定のイデオロギーを示しさえすれば、具体的な政策は官僚が用意する、これが自民党の政策に対する考え方と言ってよいでしょう。結果として自分たちは人々を扇動するイデオロギーの主張を強めるだけになっていきます。国民は行政に対する信頼は厚いが、政治に対しては（一部のイデオロギーを振り回すのが政治と考えている人たちを除いて、）全く信頼をおいていない。

そして、政策を作っていないから市民は政治に関心がない、従って投票率が低くなるということだと思います。戦後、制度が作られた最初の頃は、皆興味深く思って投票に行ったのだと思いますが、そのうち政治家のどの政策であっても、投票した結果としてあまり変わらないということはわかってきたのだと思います。そうなると選挙に行ってもいかなくても実態を仕切っているのは政治家ではなく官僚の方だということがわかってきて、特定の、選挙による自らの側の権力維持に関心のある人だけが常に選挙に行くようになってしまったということが言えるのではないでしょうか。

要するに、選挙に行かなくても自分たちの生活のベースのところは官僚が、政策づくりをしているのだから、あまり関係ないのだということを感じ取ってしまっているのではないかという気がします。

官僚になろうという人たちの抱いてきた志をベースに、これからの民主主義制度とどのようなマッチングをするかを考えることが必要だと思います。日本社会の未来を憂える人は多いのですが、政治とはノータッチでいたい、現在はそういう人たちの志は、そのまま生かすことは難しいのが、今の矛盾を孕んだ政治・行政の仕組みの実態だと言っていいと思います。

赤字垂れ流しの無責任体制

さらに、現在の日本では、財政赤字がやたら大きくなっていますが、現在の赤字は行政構造と政治システムの軋轢から生まれている構造的なものによっており、不必要な赤字を平気で垂れ流す構造となっています。

政策を作るのは行政、しかも政治はこれに注文をつけるだけで、真の政策決定者になっていませんから、双方に、相手依存の無責任状況が生まれているのです。行政側は、政治家が言っているから最終的には仕方がないのだ、と思い、また政治家の方は、注文をつけておけばあとは行政がうまく形をつけるだろうと、思っていて、自らに責任があることの自覚がありません。まして利権誘導をしている立場なので、自分の利益だけは守りたい、そのため、財政赤字が深刻化しても、大目に見てしまうという結果になります。

今の仕組みを継続する限り、日本の政治・行政システムは崩壊の度合いを強めていくだけだと思います。

側用人の重用

一部の官僚や、民間人を登用する参与などの形での政治任用は、昔からあった側用人システムですね。タテ割りの官僚システムは使いきれないので、自分の意を受け止めてくれる側用人を重用することになります。

この問題点は、スタッフ的位置付けの、権限のない人たちが、トップを通してラインとしての権限を振り回すシステムになるということです。ラインを活用できない政治家のやることです。安倍のマスクの由来や、学校の休校措置など、典型的な側用人システムのなせる技と言ってよいでしょう。

またラインを本格的に活用しようと思ったらラインの実態を十分理解した人であることが求められます。しばらく前で言えば、田中角栄さんみたいな人でしょうか。あとは官僚からの転身者ですね。最近は、こうした転身者の力が弱まり、世襲政治家が増えて、親の代から権力者のように振る舞い、省庁の利害代弁者になってきている傾向があるのではないでしょうか。

アメリカのように、ラインの政策策定主体となるところの人材が、選挙を契機として相当数入れ替わる構造なら制度として納得できますが、日本では、政権が変わっても、スタッフの入れ替えを少しやるだけで、ラインの人事は、終身雇用・年功序列型ですから簡単に変わるものではありません。形式だけ輸入している日本の選挙制度は、本物の民主主義制度とはなっていかないのです。

参与の仕組みなどはこの抜け道の典型であり、これは側用人という江戸時代からの仕組みと変わるところはありません。そこで打たれる政策は、その場凌ぎ、人気取りだけのものとなる可能性が高いということになると言って良いでしょう。参与や顧問といった制度は、スタッフが事実上ラインと化することを意味します。また、委員会制度は官僚の権力を隠蔽するための装置となっていると理解すべきだと思います。終身雇用制度が生きている官僚組織では、これはごく普通のことです。

こうした無責任体制が持続しているのは、政策決定の一元化が事実上ないままできているということにあります。政策をベースにした意思決定の一元化が行われる構造でなければなりません。

今、なぜ政治主導なのか

ここで、今までの状況からすると、官僚が政策を作る体制が定着しているのだから、このままそれを続ければいいではないかと考える向きもあるでしょう。しかし、政権選択の場としての選挙制度という民主主義制度の根幹を否定するのならまだしも、これを受け入れていくのが当たり前であると考えるなら、この選挙で政治家を選ぶという制度と、政策づくりをする終身雇用の公務員との間に横たわる矛盾は、そのままにしておくことはできないと考えます。

選挙が単なる形式でしかなかった時代は、公務員による政策づくりの仕組みは大変意味のあるものでありましたが、戦後民主主義のもとで選挙制度が現在のように当たり前という構造になった時に、政策を作るのは政治の側でなくてはならないと考えます。

政治家が向き合っているのは、国民です。公務員が向き合っているのは基本的に上司です。公務員が国民のために政策づくりをするということは公務員の善意に依存しているという意味合いであり、公務員が、政治家の意のままに動くように強いられていけば、そのような善意は働き場がなくなっていきます。こうした今の時代は、政治主導で政策を作ることは、当たり前と言わなければなりません。

同時に、時代が経済的に見ても大きく変容を遂げた時代となっていますので、国民の現在の政権選択が、フルに機能するような仕組みにしていかないと、まずいのです。日本経済が、鳴かず飛ばずの状態になって、世界の経済発展の状況からどんどん取り残される状態になってきているのは、国民の選択が生きない政治・行政構造になっているからだと言っても、間違いではないと思います。この、政治主導の仕組みは実現しなければなりません。

3）全体の奉仕者について

全体の奉仕者（その1）

（2020.10.5）

明治以降、日本の経済発展を主導したのは、政治家というよりは、それまでの地方の雄藩の下級武士群でした。彼らは、現在のような選挙を介して国の仕事に従事した方々ではないという意味で、官僚の部類に入るのではないかと思います。しかし、彼らは言うなれば国家の発展を目指して縦横の働きをした面々であり、個人の利害を超えて、日本の発展のために尽力したと言って良いと思います。ある意味で、戦後の日本国憲法第15条でいうなら、「全体の奉仕者」だったと言えるのではないかと思います。

少なくとも戦前までは、全体の奉仕者に相応しかったのは、官僚であったのです。新憲法が制定され、そこで全体の奉仕者が規定されたときに、この法律を政策として作ることに携わった官僚が、自分たちがこの役割を担うと思っても全く不思議ではなかったと言って良いと思います。

推論に過ぎませんが、そのようにして、公務員が全体の奉仕者として位置付けられてきたのです。政治家は選挙で変わっても終身雇用の公務員は、全体の奉仕者として政策を通して国家運営にあたるのは当たり前のこととなりました。しかも政策を継続的に見守ることのできる終身雇用という実態があります。政治家が対立する政党との抗争に明け暮れ、部分（自分たちを選挙で送り出してくれた人たち）の奉仕者でしかないので、人々の信頼は官僚の側にありました。

そして、戦後になって押しつけられたとかいう日本国憲法が施行された時、依然として力を持っていたこの人たちは、この「全体の奉仕者」という位置付けを、国家公務員法を作ることによって、引き続き自分たちの役割とすることに成功しました。国家官僚こそが「全体の奉仕者」であるという位置付けをさりげなく組み込んだのです。明治以来ずっと「部分の奉仕者」ではなく、「全体の奉仕者」として活動してきたわけですから、当たり前のことだったのです。

しかし、現在、経済が成熟状態になって、今まで目指した国家の目標が達成され、その後の目標が明確には見えなくなった頃から、状況が大きく変貌してきてしまいました。誰もがその通りと納得する新たな目標は、もはや世界中どこを探しても見つからなくなってきたからです。

同時に、憲法に規定された、全体の奉仕者たる議会人の位置付けがだんだんと大きくなり、いわゆる「政治主導」の名のもとに、それまでの全体の奉仕者の位置付けを取り戻す（というか、奪い取る）までになってきました。

制度上は、こうなる必然性がありました。国民全体のことを考える「全体の奉仕者」であった官僚は日本国憲法のもとでは、制度的にどうしても弱いのです。というより、憲法での位置付けが本来の形を要求するようになるにつけて、選挙で選ばれた政治家の力が強くなっていったというべきでしょう。

現在は、この両者の間の相克が続いており、ことあるごとに大きな問題となって表面化するようになってきたと言って良いと思います。

しかし、私たちの意識の中では、官僚が虐げられている状態は問題だという意識がどうしても消えません。これはどういうことなのでしょうか。

確かに政治家の力は、官僚に比べて強くなったが、政治家自身、いまだ「全体の奉仕者」になっていないということに問題の本質があるのではないか、いまだ、「部分の奉仕者」としての認識しか持たずに行動していることにあるのではないかと気づきました。今回の日本学術会議メンバーの任命に係る６名の方の任命外しは、まさに全体の奉仕者に脱皮できていないことのわかりやすい表れであると考えないわけにはいきません。任命された人たちだけが全体であり、弾かれた人は数の外だというのは、部分を全体であると言い逃れをしているだけに過ぎません。様々な考えの人がいて、政権に弓引く可能性を持っている人もいるのだというのが社会の全体の姿です。それを排除していったのでは、部分の奉仕者から抜け出すことはいつまで経ってもできません。

現在でも、政治家は政権を握った時も、全体の奉仕者ではなく、部分の奉仕者として対応すればそれでいいという認識しか持っていないのが現状と言って良いと思います。モリ・カケ問題や桜を見る会、検事総長の任期問題、日本学術会議の任命拒否問題、Go toキャンペーン、オリンピック・パラリンピックの開催問題、いずれも部分の奉仕者の枠内での行動と見て良いと思います。おそらく全体の奉仕者であることなどは考えたこともないのでしょう。

前政権で、部分の奉仕者の典型であった首相を、四苦八苦しながら支えてきたはずの人が、自分が首相になって、全体の奉仕者として本来の姿を取り戻すかと思ったら、相変わらず部分の奉仕者としての行動しか取れないままであったということです。

このことに気づかない限り、今後とも、政治をやろうとする人と、官僚との間の相克が解消することはあり得ないでしょう。そして、両者の権力関係からすると、どうしても官僚の方が立場が弱いので、目先の効く人は官僚をめざさなくなる、また、辞めていくということになると思います。

これから大事なことは、政治家が、いかにして「全体の奉仕者」になるかということです。選挙で選ばれたからには、選んだ人たちに恩返しをしなければならないと考えるとしたら、それは政治家に相応しくない人であるというべきでしょう。選ばれた瞬間から「全体の奉仕者」として、社会の安定と発展のために何が必要か、視点を変え、反対する人たちも含めて検討を重ねることで全体合意をめざすという姿勢に転換しなければなりません。現代社会において、そうした視点立つことが、すなわち「全体の奉仕者」になるということであり、それができなければ、社会の分断を助長していくだけであり、望ましい社会に向けたさまざまな知恵の結集は生まれず、社会としての崩壊を進めていくだけになることは間違いありません。複雑多様化した社会であるだけに、多様性を前提としない分断の政治が、成果を生むことはあり得ないのです。

選挙に勝てば、その主張が全体と考えて行動して良い免罪符と思っているのでしょうか。明確な反対者がいるわけですから、そこで全体を納得させる政策をとっていかなければ、明らかに部分の奉仕者の枠を出ませんね。民主主義は少数者をいかに大事にするかということが重要なはずです。違う考えの人を納得させて初めて、全体の奉仕者であるという整理を、政治家がそろそろ自覚するようにならないと、（全体の奉仕者を自認する）官僚を人事権で押さえ込んでいるだけでは、何の実りもありません。

日本国憲法の制定に少なからず影響力を持ったと考えられるアメリカが、現在、まさしく分断の道を歩んでいっており、反面教師と見ることができると思います。これは、新自由主義経済の政策を選んだ結果という面が大きいと思いますが、現在の大統領選挙の状況などを見ますと、選挙制度というものが、常に部分の奉仕者を選んでしまう可能性を秘めた制度でもあると言えるのではないかと思います。とすれば、そうならないための制度のあり方を、今一度よく検討すべき時でもあると考えるところです。打開する道は必ずあると思っています。

全体の奉仕者（その２）……その位置づけについて

（日本語人のまなざし 130ページなど）

日本国憲法第15条で、「全体の奉仕者」について次のように規定しています。

第十五条　公務員を選定し、及びこれを罷免することは、国民固有の権利である。

２すべて公務員は、全体の奉仕者であって、一部の奉仕者ではない。

３公務員の選挙については、成年者による普通選挙を保障する。

４すべて選挙における投票の秘密は、これを侵してはならない。選挙人は、その選択に関し公的にも私的にも責任を問はれない。

公務員は選挙で選ばれる者であるという文脈はここでかなりはっきりを示されています。ここで示されている公務員とは、どう見ても議会議員を指しています。

また、憲法第73条では、

第七十三条　内閣は、他の一般行政事務の外、左の事務を行ふ。

・

・

四　法律の定める基準に従ひ、官吏に関する事務を掌理すること。

・

・

とあり、国家公務員法ではこれを受けて、

（この法律の目的及び効力）

第一条　この法律は、国家公務員たる職員について適用すべき各般の根本基準（職員の福祉及び利益を保護するための適切な措置を含む。）を確立し、職員がその職務の遂行に当り、最大の能率を発揮し得るように、民主的な方法で、選択され、且つ、指導さるべきことを定め、以て国民に対し、公務の民主的且つ能率的な運営を保障することを目的とする。

・

２この法律は、もっぱら日本国憲法第七十三条にいう官吏に関する事務を掌理する基準を定めるものである。

・

・

としています。国家公務員法というのは、憲法第73条の四に記載されている官吏に関して定めたものと明記されています。憲法第15

条の「公務員」について定めたものではないということです。ここまでは筋がはっきりしています。

しかし、この官吏の「事務を掌理する基準」を定めた法律を「国家公務員法」としたことによって、また、内容的に見て全体の奉仕者たる公務員に関する定義の実質的な転換がなされています。

こうした法律の規定によって、公務員とは、一般的に役人を指し、国会議員ではないということになっていきます。確かに、第2条で特別職公務員ということで議員のことも書かれていますが、3条以降の規定は全て憲法第73条の四の官吏に関することを規定するとなっています。

これは、明らかに意図的に行われた「公務員」の意味の転換であると思われます。公務員の定義を、議員から官吏に移す作業がここでなされているのであって、これは、うっかりではなく極めて巧妙に法律を通して転換したものと思われます。

なぜ、上記のような転換が行われたかというと、まさに全体の奉仕者としての振る舞いをしてきたのは政治家ではなく、公務員・官僚であったからです。それ以来、現在に至るまで、政治家も含めて、全体の奉仕者というのは公務員のことを指すという理解で統一されてきたといって良いと思います。政治家が、公務員を攻めるときの口実として、あなた方は「全体の奉仕者でしょう？」と当たり前のように口にしています。戯画ともいうべきモノ言いです。

現在の日本の政治制度では、政策を作るのが官僚（行政）、政権をとっている政治家はイデオロギーだけで勝負していて、政策については官僚の上に乗っているという構造になっているということです。選挙が形骸化していくことは、想像に難くありません。

かつて、オバマさんが大統領に当選した時のシカゴでの勝利宣言演説で、途中、

「そして私が支持を得られなかったアメリカ人たちへ。私はあなた達の票を得られなかったかもしれないが、私はあなた達の声を聞く。我々はあなた達の支援が必要だ。そして私はあなた達の大統領

にもなる」と述べています。

バイデンさんも、トランプさんとの第2回目のテレビ討論の時も同じような発言をしています。これは、アメリカの選挙で選ばれる人の、一般的考え方としてあるのだと思います。

自分に投票しなかった人たちの大統領にもなるということは、「全体の奉仕者」として活動すると言っているわけです。そして日本国憲法は、こうした発想を踏まえた形で、憲法第15条が組み込まれていると言えるのではないでしょうか。これもまた、アメリカに押し付けられた憲法という口実になるだけなのでしょうか。

大統領制と議院内閣制といった違いはあっても、議員の方々は、選ばれた瞬間から「全体の奉仕者」であるべきなのです。

与野党を問わず、この条項を議員一般のこととして考えると、今の議会のあり方について問い直さなければならないことが多いと思います。

自分を選んでくれた地域や、業界の方々の利益のために行動することは、ふさわしい行動ではないと言わなくてはなりません。特定の利害団体から選ばれて議員になっているからといって、その団体の利益のために行動することは議員失格と言って良いくらいのものなのです。このような傾向が一般化していること自体、政策で候補者を選ぶという、あるべき形ではなく、なじんでいる人を選ぶという人間関係に基づく選挙になっているのが日本の選挙の実態と言わなくてはなりません。それを許容させているのは、政策を作っているのが、公務員・官僚であるということから来ています。政策は二の次で、日本の選挙はイデオロギー中心、人間関係で選ぶという構図ができてしまっているということです。

本質的には民主主義に基づく選挙制度の趣旨は、政策を争う選挙となるはずであるのに、日本人は人間関係の深さで人を選んで行ってしまいます。政策本意になるためには、他でも述べましたが、少なくとも地縁血縁関係のある前任者の地盤からの立候補をさせない、という制度がなければなりません。

しかし、日本では、むしろ前任者との繋がりで選挙に出ることを当たり前とする意識ばかりで、民主主義制度が機能を発揮するために何が必要かという議論自体がなされる土壌がありません。

さまざまな分野で、こうした移入された制度と日本人の持つ特質との齟齬が埋められないまま、いつまで経っても同じ問題が噴き上がってくるということになっているわけです。

制度的には、政策での選択となるような形はいくらでも考えられますが、実態としては時間の長さで測る仕組みが最良と考える人たちが多いので、政治での制度変更が行われないことになります。

全体の奉仕者（その３）政治家の矜持～政治家は「全体の奉仕者」になれるか

（2018.7.19）

私は、これからの時代は役人の時代ではなく、政治家の時代であると思っています。同時に、国政の場よりは自治体における政治家の役割が大きくなる時代だと考えてきました。

明治以来、日本社会の発展を支えてきたのは官僚であって、政治家は、簡単に表現すれば、付け足し的な役割でしかありませんでした。イデオロギー政治は別として、あらゆる分野を官僚に支配されてきました。

今まさに欧米的なトップダウン社会と日本的なボトムアップ社会の相克があると思っています。そしてこの点で、実態と、仕組みとの違いの間の橋渡しをしてきたのが、官僚政治家という人たちだったのではないかと思います。途中まではこの役割は無視できないほど大きかったと思います。そして、だんだんと政治家の側の役割が拡大してきたのが戦後の経過です。

そして現在、役人が完全に政治家の下風に立つ状況にまで来たということは、政治家の役割が、従来の一線を超えて重要になってきたということではないかと思っています。しかし、政治家になる人や選択の基準となる考え方は依然として今までのパターンから抜け出していません（世襲議員、政治家の出身母体問題など）。

大事なポイントは、「全体の奉仕者」についての考え方です。今までの官僚は自らを全体の奉仕者として位置付けて仕事をしていますが、政治家は全くそんなことを考えておらず、権力を握りさえすればいいという発想に基づいた行動様式に基づいています。森友・加計学園問題は、自己利益を図るための行動であって、全体の奉仕者としての発想は微塵もありません。政治を志す者の最も大事な矜持を身につけることなく、ただ、話がうまいということで権力の座にいて、勝手なことをしているわけです。

前にも書きましたように、政治と行政の間の全体の奉仕者をめぐる争いについて、政治家の方の自覚がないままであるということが、今の政治の混迷の全てだと私は思っています。（官僚は一定の制度の枠組みの中にいるので、その制約を逃れることはできませんし、その状態はさらに強まっていくと思います。）政治家が全体の奉仕者として自覚していたら、今回のような参院の定数増法案や森友加計学園問題が出てくるわけがないのです。また、官僚は全体の奉仕者を豪語する必要はなく、ただ政治的な決定にしたがって業務を進めればいいのであり、ここに口利きが入ることなどあり得ない話です。

さて、それではなぜ官僚の時代は終わったと考えるのかということです。本質的に、政治家は有権者に向かって仕事をしているのに対して、官僚は行政府の長に向かって仕事をしている存在であるということです。本来であれば、今の制度を前提とするなら、最初から政治家が全体の奉仕者なのです。政治家は、口利きなどしている暇はありません。役人は、全体の奉仕者ではなく、政権トップの意向に従って、中立的に仕事をこなす存在であればいいのです。

本来はこういうことなのですが、日本の経済的発展過程では、そうしたスタイルではなく、官僚主導で政治運営が行われてきたということです。そして、現在においては、今までの官僚主導体制から政治主導体制に移行しなければならない状況に立ち至った、ということだと思います。有権者の意向に沿う政治を本格的に進めないと、社会的な崩壊を免れない状況に立ち至っているということです。有権者が希望を持てない社会で、どうして未来を展望することができるでしょうか。人々が合意できる社会を作っていくことは簡単ではありませんが、それなしにはこれからも今起きているような状況は続くと思います。

官僚の深夜労働の廃止？

ここで面白い問題提起がありました。官僚が政治の下風に立つようになるにつけ、人件無視の深夜勤務について現状を問題視する動きが出てきました。今までは、どのような勤務形態であってもそれに耐えて自分の業務を推進してきたのですが、現在は、そのようなことをする意義を喪失したともいえます。こういう対応を当たり前としてきたこと自体が、官僚権力の独裁性の見返りであったとも言えるのではないでしょうか。そうした見返りのない政治優先の動きの中で、改めて、官僚の悲惨な業務の実態に目を向ける動きが出てきたように思います。現在の政治家優位の状況に嫌気がさして、若手キャリア官僚の中では、退職して別の道へゆこうとする動きも大きくなっているのは当然です。人々のために骨身を削って働く生きがいの時代は去りつつあると言って良いと思います。

(2021.3.06)

2021年２月６日の毎日新聞夕刊で、１面トップとそこから引き続いて９面社会面に、「官僚の深夜残業解消？」という記事が掲載されました。ある意味で、官僚の深夜にわたる勤務の実態は、よく耳にするお話かと思います。自治体にあっても、在職中、同様の状況を経験しましたが、国の場合は、議会が開催されるたびに長丁場で同じ深夜勤務の現象が起きていることが想像されます。かつては、こうした記事を読んでも、当たり前のこととしてあまり気にすることもなくなっていたのですが、今回、毎日新聞の記事に接し、これが『行政独裁』を続けてきた官僚制度の名残だと認識することとなりました。

政策を作ってきたのは基本的に行政であり、政治家はその上積みで対応しているだけである、ということの証明と言っても良いと思います。行政で政策づくりをしてきた結果として、その政策の説明をするのも行政の当然の役割とされており、質問予告の出たあとその答弁案を作るのも当然の役割としてやってきたことから、このような実態が当たり前のこととして作られてきたと言って良いと思います。

大臣の能力の程度を勘案し、関連質問等への回答案など、常に涙ぐましい努力が続けられていることは、たまに見る議会の質疑の風景でもよくわかります。

しかし、現象的には当たり前に見えるかも知れませんが、ここには、第２次大戦後、本格的に導入された「民主主義政治システム」と、「明治以来続いてきた日本型『行政独裁』のシステム」とが明らかにバッティングする状況があり、これをカバーするために、ある意味不条理な深夜勤務が当たり前のこととして、そこに皺寄せされることとなったと考えることができます。従って、官僚の深夜勤務の解消のために、質問予告の提出期限時刻を早めることで解決しようとするのは、それ自体として否定するものではありませんが、本来解決すべき事項は、民主主義政治システムと行政の政策形成システムの間の、仕組みの解決であり、何よりも求められているのはそのことであると言って良いと思います。

戦前においても政治家の力は少しずつ大きくなっていった面があるとは思いますが、本質的なところでは行政が主導権を取ってきたと言えると思います。

明治の時期における議会制度の導入は、民主主義制度を取り入れたことで、近代化の形を日本もとっているのだという、欧米に対するメッセージであったという話を聞いたことがあるように思います。しかし同時に、庶民のその時々の不満を解消するための「ガス抜き装置」を兼ねていたということも、見たことがあるような気がします。

行政独裁の帰結が、軍事（官僚）独裁という形で、日本社会の破綻に向かったことにも現れています。

そしてこうしたことを考えているときに、前に小さなSNSに書いた記事を思い出しました。10年以上前、2008年９月24日付の「居酒屋タクシーの勧め」です。（この後に当時の記事を記載させていただきます。)
　これらの現象の裏に、何度も言ってきていることですが、民主主義政治システムにおける政治主導と、明治以来の日本のシステムである行政独裁という２つの間の相容れない相剋がある、と私は見ています。

居酒屋タクシーの勧め

(2008.9.24)

　しばらく前に、居酒屋タクシーの話が出て、深夜帰宅する役人にタクシー側がビールやおつまみを提供することが常態化しているということが話題となり、また、役人のモラル低下と騒がれました。
　節操をなくしているという話ばかりがマスコミに流れ、その後締め付けとともに急速にそうした話題もなくなっています。
　タクシー側がそうしたサービスを提供しなければ、客をつなぎ止められないということが、とても不思議な気がしたものですが（個別随意契約でもする仕組みが出来ていたのでしょうか）、もう１つ、この話題の中で大事な話に言及されることなく、今に至っていることがあるような気がしています。
　それは、マスコミも含めて（おそらく国民全体が)、国家公務員というものが深夜、明け方まで働いても当然だという前提のもとでものを言っており、その労働の質の改善をしなければならないことが一番の基本だと言う人があまりいなかったようだということです。早く帰ることが出来さえすれば、自分で居酒屋に寄れば良いわけですし、このことに文句を言う人は誰もいないはずです。
　国家公務員が政治の世界に引っ張られて、深夜であろうが、朝までであろうが働くというのは国の仕組みとして何かおかしいのではないでしょうか。一般の人に認められている人権が、国家公務員にはないかのように、誰もこのことに言及しない国というのは、異常な世界であるように思えるのですが、いかがでしょうか。
　国民自体が過剰に国家に求めすぎであり、その場合、信頼を抱くのは頼りない政治家ではなく、役人の方なので、必然的に深夜労働当たり前になってしまうのです。息抜きをする間もないため、つい、深夜の帰りがけの誘いに文字通り乗ってしまうということではないでしょうか。

国民が国にそれほど頼らなければ、地方分権も進むわけです。

何かあると、国務大臣が出てきて弁明をしなければ事が済まない社会では、分権化はいつまで経っても進むわけがありません。期待されてしまっているので、これに応えないわけにはいかないからです。

ところで、友人とこの話をしていたときに、記事タイトルのような話になりました。居酒屋タクシーというのは大いに進めるべき話ではないだろうかということです。

飲み食いする経費は有料とすることが原則です。12時以降、自宅まで走らせるタクシーについては、（運転手はもちろんつきあって飲むわけにはいきませんが、）現金支払いで精算をする前提で、有料で酒食をしても良いことにする、そして、その場合は、赤提灯をつけて走らせることにする、といったことです。帰りに居酒屋に寄るのは問題がなく、居酒屋タクシーは問題だということもないでしょう。どんな仕組みでも出来ないことはないので、公序良俗に反しない範囲で、いろいろと課題があればこれを１つ１つ潰して実現にこぎつけられるのではないでしょうか。

まあ、いずれにしても、惨めな世界に変わりはないということかも知れませんが…。そしてまた、そうした「深夜労働当たり前」の世界を改善することが21世紀の課題であることに変わりはありません。

> 今考えてみると、居酒屋タクシーは、深夜勤務ののち帰る官僚に対するタクシーの側の心遣い～忖度であったという感じを持つようになっています。役人が深夜勤務を厭わず勤めて帰る官僚（全体の奉仕者）の大変さについて、強い共感があったのではないかと思います。

イデオロギーとしての明治時代礼賛は、日本を滅ぼす

（2018.7.19）

現在、「日本会議」という組織の目指す方向が、明治憲法に戻る

ということのようで、これに安倍さん他、実にたくさんの議員がメンバーとなって活動しているようです。安倍さんの延命工作は、このグループの意向と合致し、ほぼ一体化していると考えると納得がいくものがあります。私が「亡国の日本会議」と言っているのは、この人たちの時代錯誤が致命的であり、その実現を目指すということは日本を滅ぼす方向を早める効果を持つと思っているからです。一致団結して日本の未来を清い形で作り直すなどということは、今ある経済的な基盤を過去に引き戻すだけの行為であり、それはすなわち日本を崩壊させることになるだけだと言って良いと思います。社会は政治だけで動いているのではないのであり、現在の経済的基盤を踏まえなくては、決して良い結果を期待することはできません。まして、若者をそうした方向の賛同者みたいに位置付けることは、とんでもない筋違いの議論です。

自民党の改憲案の中には、（多分関係者の多くも自覚していないと思いますが、）官僚権力の強化、独裁化を推進する表現がむしろはっきりと入っています。官僚出身のどなたかが、さりげなく組み込んだと思われますが、このことは明治の行政独裁に戻るのがよいという発想であり、官僚の権限を強くしたいという意識の表れです。しかしそれでも政治権力が強まっている現在において、官僚と政治の軋轢は高まるだけとなっていくでしょう。行政独裁礼賛で、過去に戻ることを意味しています。少なくともここで、もしこうした方向が進めば、置いていかれるのは国民です。

4）政治制度の変革について

公務員システムの見直し　官僚を政治につける

ここで提案したいと思うのは、官僚の志が今までの日本を支えてきた実態を見るにつけ、この志を生かしながら、民主主義制度を本格的に推進するための方策についてです。この中で、当然のことですが、永久政権構造は解消させなくてはなりません。

（2018.3.25〜26）

まず何よりも重要なことは、政治主導を定着させていくということです。そして、議会制民主主義に基づいた政治を行おうと思うなら、政策づくりを官僚に委ねてイデオロギーを振り回すという形から、脱皮しなければなりません。政策作りを全て、政治家の側で引き受けるということです。そうすれば、行政への介入などということは、必要もないことになります。必要もないことになりますから、行政に対しては、いわゆる口利きと言ったことも含めて一切禁止する対策を講ずることが出来ます。

政治家と官僚の新しい関係を作るということを考えるなら、現在でいう総合職、キャリア官僚を全員、行政から切り離し、給与支給を前提に議員の数に応じて、全て議会スタッフとして位置付けていく提案です。こうしたダイナミックな制度改革を、そろそろ考えてもよい時代ではないかと思います。

私の発想は、上層部公務員を各党のそれぞれの議員数に応じて、政治家スタッフとして、給与持ちで付け替えるということです（政治家を志向する場合もあるし、スタッフとして勤める場合もあって良いと思います。政策作りはこの人たちの責務とすることです）。採用試験もそれを前提として行うこととするものです。移行期の問題はあると思いますが、受験者の思想信条に基づいて政党職員として政策づくりをするようになることを前提に受験するということになります。

一次試験は全党派の受験者共通のもので行い、次のステップで希望する党が主体となって試験を行うこととします（あるいはその前にもう1ステップ入った方が良いかもしれません）。どこの党を希望する人が増えるか、これはどの政党が時代の先を見ていると受験者が判断するか、ということで、政党の展望力というか人気度を測ることができると思います。

政権交代可能な政策スタッフを野党も抱えることになり、永久政権の構造ではなくなります。当然、選挙で議員の数は変化しますから、それに合わせて、人件費予算を配分することになり、雇い止めが出てくることも考えられます。しかし、雇い止めをするには忍びないということになりましたら、その時初めて、政党自体の資金でスタッフとして雇用し続けておくということになるのです。役に立たないと思われる人をふるい落とすチャンスにもなるのではないでしょうか。これは一見乱暴な話のように思われるかも知れませんが、政治の世界のことですから、ルールとして決めておけばいいのではないかと思います。

こうすれば、政権政党の長が政策の採否を決めていくのですから、まさか文書と言うものの存在も知らないというような、お粗末な口上もなくなると思います。予算や法案の決定権が政治の側に全て移ることになりますから、無責任体制は解消されていきます。

また、テレビで最近よく見るような、議員が官僚相手に質疑をするという形も不要になります。党派同士の議論をするという形に変わっていくことになります。

さらに言えば、このようにすれば、おかしな人が知名度だけで議員になることも防げるようになると思いますし、何よりも世襲議員というものも徐々に解消していくと思われます。

このようにキャリア官僚の位置付けの変更をしていくと、天下り先の外郭団体もいらなくなり、整理することができるようになると同時に、外郭団体への就職斡旋のような仕事も不要となります。

何れにしても、こうした改革が進んでいかない限り、制度矛盾の中で忖度の有無を議論し続けるといった消耗な政治が続いていくように思います。

キャリア官僚を、政治側につけることにより、応募する人材の質はおそらく大きく変わっていくことになると思います。政治を志す人が意欲を持ってチャレンジしていくようになり、単に偏差値が高いだけの人材の応募はなくなると思います。人材の質が変わるということによって、政治を、現在のような構造から転換する大きな契機になると思います。

現代社会において、相変わらず官僚養成・官僚システムは充実しているが、政治人材養成システムはないに等しいのが実態です。また選挙の洗礼を受ける政治家の経済基盤も極めて弱体なままです。これでは政治主導を実のあるものにすることはまず不可能です。また選挙の供託金制度なども、金のない政党は立候補させないという意味で、政党の偏りをさらに強くする効果をもたらしています。これは行政権力の強化の一環のように思われます。公務員は厳正中立という口実を与えて生まれるキャリア環境は、現状では永久政権構造の中にある政治家の言いなりで偏向した政策づくりをさせられているのです。この方がよほどおかしな実態と言わなければなりません。多様な政治思考の人を排除し、行政の権力を維持する作用を持っていると指摘することもできるのではないでしょうか。

新しい形では、自分の志を生かすことのできる政党を選んで採用されることを目指す形になります。日本社会の方向を考えたいという志に基づいて現在の官僚システムができているとすれば、基本的にその構造を政治の側に移行させ、現代の民主主義制度との整合性が図られることになります。これにより、目指した政策本意の政党政治の基盤が出来るようになると思います。

また、給与は、現在の議員がそうであるように、関連経費も含めて固定給とすればいいと思います。これは、年功型給与を転換していく契機にもなるのではないでしょうか。そして安定した経済環境の中で、党利党略の枠を乗り越えて、日本社会の未来をそれぞれの党派の立場で考えてもらう、ということになります。選挙に当選することばかりが候補者の目的としなくてもやっていけるようになるので、相手の党派の立場についてもよく研究し、理論的な課題を突いていくこともできるようになると思います。

試験に受かった人だけを将来の候補者として位置づけるか、それぞれの政党で何%かを別の形で候補として認めていくかはさらに具体的に検討する必要があるでしょう。公的資金で給与支給をするのは、あくまでも、この試験に合格した人の範囲とすることとし、その他のルートで入った人については。選挙に立候補することは政党の判断ですが、給与支給の対象とはしないこととします。その場合でも、試験で入った人と同じ立場になって政策研究をすることが不可欠とする必要があります。政策づくりを政治家の本務とする以上、これは当然のことです。従って政治家の卵を、それぞれの党の中で政策立案機能を高めるよう育てることが必要となっていくでしょう。

地方公務員への適用については同じルールで行って構わないと思いますが、議会議員への適用は十分考えられるところですが、首長選挙はは大統領制度であり、候補者は無所属を名乗ることが多いので、さらに検討を深める必要があると思います。

いくつか考えておかなければならないポイントがあります。政治家が利権の虜になる傾向が強いということは、政治家の身分の不安定性にあると言って良いと思います。選挙で落ちればただの人（あるいはそれ以下）と言われるのは、政治家となる人の身分の不安定性にあります。企業のリーダーのような人は、落ちれば元の世界に戻ることもできます。しかし、元の基盤を捨てて政治の世界に入ろうとする人にとって、生活の資を稼ぐ場が失われる、あるいはないまま議員を目指すのですから、落選は悲劇の始まりです。

こうした議員の世界を目指す人たちが各領域から公平に選ばれる可能性がない現状では、経済的基盤がある人は立候補できるがそうでない人は、政治の世界にタッチできないということになります。こうしたことを勘案すると、現在政策形成に携わっているキャリア官僚を、そのまま政党の職員にするということで政策づくりをして貰えば、安定した政策主導、政治主導型の構造ができることになります。

日本では、官僚への信頼が従来より存在しており、その人たちが、経済的に安定した状態で政策づくりに励むことができるということは、日本の政治構造を一挙に変えることになっていくと思います。

行政国家論

欧米では、行政の力がだんだん強くなって、今や行政国家という状況になっているということでありますが、日本ではもともと行政国家で、意欲に満ちた国士により日本社会の西欧へのキャッチアップを果たしてきたわけです。保阪正泰さんの言葉によれば、「行政独裁」国家と言っても良いかもしれません。現時点で、社会で生起している様々な問題を、政治的に解決できないために、大きな問題となり、政治不信を生み出しているのですが、こうした状況に現在の民主主義制度には解決策が見出されていません。成熟社会を迎えた諸国で、成熟社会としての経済の状況を前提とした政治システムについて、十分な方策が考えられていないためではないかと、私は考えています。

要するに、どこの国においても成熟社会に見合った政治システムについて、経験がないのですから、これは当たり前のことです。

とすれば、日本では、この行政主導で進めてきたシステムの見直しの考え方があってもおかしくはないものと考えます。むしろ、1つの大きなモデルとして、日本のこれからの政治・行政システムを再構築すべき時に来ているのと考えるのが妥当なのではないでしょうか。すなわち、これは成熟社会の先進モデルとして位置付けられるのではないかということです。

現代社会においては、情報化が急速に進んでいるために、政治・行政機構と市民社会との間の齟齬が生まれると、直ちに問題が表面化して、大きな動きが生まれてくる状況にあり、これが、ポピュリズムを招く要因となっています。政治の側で政策を作る仕組みは、人々の生活と深く結びつけることになり、イデオロギー中心の政治状況を変えていく契機にもなると思います。

この制度が運用されれば、世襲議員は将来にわたっては減少していくことになるでしょう。日本を今まで導いてきた優秀な官僚制度のメリットを民主主義制度の中で生かしていけるようになると考えます。まあ、こんなふうに色々な新たな形が想像できるのですが、いかがなものでしょうか。

行政の中で解決策を考えても、最終的に、民主主義制度の洗礼を受けた政治家の下風に立たされるしかないので、その過程で、政治家の個人的な要求に応じなければならないケースも生まれ、現状で様々な歪みを生み出しています。今のままでこれが解消することはありません。

公務員から政治家に移行する方も多いのですが、むしろそれを制度化することで、行政独裁から民主主義的な政治制度に移行していくということで、日本社会の新しい希望が生まれてくるのではないかと考えます。

5）予算編成システムの課題…典型例としての査定システム

（2021.6.22）

役所の査定システムというのをご存知ですか。

予算を策定するときの仕組みですね。

それぞれの仕事の現場が、年間に必要な事業量を見積もり、それに見合うお金を積み上げて、財政当局まで持ち上げ、そこで最終的に、資金的限界との兼ね合いで使える金額が決まるという形になっています。多少の変形した査定システムも自治体によってはある可能性がありますが、極端に変わった予算の仕組みを取っているところはないのではないかと思います。首長の力が強いところでは、トップダウンの指示などが財政当局に入って、それを含めて予算額が決まっていくということもあるかと思います。しかし、高度経済成長期と違って、財政収入の拡大はまず期待できない時代ですから、人件費を含めて固定経費が大半を占め、トップが自由につけられる予算額は極めて限定的なものしかありません。

民間企業でも類似のシステムで運用されているところがあるかもしれません。役人OBが当たり前のように天下っている組織では、だいたいこの形であろうと思います。この役所の予算編成システムは、ボトムアップの仕組みの典型と言って良いと思います。

人件費はもちろん予算の中の最大の項目になっているかと思いま

すが、これは人事当局が一括して扱っていることが多いと思います。この人件費の削減は、特別の場合を除けば、クビを切るのがなかなか難しいので、欠員が生じたときに、一方で採用抑制をかけ、欠員不補充という形をとって行われることが多いと思います。

膨れ上がる予算

日本では誰もこの予算編成システムを不思議だと思っていないふしがあります。これは、ボトムアップ社会の典型であり、日本人はボトムアップ人種ですから自然にこの形を受け入れているのです。ボトムからの積み上げ方式なので、税収が増えない状況に陥り、予算の構造を変えなければならないときになるとその予算が捻出できないという構造となっています。新しい予算体系へと切り替える改革をすべきときに金がないという事態に立ち至るのです。大きな構造改革をめざしても、現在の日本の査定システムの中では、小さく生んで大きく育てるという形でしか、発展可能性のある財政の仕組みの構築はあり得ないと言って良いと思います。そして、時代の流れの中で必要がなくなった予算が存在し続け、既得権と称して、大きな無駄を出し続けることになります。

前年の予算をベースに新年度予算を組み上げますから、極端な増を組むとすぐわかってしまいますので、査定要素としない領域については前年踏襲で対応するのが一般です。この仕組みは基本的に増分主義予算編成システムと言って良いのではないかと思います。予算枠が厳しくなると、一律削減ということもありえます。たまに悪知恵の働く人は、類似の新規事業であれば金額を同じにして、実施にあたって内容を新たなものに組み替えるということもあるかと思います。そして、今年は確実に変えなければいけないという分野や、新しい状況に対応する新規の事業、いわゆる目玉事業が出てくると、議論の対象として査定に望むわけです。

経済が発展しているときは、財政収入もそれに応じて増え、使える枠もどんどん拡大していくので、増分主義は有効に機能しました。しかし時代が変わって、経済成長が期待できない時代になってきたときには、このシステムは極めて不都合な仕組みに変わっているのです。増分主義予算編成システムは、経済が成長しなくなると、同時に新しい要素も組み込めなくなり、構造転換も不能となるのです。

そして、現実問題として、これに的確に対応できなかったのが日本の30年であることを述べてきました。自治体は、人件費をはじめとしてさまざまな経費の節減を求められ、現在の制度のままでは、構造転換するいとまもなく予算の削減を強いられ、こうした中では、新たな予算体系への対応は極めて難しい状況のまま推移してきたと思います。しかし、国はこうした状況にもかかわらず、景気対策を進めると同時に、選挙に勝つためということで、地元対策を優先させ、予算規模拡大を無原則にすすめています。

予算編成の実態としては当初予算は、一定のフレームの中で進められて行きますから、余計な項目が新規で入る余地はあまりありません。しかし、補正予算は別です。それぞれの議員からの要望で、当初予算に入らない予算をわからないように含めることができるという点で、最も都合の良いものです。

選挙が間近に設定されているわけですから、選挙を目指す議員にとってこの時期の補正は、最大のチャンスになっています。

コロナ対応を否定できない時期ですから、またとないチャンスでもあります。優秀な官僚は、自分がこの人と思う有力議員の要望を受けて、最大のチャンスであるコロナに便乗しながら、一般には解らないように議員の要望を補正に組み込んでいく技術を持っています。そして、政治家と官僚の相互無責任体制がとられている状態では、現によく見るように国家予算の赤字がふくれ上がっていくのは当たり前です。この赤字はこの無責任体制が続く限り、いつまで経っても解消する見込みはありません。

査定システムの改革なくして抜け出せる道はない

このように、査定の構造を変えることが出来ないというのが、ボトムアップ社会の隘路といっても良いと思います。

この仕組みを運営していると、状況が大きく変わってしまって基本から見直さなければならない時に、全く対応できないことを意味します。地方も、抑制したまでは良いですが、その先の転換を進めることができません。要するに身動きできない状況に追い込まれているわけです。国は、抑制することができないばかりか、赤字を積み上げていくばかりです。

解決策として増税すれば済む問題ではありません。現在のような転換期は、構造転換の時代に適応した予算編成の仕組みを考えて、体制を組み直し、新たな予算編成の仕組みを作らない限り、新たな構造を作ることが出来ず、経済の実態に対応できる新たな経済循環を導くことができません。

現在の査定システムをやめ、意思決定構造としての各政党は予算編成委員会を立ち上げて、全体枠から経済の好循環をつくる予算編成システムに転換する必要があります。大臣調整などということを儀式化してやっているような予算査定システムは破綻しているのだと考えなくてはいけません。

新たな政策スタッフの最大の役割は、ゼロベースからの予算編成を進めることです。それぞれの政党の考える政策予算を理論的に打ち立てていくことが求められます。ゼロベース予算編成であれば、根っこを少残しておくと言ったことを考える必要はありません。ボトムアップ依存の弊害を自覚して、何回かゼロベース予算の構築を考えていくなら、一定のパターンができてくると思います。国の予算の場合、鉛筆１本から積み上げる必要はないのです。全体予算の方向を設定していくことを考えなくてはならないということです。

外郭団体、特別会計の見直し

そうした際の考え方ですが、外郭団体等に絡む予算や特別会計の予算については、これからの財政運営に際しては、まずゼロベースで取り組むことが必要であると思います。以前は、団体を作ってそこに予算を確保できたときは担当した職員の手柄と言われた時代もあったようです。そこに天下り先を確保できれば、その省庁のテリトリーの拡大につながったからです。そういうポストに預かるキャリア官僚は、政治スタッフに変身していますから、ポストの必要性はなくなります。

そうした意味では、現在は、OBの天下っている組織は、まず、全廃の対象としてあげていっていいのではないかと思います。そして、ほんとうに行政的に必要な分野には、OBではなくて、民間人、あるいは現職職員を派遣するというのが、当たり前の発想です。そうでなければ、外郭団体は広い意味で役人の生活保障をするための、福利厚生施設になっていると考えるのが妥当であると思います。そして、税金をそうした福利厚生施設のために使われたのでは、国民の側は潤わず、また、いくら税収があっても足りません。

よく、北欧では国民が数十パーセントという高い税金を払っているのに、日本ではどうしてそうしたことができないのか、という話が出るのですが、上のようなところで行政主導で平気で税金が使われているとしたら、そうしたことを平気で認めるほど国民は能天気ではないということです。今のような形が続いている限り、国民の方はできるだけ税金を納めなくても済むように、様々な工夫をすることになると思います。

企業の価格体制への介入は許されない

今の時代、政府が民間の価格設定に介入することはできるだけ回避していかなくてはなりません。携帯利用料金への介入といい、常軌を逸しています。もうそんな時代ではないのです。いつまでも国家がこういう介入するのを日本人は当たり前と思っているのは、役所主導の新自由主義のなせる技であり、こんな統制経済のような介入からはさようならをしてもらわなければなりません。新自由主義というのもおかしいような代物です。企業ももう少ししっかりしてもらいたいと思います。隣の大きな国を批判して、自らの介入は平気で是認するというのが現在の政府の体質です。

予算は、流用や予備費活用でなんともなりますが、真剣味が感じられませんね。これは財務省の仕業です。大体金に絡む話がこじれるのは全て財務省がらみとみると、理解しやすくなります。財務省のやたら古い健全財政志向ですね。これに、族議員の利権が絡まっているので、国の財政はどうしようもありません。健全財政と言っても今まで、政治の側に押し切られてきて、赤字が積み上がってきてしまったわけですが…。

もう１つがタテ割りの問題です。国家戦略をまとめるセクションがなく、タテ割りの要求を個別に査定しているために、タテ割りの弊害を解決することがもはや不可能になっています。かつては財務省がその役割を担わされてきました。本来であれば、各省庁の予算の調整役である大臣や国全体の予算の調整役である総理大臣の立場で総合調整する役割となっているのですが、所詮素人大臣では調整は不可能でしょう。

こうした状況を見てみると、行政には現在、国全体の方向を見定めて総合的な戦略を立てるところがどこにもなく、これからますますバラバラの意思決定が行われるようになっていくと思います。これは日本社会のボトムアップ構造に由来しているものです。この仕組みの再構築を進めようと思ったら、まず、諸外国とは意思決定構造が相当に違うのだという認識を持つことが必要だと私は考えています。

現在のような社会状況になって、日本が経済発展の際取り入れたシステムと、日本社会の古くからのありようとの間での矛盾が大きくなってきていて、想定外の課題が出てくるとその軋みが大きくなって問題噴出となっていきます。大きな課題が出てこないうちは、隠していけますが、今はかくしようもなくさらけ出されてきているように思います。

学校の９月開校なんていう話が出てきていますが、そうする前に自分たちのシステムの不具合の方を直視してもらう方が先ではないかと思っています

MMT（現代貨幣理論）

（2020.8.16）

野党の統合の動きが具体化してきているのですが、ここにきて国民民主党の代表が分党の意向を表明したりして、わけが分からなくなっている状況があります。なぜこうことが起きてきたのでしょうか。

私は、ここには消費税問題が絡んでいるのではないかと思っています。玉木雄一郎さんは、山本太郎さんの言っている消費税減税に賛成することで、山本さんも含めた野党連携を作りたいと思っているのだと思います。本人は消費税をなくすことにはもちろん賛成しているという前提です。しかし、立憲民主党は消費税減税を拒否していて、幹事長合意事項にも入れないままとなりました。

その合意を見て、これでは全体的な連携はできないと玉木さんは思っての動きになったと思います。

私は、これからの時代は消費者の余計な負担を排除することでむしろ経済は回るようになるのだという考えですから、山本さんや、玉木さんに賛成しています。

そこで立憲がなぜ頑なに消費税減税を合意事項に入れるのを拒否しているのか、実際のところは外から見ているだけなので、よくわかりません。

そんな中で、つい最近思いついたのは、立憲のバックにいる学者の中に、強硬に反対している人たちがいるためではないか、ということでした。誰が中心メンバーになっているのか定かではありませんが、その一人として、経済学者の金子勝さんという人がいます。しばらく前に何処かのYouTubeで、口汚くMMT理論を批判しているのを聞いたように思います。重鎮であるとすれば、枝野さんとし

てはそれに異論を挟むだけの度胸はないのではないかと考えました。
さらに考えると、野田佳彦さんが、消費税10%合意案を出したように記憶していますが、金子さんだけではないかもしれませんが、その時から、増税のロジックの取次をした学者たちがいるのではないかと考えた次第です。今回の玉木さんの分党の発信について、金子さんは早速批判していますね。
この状態では、野党の全体の連携はとても見込めないと思います。そして、現在の政権に勝つところにはとても行かないと思わざるを得ません。立憲の経済ブレイン集団は、選挙が終わった時に思い知らされると思います。
こうした状況で、政権側から、期間限定付きで消費税減税を公約として出したりされたら、選挙では完璧にに野党側の敗北になると想像します。ただ、与党は健全財政志向の財務省に抵抗することができないので、この可能性は今のところ小さいと思います。逆に言えば、財務省はMMTへの対応というよりは、むしろ与党の圧力に抗するために、健全財政志向の旗を下ろせないと言うべきでしょう。

北欧型経済システムは直ちに進めることはできない

今まで述べてきたことから言えることは、マクロ経済で供給力が需要を遥かに上回るようになった社会では、政府は、需要力を高めることを基本に据えた政策への転換が必要であり、そのためには、現在の組織の構造や予算の組み立て方全体をゼロベースで見直すことが不可欠です。それがないままに進んでいけば、財政健全化を目指すためにとして増税しても、財政課題が解決することはもはやないと言えます。今の構造のままでは供給と需要のアンバランスを拡大し、経済循環がさらに歪になっていくだけなのです。日本は明治新政府ができた時から、供給力拡大をするための構造を内在させており、一朝一夕でこの構造を変えることができるようなものではありません。
野党が気をつけなければいけないのは、北欧型の社会を理想としている向きがあって、そこは税金がやたらと高い社会なので、これに見習えば福祉の充実が図られるという発想から、増税必然論が燻っているらしいといったことです。しかし、成熟社会にあっては、財政資金の使い道は、生産力拡大のためではなく、国民生活の向上ために直接的に使うのだという、ハッキリとした方向転換が人々の間の共通認識として確立し、そのことに向けて政府の組織、予算の組み立て全般にわたる改革を行なった上でなければ、増税などは決して容認してはいけないのです。

日本の現在の政府の仕組みをそのままにしたままでは、高負担をしても財政資金は福祉には回らず、企業支援に回るだけです。直間比率の是正というわけのわからないスローガンで導入された消費税で証明済みです。（「直間比率の是正」というのは、企業が国際競争を勝ち抜くため、企業の税を下げるという趣旨のように見えます。しかし、行政が、成長を目指して企業支援をする時代はもう終わっています。）

現状は、企業支援の実態を変えるような大きな政策変更が必要という考え方はどこにも存在しておらず、政府の組織はもちろん、財政支出の形の基本的変更もないままです。そればかりか既得権として財政資金を受ける仕組みは続いているのです。日本の企業は、独立自尊で活動するというよりは、行政の指導の中で租税特別措置法による優遇税制や、直接的な財政支援を成長のためには当たり前であるとしているのが実態ではないでしょうか。企業支援が行政の役割という認識の支配する中では、増税しても、経済成長にはつながらない時代であるという認識がなくてはなりません。

これから、経済成長を取り戻したいと思うのであれば、何よりもまず需要力の拡大に向けた体制を作り、マクロ経済における需要と供給の適切なバランスを確保することで、新たな投資が可能な環境を作り出さなくてはなりません。そのために政府がその基本的役割を転換する必要があると自覚しなければなりません。今のままではズルズルと経済は崩壊・破綻の道を歩んでいくだけであると、なぜ認識できないのか、ほんとうに不思議です。

今は、何よりも国民の間の所得の平準化を通して、需要力の拡大を図り、同時に、政府の組織や財政を企業向けの構造から転換させなければなりません。通産省、そして今の経済産業省の時代ははるか前に終わっているのです。

したがって、今の状態では北欧型福祉経済は夢のまた夢と考えなければなりません。増税すれば高福祉社会が実現するのではなく、実際は需要と供給のアンバランスをさらに拡大し、日本経済の破綻を早めるだけだということを認識すべきなのです。

この方向転換をするためには、何よりも必要なのは、政府の役割、自治体の役割というものにもう一度目を向けることが必要です。税で賄うべき「公共」とは何なのか、人々の間の共通認識を作っていくことが必要です。

6）市民の政府

亡くなった田村明さんが、かつて、「市民の政府」論を展開しておられました。これに対する意義づけを現時点でするなら、（田村先生のロジックとはやや異なりますが）次のように考えたいと思います。

現在の政府は「企業の政府」であり、「市民の政府」になっていない、目指すべき方向は、「市民の政府」となることであるということです。国、自治体政府を問わず、取り組む方向を、企業から国民に転換するということ、それに見合う現行制度改革を抜本的に進めるということを含意しています。

北欧型福祉経済社会を実現する、あるいはそういうことに至らないまでも、転換を図るための基本的認識として、「企業の政府」から「市民の政府」へとその構造を変えるということが、わかりやすいのではないかと思います。例えば、

① 税金の使い道を、企業支援からひとびとの需要力の拡大にはっきりと切り替える、

② 自治体としての政策を進める上で、日本社会の体質にあったボトムアップの構造を組み込む、その一環として何よりも、
③ 民間に置いて多様な形で進められている、非営利、あるいは利益を主眼としない諸活動を自治体の活動と連携させる、
④ 活動の対象は、一人一人の国民であり、全体性を確保しながら人々を支援することを目的とする。つまり、現在の民生委員、児童委員、青少年指導員といったタテ割り型の支援ではなく、様々な支援が個人に応じて一元的に可能な形を組織横断的に取られるような形を行政組織に埋め込む（例えば地域コーディネータの育成、活躍の環境を作る）、

といったことがいろいろと考えられると思いますが、こうしたこと自体がそれぞれの地域でボトムアップで検討されていくことが期待されます。これは、社会的連帯経済の考え方に沿うものであると考えているところです。

社会的連帯経済活動の主体は（営利を主目的としない）民間ですが、ここには本来公共が担ってもおかしくない活動が無数存在しています。営利主義で効率化を目指すものではありません。しかし行政が進めるよりはるかに効率的に、人々に寄り添い仕事を進めている活動が多いのです。民間への連帯行動として、政府、自治体と連携する方向をこれからさらに強めていく必要があると言えるでしょう。行政は指示する立場ではなく連携して公共を実現するパートナーとなるということです。こうした中から「市民の政府」の実態が作られていきます。

第6章
日本のビジネススタイルの課題

1）企業の活動スタイルについて

参入障壁

京都のお店ばかりでなく、日本の飲食店では、「一見の客お断り」というところがいくつもあると聞いている。なじみのない客に店のしきたりを無視されるのは敵わないという、個性豊かな店主が営んでいるところで往々にしてあるのではないかと想像する。これが、「なじみ」というあり方を端的に示しているものと言えます。

こういう経営を行う店では、新しい客は増えないではないかという懸念を抱く人がいるかもしれませんが、そうではありません。新しい客は、なじみの客の紹介で訪れるのです。そうすると、なじみの客への扱いに準じて遇してもらえることになります。ただ、安心してはいけません、なじみの客といえども、店にとって財産ともみなされる大切な客と、ごく一般的な客とでは見る目が異なる可能性もあります。従って紹介される場合でも、店にとって大事な客の紹介、あるいはその大事と思われている客に同道していくということを考えなければならないのです。そうすると入った時点から旧くからのなじみ客として遇されることになるというわけです。

ことほど左様に、日本社会では、なじむということがいちどきに可能なことではなく、時間をかけて徐々に関係を深めていくという特徴を持っています。かつては、日本には、大きな参入障壁があるといわれたものですが、要するになじむのに時間がかかることで、そのような事態が生まれているのです。なじみを重視するために一定のルールを用意した面もあるかもしれません。

その代わり、なじみ深くなると、この関係はなかなかきれないことにもなる、腐れ縁でも続いていってしまうのです。

閉鎖性のある組織の間をつなぐ仲介業

仲介業については何度も今までに書いてきました。特に「士業」については、日本においてとても不思議な話として、書いてきました。

皆様、役所と付き合うのに、「行政書士」という仲介業の存在を不思議に思った事はありませんか。役所への一般的な届け、申請等でなぜ仲介が必要なのでしょうか。この行政書士は役所のOBがやっていることが多いのが実態です。ある意味では役所を退職後の個人としての再就職先と言っても良いかもしれません。

一般的に考えれば、例え許認可関係の申請等の書類であっても、国民を対象としているわけで、何よりもわかりやすくなければならないはずなのに、自分でやろうとするとやたら難しくて、何度も足を運んで修正に修正を重ねなければ申請ができないということも起こりえます。しかし、行政書士を通すと問題なく話が通ります。一方では、申請する側の問題もありますが、受けとる方の問題があるわけです。申請する側の立場に立った手続きのはずが、やたら難しいのは、受けとる側の視点で手続きが決められている面が大きいと言って良いのではないでしょうか。役所と、市民の間に一定の断絶があり、これを乗り越えるには、慣れた経験ある仲介者がやる方が双方にとって都合が良いということなのです。ただ、通常、仲介料はかかります。

一般的に考えれば、市民向けの行政手続きぐらいは、市民自らが行えて当たり前だと思いますが、簡単なものもあるのですが、仲介者を前提としているとしか思えない手続きも多く、行政書士の手を煩わさなければ面倒なものもあります。行政側の都合で作られている手続きに、市民側が応じなければならないということで、市民の立場で作られている手続きとなっていないと考えざるを得ません。仲介者は、つなぐことを役割として日頃行政と接しているので、話が通じやすい、という実態がありますが、これが「なじみ」の効用になります。

この仲介業の範囲なのですが、日本社会では様々な局面で仲介が行われていると言って良いのではないでしょうか。

企業活動の領域で、典型的なのは「商社」です。商社は、海外のメーカーや販売先と、国内のメーカー・販売先等を繋いでいるわけですが、広い意味で仲介業に入ると思います。輸出・輸入の両面で、商社は大変な役割を果たしてきました。明治中期以降、日本が本格的に資本主義的経済活動に取り組むようになったときから、必要不可欠の事業領域として確立してきました。海外情報に長けて、同時に国内の企業等のニーズを踏まえて、適切なつなぎ役として活躍してきました。時に、つなぎ役から進んで、自ら生産まで行ってしまうというように、必要に応じ、非常に多様な働きをしてきたのが実態であると想像します。

さらに最近、意識の中から抜けない業態として、広告業があります。特に電通などは典型的な仲介業と見ることができるのではないかと思います。ポスターやチラシを作るという広告業は、私たちの頭に浮かびやすいのですが、テレビの局間にタレントを配置するという面で、かなりの領域において役割を果たしているのではないかという気がしています。それぞれの局としては、視聴率を上げるための取り組みとして、慣れた広告業に依存する割合がどんどん高まっているような気がします。これが広告業のパワーともなっていると言えると思います。現在、つなぎの延長として、「持続化給付金」まで扱おうとするのは、少し行き過ぎた対応であるように思いますが、これもある意味で仲介業の役割を果たしているわけです。

さて、こうしたパターンは、世界各国において、一般的なパターンとみて良いでしょうか。海外との交流の多い方にはぜひお教えいただきたいことなのです。

多分海外の国々においても類似のお話はあるのではないかと思いますが、役所に話を通すのに、公式の職まであるという国は少ないのではないかと思います。

こうした有りようは、実は、「この道一筋」という日本社会における人々の行動パターンと裏腹の関係にあると思っています。

日本社会はタテへの指向性は非常に強いのですが、他者、特に自分の属する世界からみて外部との交流は、心情的な問題だけでなく、なじむのに時間がかかるという、日本語に由来する本質的な課題を抱えているのです。一定の自分のテリトリーと考えるところでは細部までよく承知をして対応するのですが、そこを外れてソトとの関係を取り結ばなければならなくなった時、必要不可欠の存在として、仲介者にその役割を委ねるということになるのです。極端な言い方をすれば、「業」はそれぞれが皆孤立状態から始まっており、そのつなぎの工夫が生き残りの可否を決めていると言って良いと思います。

初めての世界に踏み込む時の煩わしさを、仲介業に委ねることによって回避できるということから、そうした役割が様々な領域で職業として成立するまでになっているということを意味します。

こうした仲介業が職業として成り立つ、いや盛況をもたらしていることの裏腹として、「この道一筋」の企業活動は、不案内な部分を知らなくても自分の領域に打ち込めるという特質が育つことになりました。

前にもお話ししましたが、「日本には、創業100年を超える会社が、10万社以上ある。驚くことに、日本以外のアジアの国々ではほぼ例がない。」（「千年、働いてきました」野村進　角川、2006年）と言われます。そして業歴二百年以上の会社も日本では3113、ドイツで1563、中国

64などとなっていると言われます（「千年企業の大逆転」野村進　文藝春秋2014年）。この中には、大企業の数はそれほど多くないと思いますが、いわゆる老舗と言われる企業が圧倒的に日本に多く存在していると言われます。中には千年を越す企業もあり、世界最古の企業は日本にあるとされています。

この領域の企業はいずれもこの道一筋で頑張ってきた結果でもあります。

日本の中小企業の特質

日本の中小企業は、大企業の下請けに入るケースが多く、自ら自立して製造業を営むということがなかなか難しいと言われます。材料調達面での便宜を受けるという面もありますが、何よりも、販路開拓という重要な領域を元請けの大企業に委ねる、という構造から来ていると思います。販路に関する情報を大企業に的確に仕入れてもらって、自らは大体の要求を満たす部品作りに専念する、ということになります。中小企業のままでやっていける基盤でもあると言えます。

先日、報道1930の番組で、竹中平蔵さんを招いた時であったか、デービッド・アトキンソンさんの話が出ました。菅総理とも親しい関係にあるというようなことも言われていたように思います。

2016年の中小企業白書のデータで見ると、日本には357万社の中小企業があるとのことですが、アトキンソンさんは、これを約半分以下の160万社ぐらいに合併等でまとめていかなければ、日本の企業の生産性を上げることが期待できない、と言っておられるとのことのようでした。

ごく一般的な社会の企業の生産性を高めるために、そうした数字合わせで進めることができると考えるのは経営のロジックとしては、ありうることであると思います。日本でも、現に様々な領域で企業の離合集散が図られてきました。今まで大企業を育ててきたやり方として、１から10まで全体の面倒を見る覚悟があって、なされてきたことです。しかし、中小企業についてはこれだけの数の行く末を、公的組織のどこが面倒見ることができるでしょうか。

日本の中小企業は、合併できないから数が多いのであって、合併した瞬間に本来持っていた特質を失うであろうということもまた確かなのです。日本の中小企業が、日本社会の特質から生まれているのであり、ただ大きくすれば問題解決になる、大きくなるのは良いことだとばかり言うことはできないと考えるからです。これが「この道一筋」の本質と言って良いと思うのです。今でも企業は苦しみながら外との付き合いを進めてきているのであり、その難しさから見出している方向が、ある部分を仲介者に委ねていくという、「この道一筋」なのです。アトキンソンさんの提案は、既定の一般的論理の中での発想であり、日本の組織の成り立ちの特殊性については一切勘案することのないもので、これで日本の企業体質の改善につながるということはありえない話です。

かなり前の話ですが、まだ日本が成長期の最中にあった時期に、日本の中小企業の優れた資質を讃えてなのですが、海外にも日本のような中小企業を作るように、アジアの国々に支援していこう、みたいなことを麻生さんが言われたことがありました。これについて、日本の中小企業がなぜそうした資質を持っているかを全く理解しないまま、日本の中小企業礼賛論をぶっているな、と思わないわけにはいきませんでした。

そして今はそうした話は全く消えて、逆に、生産性の低い日本の中小企業を合併させなければ、日本の産業はどんどん海外においていかれるようになると言った悲観論に変わってきているのです。

しかし、日本の中小企業を考えるに当たって、合併でことが片付くというような安易な発想は禁物です。

なぜ、日本では中小企業が多いのか、なぜ、長年同じことをやっている企業が多いのか、その元となっている社会の人々のありように遡って考えていかなければなりません。中小企業合併論や規模拡大論などは、もし安易にその方向を選ぶなら、全く失敗を導くことで終わるのは必至だと思います。そして、経済はさらに傾いてゆく…。

2）仲介業としての広告業について

マスコミに支配されやすい、日本人の受け身体質

マスコミは日本人の特性を認識し、これを最大限利用して、目的を果たしています。特に電通は、こうした日本人の特質を自己利益拡大のために、フルに活用しているのではないかという気がします。しかし、企業の追及する方向は、人々の望む世界とは全く別物です。言い方を変えると、日本人の受身体質を、事業の性格から掴め取って、人々の利益の拡大とは関係なく自己利益拡大のために利用していると言って良いように思います。仕事柄、様々な調査を行っていて、そのデータから得られる日本語人の特質を把握することができる立場にあるため、これを大いに活用していると言って良いと思います。クライアントにその操作方法を伝え、そのことによって事業の拡大に資することもできないことではありません。

ビッグデータの変形ではないが、世論調査等により人々のさまざまな課題への反応のパターンを実データとして持ってこれを活用して目的を遂げることを目指しているわけで、政治と結びついた時は人々が操作対象になっていくことになります。

テレビは見るだけ＝現代の洗脳装置といった要素を持っています。日本人は自己のタテ領域以外は関心が弱く、外部へのアクセスには慎重なのですが、外部世界を見せる媒体としてテレビは最も有効な手段なのです。そして、わかりやすい解説などをつければ、外部にいても内部にいる気にさせる媒体でもあります。そして通常は、見るだけの形で満足しているのですが、これがいざとなると、付和雷同、コントロールされることにもなっていきます。政治活動とマスコミ操作が結びついたときにどのようになるか、過去の事例で見つけることができると思います。

広告業界が描く日本政治の未来

ところで、こうした問題について少し別の角度からのお話をさせていただきます。

日本語社会では、相手とのコミュニケーションをとることがなかなか難しいために、狭い世界での人間関係となりやすく、従ってそこでの上下関係をことさら気にする忖度社会の行動パターンが一般的になります。そして、忖度社会の内部ではやたらと気遣いをしますが、ソトの世界には無関心になりやすいのです。

しかし、ソトの世界は、日々動いていて、個人の意向などお構いなしです。こうした領域で、やむを得ず対応が求められる時の個人としての反応は、往々にして「付和雷同」となりやすいのです。外部世界の話は、声の大きい(ちょっと見の良い意見を出す人達の言葉)ところを忖度してこれに従ってしまう、こういう行動が一般的なのです。掘り下げて検討することは外部世界のことですからあまりできないために、一番権威のある発言に従うのが無難ということになりやすいわけです。こうして一度そうした環境ができてしまうと、それ自体が１つのまともな動向に見えてその意見に賛成してしまうということが、ごく普通に出てきます。実際には、相手が乗ってくれればそれでいいので、日本人のこうしたあり方が、うまく使われているのが実態であろうと思います。

そして言うまでもなく、こうした日本人の資質を一番活用するのが広告業界です。広告業界は、どうしたらPRに反応が良いか常に見ていて、いわば外部から、人々の反応を見ていて、どういうコピーで、どういう付和雷同を起こすか、それを仕事として監視しているわけです。そして、広告を打つときは、どう出せば、皆さんが付和雷同してくれるかを見ながら取り組んでいると言って良いと思います。広告は、ソトからウチへつなぐ仲介業の典型と言って良いからです。そしてこのやり方が、個人の心情を形成する部分まで踏み込む面で有効性があり、ビジネスの目的として使う価値があるということです。

今の政権はこれを巧みに利用していると思います。しかも電通と組んで、広告手法を一環として取り込んでいるので、これにうまく乗せられているのが現状だと思います。受け身で自己発信力が弱い日本人は、受け身でいられるテレビによって知らない間にそれが当たり前と考えてしまう傾向があります。このことがわかっている政権にとっては、テレビ（ある面では新聞もそうです）は、発信するにせよ発信を抑制させるにせよ、極めて重要なツールになっていると思います。

日々の生活の中で、広告のプロは、どうすればどう国民が反応するか、仕事として常に見ているわけで、たいへんな量のノウハウの蓄積があり、その中から、さりげなく出されたコピーにどう反応していくかを見て政策提言をしており、政治の方ではこれをうまく利用していることになります。

外部に疎いというという自らの特質の自覚もあって、日本人は外部のことに関して警戒心を常に持っているわけですが、広告会社はそれを前提として広告を打つのは当たり前と考えてきたわけです。

そして、近年、トミにこの広告業界のノウハウが政治の世界に組み込まれつつあるというのが私の持つ印象です。選挙請負人みたいなプロが何人も出てきておりますし、アンケート調査を実施して該当地域の意識の動向を掴み、それに合わせて候補者の見え方をコントロールしていくのです。自ら極端に同調するということは、ウチに入り込むことになりかねませんが、普通は、この日本人の付和雷同性を活用して、ソトから同調を誘う政策の展開を候補者に示し実施させるのです。嘘も方便ということになります。

政党レベルにアプローチして、勝利を導くためにそうしたことをやった上で、政策立案、あるいは推進方策を考えるわけです。一般的には雰囲気を作るということになるでしょうか。政策を一本一本正確に検討するということもやっているかもしれませんが、それは広告業界の本質的な課題ではありません。政治家の政策意図を勘案し、ソトから人々を同調させる形で繋いでいき、付和雷同を誘うのです。長く政権を維持しているから安心でしょうということだって、外からのアプローチとしては相当程度効果のあるやり方です。

さて、問題は、こうした広告業界の候補者支援体制というものの役割についてです。選挙請負人としての広告業界は、本質的には、政策の是非ではなく、いかに候補者を勝たせるか、ということが目的です。政治の世界でその政党を勝たせることによって、日本社会をどちらに方向づけをしようか、という本来の政策論争のための仕掛けではなく、請け負った立候補者をいかに勝たせるかということが選挙請負人の使命だと考えなければなりません。したがって、選挙に際しては、広告の手法をフルに活用して、ソトから付和雷同を導き、有権者を候補者への投票行動に結びつけるか、ということしかないということです。日本社会をどの方向に進めれば良いかといったことは、ここでは全く別の話でしかありません。

もちろん、広告会社は、勝つための戦略を、このようにいろいろ考えるわけですが、日本の現況を理解し、日本社会がどうあるべきかを考える立場にはありません。国家のあるべき方向など考えていないのが実情でしょう。

マーケティングとしてクライアントが勝つことを考える、これが（多分アメリカから学んだ）広告会社の責務と考えていて不思議はありません。国家の道を誤る政治家を広告を通して支援したとしても、それは勝たせるためであり、国家の行く末は、広告会社の位置付けとはなんの関わりもない話です。

本来は、そうした雰囲気で投票する状況をいかに打破するかが大事なのです。かつて申し上げたことがありますが、政治の世界は誰にとってもほんとうはソトではなくウチのはずのもので、基本的情報を隠された中で付和雷同性に巻き込まれること自体が、異常なことだと理解しなくてはならないのです。つまり、政治の世界は、私たちすべてにとってウチの世界なのであり、自らの世界のこととして何が良いか考え、自分の判断で投票すべき世界なのです。広告手法に泳がされるような判断をするのではなく、当然ながら、政策を見て、その上で人物を見て投票をするしかないのです。明治のえーじゃないかのお祭りとか、令和のお祭りに関心を向けさせるのは、為政者側の付和雷同型の広告手法であると考えるべきであろうと私は思っています

日本人は、政治の世界を、自分の世界のソトのことと考えている向きが強いので、乗り越えることはなかなか難しい課題であると考えざるを得ません。また最近は、マクロ的に日本の現状について、発言してくれる学者の方も極めて少なくなりました。皆、専門性の枠に入ってしまって、その外のことについては発言しない傾向が強いみたいです。専門外のことは、先ほどの話と同様、自分にとってはソトのことになってしまうので、門外漢として批判にさらされることになりますから、よほどのことがない限り発言することができないのです。

こうしたことを考えると、国民一人一人が、自分が何者であるか、ここで自分はどのように行動しなければならないかを、今一度認識し直していただくしかないのではないかと、思っているところです。

こうしたことを考えると、国民一人一人が、自分が何者であるか、ここで自分はどのように行動しなければならないかを、今一度認識し直していただくしかないのではないかと、思っているところです。

第７章

教育システム、人材育成の形

～就学前、そして職業教育まで～

日本の教育システム、広く言えば人材育成システムは、大きな転換点にきています。もう転換点を過ぎてかなり時間を経過していると言っても良いでしょう。企業活動につながる分野でのあり方として、諸富徹教授の新著、「資本主義の新しい形」でも、政策テーマの最初に『A　人的資本投資（「積極的労働市場政策」）の拡充～「社会的投資国家」へ』として人材育成へのテーマを挙げておられます。

この広い意味での人材育成に関して考えるとき現在導入されている制度について、これからの形を再検討していかなければならないという感を強くしています。

１つは就学前、そして学校教育に関する部分のあり方です。

「3000万語の格差」（ダナ・サスキンド著、明石書店 2018年５月15日初版発行）で展開されているお話のように、幼少期の言葉を通した人間としての成長のあり方については、人々がこれから相当自覚的に考えていかなければならない要素であると思います。

そして、学校へ行けない子どもたちが、どうして日本でこれほど多く生まれるのか、これは日本における現在の教育システムと日本社会の特質との間に大きな不整合があると考えた方が良いと思います。どうすれば、子どもたちの生き方に関わる現在の問題を解決できるのか、解決の道を見つけていかないままでは、これから先も、日本では明るい展望を持つことができないのではないかという気さえします。解決策は間違いなくあるのであり、それを見つけ新たな対処の方策を見つけることがどうしても必要なのです。

私がここでたどり着いた１つの結論は、「逝きし世の面影」で渡辺京二さんの書かれた内容から導き出した「子どもたちのコミュニティの喪失」ということです。かつてあった子どもたちのコミュニティに想いをいたして、今、それが果たして存在しているかどうか、検証をしていただきたいと思うのです。このことは、私の頭の中に日本語の問題が常に渦巻いているところから生まれた問題提起です。

次に、学校教育の形として、日本では多年代型教育システムが、これからは大事ではないかと考えています。現在の学校教育は同年代型教育と言ってよいと思います。これは、競争促進型の教育になる面が大きいと思っています。そこで脱落すれば敗残者になりかねないシステムです。このような教育環境は、日本では落ちこぼれを生み出す可能性が高く、その状態からの復帰は極めて難しいことになります。これからは、競走型ではなく、相互に学習し合うことのできる学習の仕組みが望ましいだろうと考えます。

もう1つは、職業教育の問題です。上の課題と関連していることはもちろんですが、それ以上にこれからの仕事の選択にかかる教育システムのあり方は、大きな課題を抱えていると思います。

基本には、転職自由の社会の形成ということがあります。終身雇用・年功序列型社会では、入った組織でオン・ザ・ジョブ・トレーニングをして、その経験を深めていけば一生安泰であったかもしれませんが、最初に選んだ仕事が死ぬまで変わらないということは、これからの社会ではありえません。製造業の領域でのルールは、第3次産業の世界では通用しません。

これからの職業教育をどこが支えるのかを考えると、日本では、これが全く個人の選択にかかっていて、その場合の大半のケースでは、目的に合うと思う民間の教育機関を選んで、自己責任で教育を受ける形しかないのが実態ではないでしょうか。つまり、これからの職業選択は、何らの方向性の指標もなく、自ら選んでうまくいかなかったら自己責任ということで完結している状況です。職業教育は、単なる教養講座とは違います。個人の趣味の問題ではなく、どのような人生を送るか、何を糧に生きる形を選ぶかという切実な課題です。

今の大学教育はこうした養成に十分に応えていません。就職してからのトレーニングで、と言っても、長期的展望の元で、若い人たちを育てる教育システムが、現在の企業の中に十分整えられているでしょうか。そして、企業におけるタテの構造がガチガチに作られている中での、新たな職業選択を可能にする仕組みがあるでしょうか。タテ型で外部世界との断絶が起きやすい社会で、個人の選択の幅を最大限広げていく仕組みが非常に弱まってきていると思います。

現在は職を得ながら、さらに新たなチャレンジができるような環境がなく、若い人でも新たな領域に取り組むというよりは、親の仕事の後を継ぐとか、身の回りで探せる安全な世界を選ぶ傾向が強まっていきます。選択の自由度が高まり、様々な仕事にチャレンジできる時代になったのに、そこにはセーフティネットは存在せず、全て自己責任の一言で片付けられていく、展望の見えない状況になっているということです。

誰もが基本的な情報を得られるようになっていて、個人は幅広い選択肢の中から希望を生かしていくことができるような形がどうしても必要です。何をトレーニングすれば、新しい仕事に就くことができるのか、選択可能な領域が見えない閉鎖空間では人々の持つ能力は無駄に費消されていくしかありません。日本社会の特質と言って良いと思います。

これからの職業教育の選択肢を広げていくことが、社会の活性を高めていくことができる、現在はそんな時代なのです。

一度作られた構造は、再構築が難しい

日本という国は、どういう形であれ一度エスタブリッシュメントとして確立してしまうと、なかなかそこからの転換が難しい、ということがあるようです。江戸時代が二百数十年続いたというのも、ある面ではこうした現象と見ることができるのかなと思ってしまいます。常に構造がタテ社会として作られていく傾向が強いため、これを破壊して新たな取り組みをしていくという、シュンペーターの言う「創造的破壊」を進めていくことが難しい面があるのです。

1990年代に入った頃には、経済環境の巨大な変化に直面して、なんとか変化を作り出したいという人々の気持ちが強く、実際に政権の交代までいきましたが、行政独裁という実態の中で、政治が確実な変化を作り出すことに失敗して元に戻ってしまいました。時代の大きな転換期という認識が政治家の中であまり強くなかった面があると思います。

そして人々にとっては、今までとは違う分野に進出するためのトレーニングを進める好機であったとも言えるのです。まだ先の見えない状態ではありましたが、そのツールがＩＴという形で用意されていたと言っても良いかもしれません。

１）就学前教育の重要性について

神奈川県庁に在職していたとき、1997年から２年ほど青少年総合研修センターという職場に在籍しました。この職場に移動になる前に、日本語論から考えた「なじみの構造」という冊子を出版したのですが、原稿作成に際して、メモはいろいろありましたが、どうしてもまとまらず、結局組み込むことを諦めた領域が、「教育」の問題に関することでした。

そしてこの職場で出会った問題が不登校関する問題でした。学校へいけない子供達が増えているという情報で、自分が通学していた時のことを考えると信じられない課題と言って良かったのです。不思議でならなかったのは、学校へ行けない子どもたちの中には、フリースクールに行っている人が大勢いるということでした。当時はまだ全国ベースの統計のようなものがようやくで始めた頃であったと思います。その後、高校における不登校のデータも出るようになりました。

なぜ今、不登校の生徒が増えているのか、これは、単に個人の性格や学校の問題というよりは、社会・経済の動向と深く関わっているのではないかと思ったのです。高度経済成長を経過する中で学校へ行けない子どもたちが増えていくというデータが見られたからです。(もっとも統計は日本のバブル崩壊後からの作られるようになっていますので、経済の不安定化がもたらしたものであるかもしれません。)

これは、経済の成長過程で生まれた現象であるとすれば、子どもたちの生活環境の圧倒的な変化の結果生じたものと考えるのがごく普通のことと思えました。そこで考えたのが、子どもたちのコミュニティの喪失ということです。当時の大人たちは、自分が育った環境は当たり前のように存在していたので、認識することができないのです。

そして、もう1つ、なぜ日本でこの問題が大きいかということです。海外諸国でも不登校はいくらでもあると思います。しかし日本とは性質が違うと想像します。この違いが生まれるのは日本語という特別の言語ゆえであると考えます。子どもたちが、育つ育過程で日本語から生ずる特性を身につけることが、かなり難しい状況になっていると言って良いと思います。かつてのようなコミュニティの生活の中で、日本語を学びあう環境が高度経済成長期を経過する中で失われていったと言いたいのです。子どもたちのコミュニティが失われた、ということです。子どもたちのコミュニティは、日本語の特質を無意識のうちに学ぶ、他にない場だったと言って良いでしょう。経済成長の過程で子どもたちの環境の激変の状況を、大人たちは皆、見落としていたのです。

「逝きし世の面影」再論～子どもたちのコミュニティが消えた～

最近、渡辺京二著の「逝きし世の面影」(平凡社刊)を読み直しました。この文庫本自体は2005年初版発行となっていて、今回私が手に入れたのは古本で、2012年1月発行、初版第25刷となっていますから、文庫本となってからも相当売れている本であると思います。実際のところ、最初の出版は1998年9月に葦書房から出されたものです。

私は、最初はこの葦書房の時の本を求めて読みました。そして、2000年12月に、「コミュニケーション社会の再構築に向けて」と題するペーパーの中で、この本をとりあげています。（このペーパーは、「日本語人のまなざし」の第２章（75ページ以降）に、多少手を入れた形で組み込んでいます。ここでは著者名を間違えてしまっていますね。）その後、この本を後輩の人に貸した記憶がありますが、2004年３月に私自身は職場を退職してしまいましたので、本は貸したまま戻らず現在に至っています。あとからこのことに気がついたのですが、今更ということでもう読み直すこともないだろうと、連絡することは諦めていたものです。

著者は、第１章の冒頭で次のように語っています。少し長いですが、格調高いのでお読みくださるようお願いします。

『私はいま、日本近代を主人公とする長い物語の発端に立っている。物語はまず、ひとつの文明の滅亡から始まる。

日本近代が古い日本の制度や文物のいわば蛮勇を振った清算の上に建設されたことは、あらためて注意するまでもない陳腐な常識であるだろう。 だがその清算がひとつのユニークな文明の滅亡を意味したことは、その様々な含意もあわせて十分に自覚されているとはいえない。…中略…日本という文明が時代の装いを替えて今日も続いていると信じているのではなかろうか。…中略…実は、一回かぎりの有機的な個性としての文明が滅んだのだった。それは江戸文明とか徳川文明とか俗称されるもので、18世紀初頭に確立し、19世紀を通じて存続した古い日本の生活様式である。…中略…文化は滅びないし、ある民族の特性も滅びはしない。それはただ変容するだけだ。滅びるのは文明である。つまり歴史的個性としての生活総体のありようである。ある特定のコスモロジーと価値観によって支えられ、独自の社会構造と習慣と生活様式を具現化し、それらのありかたが自然や生きものとの関係にも及ぶような、そして食器から装身具・玩具にいたる特有の器具類に反映されるような、そういう生活総体を文明と呼ぶならば、18世紀初頭から19世紀にかけて存続したわれわれの祖先の生活は、たしかに文明の名に値した。

それはいつ死滅したのか。むろんそれは年代を確定できるような問題ではないし、またする必要もない。しかし、その余映は昭和前期においてさえまだかすかに認められたにせよ、明治末期にその滅亡がほぼ確認されていたことは確実である。そして、それを教えてくれるのは実は異邦人観察者の著述なのである。…中略…扼殺と葬送が必然であり、進歩でさえあったことを、万人とともに認めてもいい。だが、いったい何が滅びたのか、いや滅ぼされたのかということを不問に付しておいては、ドラマの意味はもとより、その実質さえも問うことができない。

日本近代が前代の文明の滅亡の上にうち立てられたのだという事実を鋭く自覚していたのは、むしろ同時代の異邦人たちである。…』

そして著者は、当時日本を訪れて日本についての著述を残した100人余の異邦人の記録を取り上げ、様々な領域にわたって、失われた文明の姿を浮かび上がらせています。

今回、これを文庫本で買い直して、読み直したのですが、小さい文字で、しかも600ページ近い内容で、読み終えるまでにかなり時間が経ってしまいました。

最初に読んだのは、第10章の「子どもの楽園」の章でした。都市への人々の移動に伴って、失われた子どもたちのコミュニケーション環境が、今なお再構築されないままなのではないかという問題意識を持つようになったからです。子どもたちにとって特に必要とされているコミュニティの喪失といっても良いかもしれないと思っています。このため、子どもたちの世界がどのように変わったかを見直すスタートにしたいと考えて読み直しをしたいと思いました。

そして今のところ感じているのは、かつてあった子どもたちの人間関係を作り出すベースとなるコミュニケーション環境の代替となるものは、現在は依然として存在していないという印象です。言い換えれば、子どもたちのコミュニティが失われ、いまだに再構築されていないのは確かであるということです。

様々な食物の加工についても、時間経過の中で工夫を重ねて絶品に仕上がっていくように、社会の仕組みも人々の工夫の成果として出来上がっていくことはいくらでもあるのではないでしょうか。傑出した文化の構造もそうして徐々に出来上がっていくのではないかと思います。

もともと自覚的に作られたものではないため、こうした地域の中での子どもたちの生活する環境が大事だという認識が一般化していないのですから、様々変化が求められた中で、日本の子どもたちの育つ環境として不可欠だったそうした場が、その後作られた様々な制度の中で考慮される状況になかったことは確かです。文明の喪失の中で、欠かせてはならない生き残るための知恵に関わるところまで失ったのが、この子どもたちの育ちの場なのだろうと考えたところです。

移入が図られた幼稚園や保育園、あるいは学校、さらには止むを得ず設置されるようになった学童保育の場でそうしたことができる環境になっているというふうに考える方もおられるかもしれませんが、現実にそうなっていないことは明らかです。

なぜ、不登校や引きこもりがなくならないのかということに関して、これが日本の近代化に伴う子どもたちの、かつてあった日本特有のコミュニティの喪失の結果だという認識に立戻らない限り、そうした場の必要性に関する共通理解は生まれようもないと考えています。今存在しているそれぞれの場は、それぞれの目的のもとに作られており、日本の子どもたちには特別の場がなくてはならないのだという認識がない状況では、それらが新たな場として機能することはあり得ないと考えるべきです。渡辺さんは、民族の特性を滅ぼすものではないといっていますが、この特性を滅ぼしかねない大きな喪失状況を作り出していると私は考えています。

私の推測するところは以下の通りです。

少なくとも「逝きし世の面影」で対象としている、江戸末期から明治初期にかけては、日本語習得を円滑に行うための、子どもたちのコミュニケーション環境があったことを示しているように思います。その中で、子どもたちはごく自然に日本語の特質を学んでいったのです。このコミュニティは、相応の時間経過の中で、人々の知恵の結集として作られていったものと推測されます。わかりやすく言えば、こうした場が、日本人（日本語人）を育てていったということです。このことは、一人一人の自覚の上に作られたものではないため、当たり前のこととして認識されていて、あたかも自然現象であるかのようにして、無意識のうちに確立していったものであると思います。

そしてこうした場は、明治の深まりとともに、さらには戦後の圧倒的な変化の中で人口移動の進行とともに失われていったと考えられます。もともと無意識の中で存在していたものであり、その形についての認識がなかったので、移入文化に心を奪われていた大人は、失われた後も失われた現実に気づくことはなかったと言えましょう。

しかし、人と人との付き合いの中で、この経験の場が失われたことの意味は計り知れないものがあったのではないかと思います。日本人の意識形成、物事を考える基本となる場であったがゆえに、こうした場を失ったことは、若い人たちの育ちに大きな影響をもたらしたと考えてよいと思います。単に、かつてあった文明が喪失し、新たな文明の中に身を置くようになったということでは済まされない要素を持っていると思います。つまり、日本語の持つ特性から起きた、喪失があると考えてよいのではないかと思います。

日本語について、「相手の立場にたってモノ言う言語」というこの特性が正しいとするとしたら、日本では、このコミュニケーション環境の喪失がもたらす問題は計り知れないものがあるのではないかと、私は考えています。しかし、失われた環境についての認識が欠けている現状では、その回復の道はありません。新たなコミュニケーション環境を構築することが喫緊の課題であるのに、問題の認識がない中ではその検討すら始まる状況がありません。言い換えれば、日本語の本質を体得するための環境が失われ、新たなコミュニケーション環境を作ることが行われないまま今に至っています。情報社会にあって、言葉だけが飛び交い、それが一人一人の経験の構造として積み上げられない状態のままとなっている感じがします。

このことが不登校や引きこもりを生み出しており、この間の齟齬が、いじめ問題を根深いものにしているのではないかと考えるところです。日本語の特質を体得しているものと、体得していないものとの間の齟齬が、埋めようのない溝を作り、そこが原点となっていじめを生み出していると言えるのではないかと思うのです。

もし、こうした視点に立つことができるならば、この喪失をカバーする方法は必ずあると私は考えています。大事なのは問題を捉えることであり、問題としなければ解決の道を考えることも出来ることではありません。

子どもたちのコミュニティの不在

『日本語人のまなざし』を書いて以来、その結論から言えることを今少しずつメモったりしていますが、今のところの私の結論は、高度経済成長期を経過する中で失われた「子どもたちのコミュニティ」が、再生されることなく現在に至っているということです。このコミュニティは、日本語を身につけるための最良の経験な場であったが、今はそれに代わるものがまだないのではないかということです。大事なのは、大人となる前（中学２年生ぐらいまで、もっと言えば、小学校中学年ぐらいまで）の間で日本語の持つ特性を経験的に身につけることなのですが、そうした場についての認識がないため、適切な形で体得することができないということです。しかし、人々がこの問題をきちんと認識するならば、かつてのコミュニティと同じような役割を果たす場を作ることは決して不可能なことではないと思っています。何よりも、このコミュニティの喪失ということに共通認識が生まれることが大事なことで、その認識が確立すれば、場を作ることはそれほど難しいことではないと思っています。

私は全く実態を知らないのですが、学童保育の場というのは、子どもたちのコミュニティ環境にやや近いかもしれないと思っています。ここで、どういう立場の人が指導者として活動しているのか、いまいちよくわかりません。大事なのは、異なる年齢の子どもたちが、お互いに切磋琢磨して自発性を身につける場となっているかどうかということです。何れにしても指導者たる先生方にそうした意識で子どもたちを捉えている人は少ないと思いますので、十分に機能する状態になっているようには思えません。

「3000万語の格差」読後感想

（2021.3.25）

もう今から２年半も前に、「日本語人のまなざし」への読後感から示唆されたお話があったのですが、あまりに突飛なタイトルの本だったので、その意味に気付かないまま時を過ごしました。今回、自分のフェースブックへの投稿を整理していたときに、このお話に接し、再認識するとともに、本を注文し、ようやく先ほど読み終えました。恥ずかしい限りですが、このことに関し少し書かせていただきます。その時点で日本語訳が発行されたばかりの「3000万語の格差」（ダナ・サスキンド著、明石書店 2018年５月15日初版発行）という本と通じるものがあると感じたというお話でした。

日本語訳を作る際つけられたのでしょうか、「赤ちゃんの脳をつくる、親と保育者の話しかけ」という副題となっています。０歳から３歳までの間に親や保育者との間の親和性の高い会話の多寡が、子どものその後の、一生に及ぶ可能性に大きな影響を及ぼすということですから、これは尋常なことではありません。

専門職の家庭（裕福な家庭？）、労働者の家庭、貧困家庭という区分で生まれた子どもについて分析してみると、０歳から３歳までの間に3000万語の格差が生じていて、子どものその後の可能性に大きく影響するというのが概略の話のように思えます。３歳以降でも成長する脳はあるようですが、あまりその可能性は大きくないようで、そのことについてはあまり積極的には触れられていません。「人生の基礎は３歳までの言語環境でつくられる！」という表現も本の帯に書かれています。

日本の諺にも、「３つ子の魂百まで」という諺がありますが、このことに通じる話ですね。万国共通、直感的には日本でも昔から一定の認識があったと言えることかと思います。

この乳児から幼年という年代の子どもに対するに対する子どもとの会話の形として、この本では「３つのT」、①Tune In（チューンイン、「注意とからだを子どもに向ける」、子どもときちんと向き合うということでしょうか）、②Talk More（トークモア、「子どもとたくさん話す」）、③Take Turns（テイクターンズ、「子どもと交互に対話する」）という３つのことが、あり方として基本的なことであるとして、さまざまな事例を含めて、60ページ余りにわたって書かれています（第５章）。ハウツー的な内容でもあります。

貧しい家庭では親は生活を維持していくことにエネルギーを費やさざるを得ず、子どもとの対話が疎かになってしまうため、この時期のコミュニケーションの少なさという格差の結果が、大きくなっていって、のちに個人の資質として別の形で現れる、ということになるということです。テレビやデジタル機器で対応させることは、資質の向上に何のプラスももたらさないとも述べています。

日本では、かつては大家族生活で親から子へ、そして孫へというノウハウの継受がなされてきて、子育てのあり方について、かなり似たような教訓が受け継がれてきていたのですが、核家族化の進展とともに、ここに大きな断絶が生まれたままになっているのではないでしょうか。いずれにしても、これだけ整理された形で、ロジカルな形での子育てのあり方の見直しの提起はあまりないのではないかという気がしています。

さて、このことに関連して少し考えたことがあります。

０歳から３歳までの間は、脳の発達が著しい時であるというのが主張の基礎となっています。そして、その発達を媒介するのが「ことば」であるということを述べているわけです。適切な「３つのT」

のあるなしで、子どもたちの将来の姿が決まってしまうということです。ことばこそが、若い脳の発達に圧倒的な影響力を持つということの意味は重要です。

つらつら考えてみますと、哺乳類の中でも生まれ落ちた時には、まだ完全な生活を営めない状況であって、親の姿に学んで成長を遂げていく過程を持つという動物が幾らもあるように思います。そうした中で、人間は、特にその脳までが、完成した形ではなく生まれ出ているということを意味しているかと思います。そして何よりも、人間は、言葉を文字として継受することもできるという点で、他の動物とは圧倒的に違った発達を遂げることになったとも言えます。

なぜ人間は、脳の構造まで不完全な形（不完全というよりは、「可塑性に満ちた」という表現の方が妥当かもしれません）で生まれでるということになったのか、母体が胎内で支えきれなくなったためなのか、それ自体も不思議な気がしますが、生を享けたのちの育ち方には、言葉に着目したという点では、私としては非常に納得できるものを感じました。生まれおちた時から可能性の大きさが、人間を他の動物と厳然と区別することになったとも考えます。個人の個性を作る要素が、生まれたのちの言葉環境によって大きく影響を受けるということになるのであれば、私たちは、もっときちんと子どもたちと向かい合う必要があるのではないかということです。私などはこの歳になっていまさらそうした機会があるわけでもないので、過去の生き様を反省するばかりでありますが…。」

同時に、それぞれの国で一定の歴史的経過の中で定着していった言葉についても、同じようなことが言えるとすれば、それぞれの国の言語特性が民族の特性を生み出すこともあるとみることもできると思います。特徴を持った日本語というものがどういう形で今のようになったか、あまり解明されていないようにも思えますが、一旦作り上げられた言語で意思疎通の形が作られていくこととなれば、そこに他と区別する形で、日本語特性が機能を発揮するということは十分考えられることではないかという気がします。日本語を母国語とする人たちは、日本語環境で小さい時に身につけた言葉で生活することはごく普通のことになると言って良いと思います。「日本語人」の誕生する場面であります。

この本の中で、日本の乳児に関する記述がありましたので、少し長いですが、引用させていただきます。乳児の言葉に関する驚異的な学習能力に言及した部分でもあると思っています。ここで分析されているほどに、生後間もない乳児が生きるための力をいかに発揮しているか、そこでの成長がいかに強烈であるかを示しているものと思います。こうした中で、日本語の特性もまた身につけられていくのではないかと考えます。

『**乳児の脳はあらゆる言語の音を区別できる**

可塑性のピークにある乳児の脳は、すべての言語の音を区別できます。ドイツ語のウムラウト、中国語の抑揚（ピンイン）、マサイ語の破裂音も理解でき、自分が聞いている音が属する言語を学ぶ用意ができているだけでなく、まったく違う音からなる複数の言語も学ぶことができます。赤ちゃんはパトリシア・クール教授が言う通り、真の意味で「国際社会の市民」なのです。ところが、このスキルは消えてしまいます。まったく使われていない神経細胞のつながりやあまり使われていないつながりが脳内で刈り込まれてしまうのと同様、どんな言葉のどんな音であっても聞き取れ、発音できる無限の力は、とても早い時期に消えてしまうのです。これによって、自分が属する言語を使う能力は高まりますが、使わない言語の音は理解が難しくなります。

母語の音に対する偏りは、通常、１歳の誕生日までに起こります。妊娠第３期ぐらいには早くも母語を学ぶ用意ができているとは言え、神経繊維のどのつながりを永久に残しておくべきか、脳はどのように判断するのでしょう？　統計の力です。驚くことに、育ちつつある赤ちゃんの脳は音が聞こえ始めるとすぐ、特定の音のパターンを定量化し、その数を数えているのです。言葉の意味などはいっさい考えていません。よく出てくる音は脳が残し、これが個々の単語になり、最後には母語となるわけです。

単純に言うと、赤ちゃんの脳は繰り返し聞こえる音を「集め」、それを「見本」としてラベルづけし、残すべき音としているのです。見本の音は、クール教授の言葉を借りれば、類似の音や少しだけ違う音を集める「石」のような働きをします。この過程は使う言語に対する親近度を高める一方、使わない音を正確に聞いたり話したりする能力を下げます。例を挙げると、アジアの言語を話す人たちには「r」と「l」の音の聞き分けが難しいのですが、ヨーロッパの言語を話す人たちは、アジアの言語の抑揚を言い分けることができません。これも脳の驚異なのです。言葉は必要だけれども、脳には限界がある、そうわかっているから、脳は必要なところに力を注ぎ、よけいな部分を削るのです。確かに、自分がうまく話さなければならない言語にはまったく不要な、意味のない音のために、大切な脳の処理能力を無駄づかいする必要があるでしょうか？

クール教授が以前、日本の赤ちゃんを対象に行った研究でこれが裏づけられています。生後7か月、まだ「国際社会の市民」の時期、日本の赤ちゃんたちは苦もなく英語の「r」音と「l」音を聞き分けました。3か月後にクール教授が日本に戻ってみると、この能力は消えていました。別の音で米国の赤ちゃんを対象にして行った実験でも、同じことが起きています。どちらのケースでも、可塑性が失われていく切迫した状況をわかったうえで脳は必要な言語の音に全力を注ぎ込み、不必要な音のために神経細胞を使うことをやめるのです。』（68－69頁）

ところで、この本の著者、ダナ・サスキンドさんは、小児外科、中でも人工内耳手術に関わる仕事をされている、いわば耳鼻科のお医者さんであるとのことです。一方で、「日本語人の脳」の著者、角田忠信さんも同じく耳鼻咽喉科のお医者さんです。お二人とも、耳の障害を持った人たちの手術や治療にあたる中から、全く別個に、ことばと脳との関係に着目することになったというのもまた不思議な気がします。ただ、ことばから脳へということで、話し言葉と脳の関係を分析するという形になったのは、ある意味でごく自然なことであったかもしれません。

2）学校教育のあり方を考える

多年代型教育システムの構築

同年代型教育システムは、日本社会では不登校・引きこもりが生まれる土壌づくりをしているとしても良いかもしれません。この、現在の教育の基本は、海外の教育システムについての知見に基づいて作られた教育システムとして導入されてきたわけですが、人によっては、もうこうしたことは学校に行かなくても吸収出来る時代なのだと極言を述べる人もいるという状況かと思います。

ほかの方法で吸収出来ることを今更のように学校教育で進めているから、面白くないと思う人が大勢出てきてしまうのだということです。

そして、問題なのは、コミュニケーション不全のため、単に一時的に落ちこぼれるというだけではなく、感受性のある若者を社会から果てしなく排除していくものでもあります。すでに都市化に伴う核家族化が進展してからも時間が経過し、8050問題として取り上げられるような事態となってきました。同年代型の教育システムの結果として、数十年にわたる苦しみを本人や周辺にもたらしているということも言えます。この同年代型教育システムが、日本人の経験的なコミュニケーションとの不整合によりもたらされたものと考えて良いのではないかと思います。どのようなコミュニケーションの形が日本社会の中で整合性が取れるのか、考えたことがあるでしょうか。

核家族化、同年代の中での競争、そしてタテ割の社会構造、これらが日本語社会のコミュニケーションの仕組みの中から排除されていく形が生み出されているのです。これは自覚的に捉えていかなければ解決の道は見えてこないのではないかと思います。

今排除されている人たちは、社会が生み出したものであり、日本社会にとって不幸なことは、これからの社会をリードしていくはずの、感受性豊かで時代を的確に読み取る能力を持っているはずのこれらの人材が、貢献対象となるはずの日本社会が弾き出しているという皮肉です。

ここで、次のように考えてみたいと思います。

同年代に対する教育システムである現在の学校教育の形は、競争システムの中に子供達を組み込むトレーニングの場であると言って良い仕組みです。そして、これから必要なのは、江戸期にあった鳴滝塾や適塾のような形、あるいは寺子屋のような、多年代の子供達が同じ場で学ぶ、言うなれば多年代型学習の場ではないでしょうか。（この視点は、中谷幸俊さんにご紹介いただいて参加したオンライン学習会で気づくことができたものです。日本語論との整合性がこれで取れると思いました。）

同年代の競い合う仕組みではなく、先輩や後輩の世代の違いのある中で、多年代の人たちが同じ場に集い、相手の考えを教えられ、また教えながら社会への適応を進めていく形がこれからの教育のシステムとしては最も効果的なのではないかと考えます。日本語という敬語の世界で生活することが当たり前となっている社会では、この形は、非常に適合性の高い仕組みではないかと思います。社会全体にかかる認識を育てるという意味でも、日本で取り入れられている教育システムの再構築が不可欠であると確信した次第です。失われた子どもたちのコミュニティの再建の１つとなるとも思います。

そしてさらに、もっと小さな年代における学習スタイルとしても、多年代型の学習スタイル（遊びの中でのコミュニケーションスタイル、と言っても良いと思います）が重要なのだと考えています。子どもたちのコミュニティの復元の形がここにあると思います。相手との距離を測り、言葉の使い方を自然に学んでいく過程は、日本語社会ではとても重要なことなのです。しかし、現代日本社会では核家族化が進行して、外部からやや閉じられた世界が形成され、こうした集いの場は、残念ながらあまり例がありません。また、そうした集の場が不可欠というという考え方も共通認識となっておりません。

いくつもの世代が入り混じった、集いの場での生活によって、小さい年齢の子どもたちが、年長の子供達から学ぶ、という形から、必然的に日本語のコミュニケーションを自然に学ぶことができるようになります。のみならず、相互性がありますから、年長者としてもリーダーシップのあり方を学ぶ機会ともなるのです。

敬語の習得自体もなかなか難しいですが、この日本語の習得過程は、人と人とのコミュニケーションの取り方を学ぶ過程であり、まだ幼いうちに経験的に習得するものだと考えれば、どのような形で習得できるかは、かなり重要な問題となります。自覚ないまま習得してきたというのがかつての姿ですが、現在は認識もされていないので、十分な場が与えられているとは思えません。生き様として、自発性を持つことが大事であるという認識は、なかなか習得することが難しいというのが実態と見ることができます。自発性発揮の契機を見出すことが日本語社会で生きていくための必須条件になるのです自発性を育むことが日本における教育の最大のポイントであり、知識は、自発性があれば、如何ようにも吸収することができる、そうした時代であるという認識が不可欠と言って良いともいます。

屋上屋の子ども庁

これからの時代は、子育てに必要な金を全て公共で支払うようにすればいいのではないでしょうか。これは需要力の強化の一環です。その上で、幼稚園か、保育園かの選択はそれぞれの家庭に任せればいいのだと思います。

今検討されている子ども庁は、子どもたちのあり方について、タテ割りの発想から抜け出して横断的に考えるベースとしたいということでは、間違いではありませんが、既存省庁の組織を束ねる形で横断性を確保しようという形は、無理があり、決して機能することはないと考えます。横断性を確保するために、タテ割を束ねる形を取って入るものの、必然的にまたここに、新たなタテ割りを作り出していくことになるだけだからです。組織さえ作れば新たな取り組みが進むと思うのは、観念的で、いかにも安直な対応としか言いようがありません。

コミュ力について

> 若者に対する視点はさまざまで、自らの子どもの育ち方をみていることもあって、大人の一人一人で考えが違っているのが日本の実態です。しかし、あまり現実を見極めないでモノを言っている人がいるのが現実です。

(2018.7.1)

『「コミュ力重視」の若者世代はこうして「野党ぎらい」になっていく～「批判」や「対立」への強い不快感』(野口 雅弘 成蹊大学教授)という記事が、http://gendai.ismedia.jp/list/genre/politicsのサイトで示され、フェイスブックでシェアされました。

若者の保守化傾向が表れているのが現代の顕著な傾向であるとして、その原因として若もののコミュニケーション能力がそうした現代の社会への同調傾向となって表れているというものです。

次のように述べています。

「野党への支持率が絶望的に低い。特に若者世代ではその傾向が顕著だ。そうした「野党ぎらい」の背景には、若者世代が「コミュ力」を重視している事実があるのではないか。コミュ力を大切にし、波風の立たない関係を優先していれば、当然、野党の行う批判や対立を作り出す姿勢は、嫌悪の対象となる。摩擦のない優しい関係が社会に広がるなか、野党の置かれた立場は難しいものになっている。」

この方は、現在の野党の弱体を憂えているのでしょうか、それにしては、野党が弱いのはこれからの社会では当然である、という世論を誘導しているように見えて仕方ありません。

何よりも、現在の若者のコミュニケーション能力が、同調志向に向かっているという論拠が気になります。

私が常々言っておりますように、日本社会はタテ社会で、ウチの世界では激しいバトルも繰り広げられますが、ソトの世界に対しては、ウチと同じような入れ込み方がないことから、他者の意見を丸呑みする付和雷同型となる傾向が強いのです。これは、コミュニケーション能力の高まりとは関係ありません。むしろ、コミュニケーションがうまく取れない世界であればこそ、同調志向に傾いて、無難に過ごそうとすることにもなるのです。

若者がコミュニケーションをうまく取れないケースが増えているのは、かつて日本社会には間違いなくあった、子どもたちのコミュニティが、高度成長の過程で崩壊して、新たなコミュニティが作られないまま現在に至っているということを言いたいと思います。現在の日本では、都会にはそうした自由な関係を取り結ぶ子どもたちのコミュニティがないと、私は考えています。このコミュニティこそが、子どもたちのコミュニケーション能力を高める機能を果たすものなのです。相互の自由な遊びや喧嘩、冒険などを通して、自発性を育む、そうした場を意味します。都会の子どもたちにそうした場が存在しているでしょうか。これは日本語を母国語とする社会のポイントであり、ここに注目する視点が極めて大事であると私は考えています。

そうした環境を都会でどのように作り出すかを考えるべきであるのに、この人は、同調圧力をコミュニケーション能力（コミュ力）と言い換えて、そのために野党嫌いになっているとして政治課題に直接結びつける議論をしているのです。

かつて、戦争に入っていった時と同じ状況の説明であるように私は感じました。これ自体は新しい収穫です。同調圧力が強くなると、人々は抵抗するのを諦めてしまう、その諦めが、事態をさらに悪化させていくというかつての姿を説明されているように思いました。

しかし、誤った理論が、正しい行動を導き出す可能性はありません。野党嫌いは、若者のコミュ力とは何の関係もありません。こうした議論を大学の先生が当たり前のようにするということは由々しきことだと思ってしまいます。野党嫌いにさせているのは、若者のコミュ力ではなく、その不足の結果であり、いかにすればコミュニケーション能力を普通の状態に持っていくことができるかを真剣に考えてもらいたいものだと思います。

いじめ問題

いじめ問題については、多くの人が問題提起をしてきていますが、対症療法から抜けきれていないのが現実です。その中にあって、内藤先生の問題提起はかなりラディカルで根源的な要素を持っていると考えられます。

(2019.1.28)

明治大学の内藤朝雄さんの本を少し読みました。主著と言うべき「いじめの社会理論～その生態学的秩序の生成と解体」というのは、なかなか難しくて、途中で諦めていたのですが、同じ時に買った新書版の「いじめの構造～なぜ人が怪物になるのか」（講談社現代新書、2009.3.20））「いじめ加害者を厳罰にせよ」（ベスト新書、2012.10.20）の２冊を今朝方までかかってざっと読み終えました。これらの本で述べていることは非常に鮮明です。

ここで、私の述べてきたこととすり合わせをしてみたいという気になりましたので、少し展開させていただきたいと思います。

これらの本ではいじめの解決策というのが明確な形で書かれています。以下、箇条書き的に書いているところを転記します。

「いじめの解決策

いじめの解決策には、「中長期的な解決策」と「短期的な解決策」がある。

①中長期的な解決策

・１つの学校に生徒を所属させる制度の廃止

②短期的な解決策

・学級制度の廃止

・学校への法の導入（法に基づいた加害者の処罰）

・

中略

・

この短期的な対策はパーフェクトではないが、現在の学校制度の大枠を変えることなく、比較的容易に実行可能で、効果もはっきり現れるものだ。

・

・」

内藤さんは、学校の特殊性を、「学校モード」として「市民社会モード」と区別をしておられます。学校は市民社会ではないということですね。

学校そのものもそうですが、学級は、「強制収容所」であって、そこは「治外法権の世界」となっているので、無法状態が生まれる必然性があり、いじめが起きる最大の原因であるとしています。強制収容所とはなかなかうまく云い当てたものですね。義務教育では学校へ行くことは、皆が認識している当たり前のことであり、誰も逃れることのできないという意味で、これになじまない人にとっては強制収容所といってもまんざら嘘ではありません。

そして、そこは教育の場であるのですが、生活していく上で、決まった人間と、最低１年以上は付き合わなくてはならないので、気に入った仲間とそうでない人、また、勉強だけの場ではなく、さまざまな付き合いを強制されることにもなります。こうした環境では、人間関係上気に入らない生徒や先生をなんとか出し抜きたいという考えを持つ人が生まれることは、想像できることです。誰もが天使のように相手に接するわけではありません。ここにごく普通の生徒が「怪物」になっていく素地があるということです。

内藤先生は、さまざまな事例から、こうした状況の存在を指摘しています。そして、何よりも緊急の対策として必要なのは、学校の中の学級という閉じられた空間をなくさなければならないと、提言しているのです。大学などでは、クラスは形式的な要素が強く、かなり開かれた状態になっていますね。いじめが起きる状況は緩和されています、また、年齢も増してきているので、さまざまな情報に接することも多くなり、社会の状況を見る目も育ってきています。

一方、現在の学校という世界は、治外法権社会で、実際の社会では明らかな犯罪行為とみられるものでも、学校自体がこれを公にしたがらない、あるいは隠蔽することを第一に考えてしまう風土があるので、この治外法権状態の考え方の転換が必要であるとしています。そのためには学級という閉鎖環境を解消する必要があると主張しておられます。そしてまた、この閉鎖環境の中で問題を未然に防ごうと思ったら、弁護士随伴で警察に被害届だすことが、一番であるとしています。弁護士随伴ということは、警察が被害届を受理するためには一番効果があるということのようです。そういう状況を察知することによって、いじめっ子の方は怪物から普通の子供に戻るし、学校も真面目に取り組むようになるとしています。

これは短期的な解決策の範囲を示しているのですが、実際はこれ自体実現のなかなか難しい制度変更を伴うことになるので、現在の社会意識の状況を見るとなかなか実現困難、非現実的な政策変更ということになるかと思います。ただ、このようにすれば、いじめがなくなっていくことは容易に想像できるような気がします。

考えてみれば、社会経験を持たない子どもたちにとって、社会的な悪とはどういうものかということを経験する間もないまま学校生活に組み込まれていくのですから、いじめるという身近な状況と、社会的な犯罪行為であるかどうかの判断は、切り離されているとみたほうが良いと思われます。しかも、学校の中での状態は、少年法の規定もあって直ちに犯罪とすることに躊躇する面がありますし、それに便乗して学校当局の側にも抵抗があるわけです。

こうした中で、いじめる側の子どもたちが、相手をいじめ倒すための方策に、さまざま知恵をめぐらすことに情熱を傾ける状況が生まれるわけです。密かに知恵比べをやっていくことになるのです。ここで、後からそのいじめの内容を分析して、「こんなにひどいことを…」と言っても、そのことで直接、問題の解決に向かうものではありません。１つ１つが特徴のあるいじめなのです。

ここから、私の考え方との接合を試みます。

本を書いた後の結論として、私が想定したのは高度経済成長期を経て、都市へ人々が集まるのに伴い、「子どもたちのコミュニティが崩壊」し、これに対する対策がないまま現在に至っているとしてきました。このコミュニティは、内藤先生の論理と結びつけて考えると、閉じられていない世界であり、社会性を学ぶ場でもあった、ということができるのではないかと思います。して良いことと悪いことを、親からではなく周囲の環境から直接自分の体験を通して学び取る場でもあったと思います。したがって、ここから、学校という別世界に入っていっても、いつでも戻れる開かれたコミュニティがあり、また、そこでの経験的な知恵で乗り越えることもできるという、重要な生活の場だったのではないかと思います。家庭という、現代の核家族の閉じられた世界から、もう１つ別の閉鎖社会に子どもたちが組み込まれていくということでは、子どもたちの中には抵抗する人が出てきて不思議ではありません。感受性の強い子どもたちほど、抵抗する可能性が高いのです。

現在は、都会ではそうした開かれたコミュニティの経験を持つこともないまま、学校という強制収容所に入ることが義務化されてしまっています。そういう経験がなく、親に守られていた子どもたちが、社会的に見れば、知恵のある子による犯罪の巣窟と言っても良いような場に放り込まれることになるわけです。これではいじめはいつまで経ってもなくなりませんし、傷ついたこどもたちの不登校・ひきこもりはなくならないということになるわけです。

もちろん、強制収容所というだけで、不適合の子どもたちは学校に行けなくなるという面もあります。

さて、内藤先生の分析は、いじめは万国共通であって、日本に特有の現象ではないとされています。確かに、いじめについては、そういうことであろうと私も考えます。「忖度」することのない外国においては、むしろいじめは冷酷極まりないということも言えるのではないかと思います。社会性の学習経験の有無ということで考えれば、万国共通の要素があると思います。

しかし、内藤先生が日本での事例としてあげているものは、だいたい1980年代以降のものになっています。私は、日本の場合は高度経済成長に伴う都市への民族移動の結果として、大きな社会問題になってきているのだと考えているのですが、今のところ、この範囲に入っているのではないかというふうに思っているところです。

東京都では来年度予算に関連して、8050問題対応ということで、引きこもり対応の年齢制限を外すとともに、今まで所管してきた青少年部局から福祉部局に所管を移すことにしたということで、今日の毎日新聞３面（社会面ではありません）に大きく記事が出ていますが、失われた30年というのがここにもあるのだということを今更ながら感じています。

八王子の不登校生徒の自殺について

(2018.11.9)

８日午後、たまたま８チャンネルを見ておりましたら、八王子で不登校から自殺に至った中学生２年生の話がテーマとして取り上げられていました。

この中で、コメンテーターの立場でしょうか、明治大学准教授の方（内藤朝雄さん）が、今の学校の制度の中では根本的な解決はなく、学校制度の閉じられた仕組みを変える必要があると主張をされたのに対して、それは理想論であってどのように現実問題に対処すべきなのかという、キャスターの視点とのすれ違いが表面化し、まとまらないまま終わりを迎えた感じです。また、キャスターの方も内藤さんの本を読む事として、もう一度やりましょう、というような話もありました。

番組で想定していた運びと違ったのは、明治大学の先生のお話がかなり基本的なことを主張していたために、八王子の問題の中にある学校側の対応の悪さを抽出しようと考えた、番組サイドとの不整合が表面化して収拾できなくなったと言えると思います。

これを見ていて思ったのは、不登校問題は、いまだ全く社会的にまとまった視点がないということ、そして、ジャーナリズムの特質でしょうか、対症療法的な解決方向を考えているだけで、それ以上のことは何も考えていないことがよくわかったということです。

キャスター自身がいじめのせいか悩んで死にたいと思った時期があるということを話し、それなりに思い入れが強かったということもあるかもしれませんが、これ自体、個人の問題から出発して、社会の問題にまで行き着かないことを示している事例だろうと考えました。今まで、不登校問題は、個人の問題として扱われ、社会や組織の問題として理解されてきていないと言って良いと思います。

内藤さんは、現在の学校は閉じられた世界であって、社会一般とは違った構造になっているために、いじめ、不登校は現在の状態では決してなくならない、先生の姿勢が問題であることはその通りだが、それをあげつらっても問題の根本的解決につながることはないし、これからも同じことはいくらでも起きてくる、と話していました。これはその通りですね。

情（じょう）として、何故そこでもっと親身になって考えてあげることができなかったのか、ということがいつも問題になるのですが、ここから出発すると、対症療法に行き着くだけで、先生が悪い、もっと深刻に問題を捉えなければいけなかった、学校が悪い、何故問題を見過ごしたか、さらには何故問題を矮小化し、隠そうとしたか、といったことになっていきます。さらには教育委員会が悪い、友達が悪い、といったことがいくらでも出てきます。ここのどこかに正義の味方が一人でも出てくれば問題は起きなかったんだということになるのでしょう。

こうした扱い方は、情の世界に特化する傾向があまりにも強いということが言えます。理の領域に意識的に入ろうとすればもう少し違った展開も考えられるのではないかと思いました。

この内藤先生という方自身、この世界で苦労されて来た方のようで、様々な分野を歩いてこられた感じですが、番組出演時点で56歳ということのようです。義務教育期間の中学校までは不登校ということになりますが、この方は高校を中退されていますね。この時の経験がその後の行き方を決めたのではないかという気がいたします。それだけに、番組の中で、対症療法的考える発想とは質的な違いの発言となったのではないかと思います。

中高年を引きこもりにしない教育とは

> 不登校から引きこもりへと移っていって、かなり時間が経過したことの証明として、8050問題が出てくるまでになってしまいました。こうした問題１つを現在の社会ではきちんと分析できず、解決のための対策も講じられないまま、現在に至っている感じです。

（2018.9.1）

８月28日付マネーボイスというサイトに、午堂登紀雄さんという方の記事がありました。この方は、米国公認会計士という資格をお持ちの方のようです。

興味を引いたのは、「8050問題」が今取りざたされている、という記事の内容でした。

皆様、お分かりになりますか？コンピュータやスマホの機器番号ではありません。いかなる機械の製造品番号でもありません。

正解は、50代の引きこもりを、80代の親が養うという事態からくる将来不安の問題ということです。（この言葉を、その後、インターネットで検索してみましたら、ある程度認知された用語となっていることがわかりました。）50代というと、50歳から59歳まで、端的に言えば約60年前にスタート地点がある問題ということです。今から60年前というと、1958年（昭和33年）になります。戦後日本の高度経済成長が軌道に乗りつつあった時期になるのではないでしょうか。この２つの世代は、一方が高度経済成長期に必死で働いた人たち、ある程度の生活のゆとりがある方々、他方は、その時期に生をうけた人たちということで、時代の推移とも深く関わっています。この頃に生まれた子どもたちの中で、その後、おそらく不登校になり、さらに学齢期を過ぎて引きこもりに入っていった人たちが、今なお問題となるくらいの数でいる、ということを意味します。それが、8050問題として取り上げられるようになって、米国公認会計士の方がここで問題提起をして、親が多分先になくなるであろうがその後、この人たちはどのような生活を営むようになるだろうか、という経済面の深刻な問題につなげておられます。

子どもたちが生まれた当時、親はまだ30歳未満ということですね。働き盛りで頑張っていたはずです。子どもがどの時点から不登校、そして引きこもるようになっていったかは人それぞれで違いますが、親はその後、少なくとも30年から40年の長きにわたって引きこもってしまった我が子の行く末について悩み、苦しんできたのです。

午堂さんは、引きこもる人たちは「プライド・自己愛が強すぎる」ため、人間関係がうまくいかなくなって過敏に反応する傾向があるのだと書いておられます。また、「幼少期に親から十分な愛情を受けていないことに起因する」と分析しておられます。確かに親は働くことに精一杯で、子供に愛情を注いでいるゆとりもなかったと言える面があると思います。このような分析自体は誤りとは言えません。

しかし、今まで述べてきたように、引きこもりの人たちがついにこの年齢にまできている本質は、高度成長期の特有の環境変化から生まれた遺産として認識すべきであると、私は考えます。つまり、引きこもる多くの人たちは、すでに50代に至るようになっているということで、このことばは日本の高度経済成長の過程で生まれた、ということに注目すべきであると考えるものです。単に個人の性格のみでそうなったのではなく、子どもたちのコミュニティの不存在がもたらした結果として捉えるべきであると考えているところです。そして、実態としては、このままいけばこれからも続く予備軍が7040、6030…と続いていると考えるべきなのです。これより後の世代となると親自身の生活のゆとりがなくなっていますから、かなり変質したものになっていくと思われます。そうなる前に、今の状況をどう変えるか真剣に考えなければなりません。

原因が解明されていない中で、これからの引きこもりは過酷な状態に追い込まれていくことが予想されます。現在は、親はまだ、高度経済成長の遺産のもとで生活できている人が少なからずいると思いますが、これから生まれてくる引きこもりの人たちは、親も経済的に貧困で、養えない状態が出てくる可能性が大きいと思います。速やかに解決の方策を考えていかないと、まずい時期に来ていると言わなければなりません。

どこの国でも学校へ行かない子どもたち、あるいは家に引きこもる子どもたちというのはいるはずで、日本だけでの問題ではないと思いますが、日本における、ある時期からの異常な数の増加は、私は日本特有の問題であると思います。日本でなぜこのような問題が出てきたかを考えた時に、その特殊な要素としては、「日本語」しかないと確信するようになりました。そして日本語を学ぶ場、としてのコミュニティの喪失が大きな影響を持っていると考えるに至りました。

子どもたちのコミュニティの欠落によって日本語の習得過程に齟齬を来し、そのことから十分なコミュニケーション能力を身につけられないまま育ち、他者とのやりとりに著しい困難をもたらすことになったと私は考えています。

感受性が強い人は、多様化した日本社会で新たなものを生み出していくために、これからの日本ではとても貴重な存在です。ユニークな人材こそが難しい時代を迎えた企業の未来を切り拓いていく時代です。しかし、一方でそうした子どもたちは、繊細であるがゆえに傷つきやすい面があり、不登校などになってしまう側面もあると思っています。これは日本社会としてたいへん大きな損失であると考えています。

よく説明しないとわかりにくいのですが、日本語の敬語の世界は、私たちは当たり前のように思っていますが、よく考えると「相手次第で発言を変えないとたいへんなことになる」、という点で非常に難しい言葉であると思っています。この言語を育む過程が、子供たちのコミュニティであると考えるものです。かつてはごく自然に、育つ過程で身につけられたのは、このコミュニティの存在があったからですが、現在は、都市に住むようになって、子どもたちがコミュニケーションをとる場が、学校や保育園、学童保育の場等に限られるようになっていると言って過言ではありません。しかし、そこでの指導者は、子どもたちのコミュニティを想定して場を作っているのではありませんので、不登校を生み出すのに貢献しても、そうならないためのトレーニングの場としては機能していません。もともと問題をそのように捉えていないのですから、これは無理な話です。

しかし、もしこの問題をそのように理解するなら、必要な政策課題は、「現在の都市化社会で、子どもたちのコミュニティを再構築するにはどうしたら良いか」ということであり、具体的政策に結びつく議論となっていくはずです。

私たちが学んできた科学というのは、社会の実態を客観的に分析し、その中から実態をどのように捉えるか推論し、そこから仮説を設定し、あるべき政策を導き出し、実行に移し、解決を目指していくということで成り立っています。仮説が間違っているとなったらその政策の有効性がなくなるので、速やかに中止をすればいいのです。現在の不登校・引きこもりをめぐるさまざまな取り組みは、的を得ておらず、対症療法の域を出ていないと私は考えています。

すでに遅きに失してはおりますが、この問題の根元から絶つ動きが生まれることを願ってやみません。

8050問題が表面化した

（2019.6.5）

先週、５月28日（火）の朝方、川崎にて、スクールバスを待っていた小学校の子どもたちが襲われて、そこにいた大人の人も刺されて、２人が死亡18人が重軽傷を負うという悲惨な事件が起こり、このところ連日、マスコミ報道が続いています。刺したのは51歳の引きこもりの男性で、刺した後、自分も自殺をしています。亡くなった人は、予想だにされない理不尽な犯行に巻き込まれて、突然、未来を断ち切られてしまったわけで、あってはならない不幸な事件です。

この事件は、典型的な8050問題のもたらした悲劇とも言えます。そして、マスコミのコメンテーターの一人が、「死ぬなら一人で死ねよ」、と発言したとのことで、この発言を巡ってまた議論が沸騰しているといった状況です。

こうした事件の後、これとの関わりもあったようで、６月１日には、もと国の役所で事務次官を務めた人が自分の息子を殺すという、事件が発生しました。当分の間、関連ニュースがマスコミを賑わすことは間違いありません。この後の事件は、前者のような悲惨な事件を未然に防ぐという気持ちもあって、息子が事件を起こす前にという予防措置という発想もあったようです。7040問題と言ったところでしょうか、そのまま行けば、8050問題となって、絶望的な状態になるので、自分がまだ元気なうちに、と思っての犯行だったようにも思えます。

ここで先ほどの、「死ぬなら一人でしねよ！」という言い方をした人が現れ、マスコミを含めて、ネットで炎上しているのですが、これは、まさしく相手の立場に立っていない言い方であり、最初から日本語のコミュニケーションの仕方としてはアウトであると言えると思います。これが、日本語の達人ともいうべき、噺家から発せられたということは、この人は落語においてもウケ狙いだけでものを言っているということが明らかです。しかし、この発言を巡って賛否両論飛び交っているというのが今の日本の現状です。問題の本質を解き明かすことはなかなかできないのが現状と言ってよいでしょう。この言い方のためにネットで炎上したということは、良きにつけ悪しきにつけ、皆、このことの意味を考えざるを得ない部分があったということを指しています。しかし、明確な説明をつけることができないために、ただ炎上する結果となりました。

こうした状況が続くのであれば、これから先も、日本社会で不登校や引きこもりが解消する時がくることを期待することはできません。落語が面白いのは、きつい言葉を使ったとしても、相手の内面に向けて尊敬の念をいだきつつ（相手の立場に立って）話をしていることがわかるからであり、相手を見下したり、単に客観的な見方だけで成り立っているわけではありません。

日本語の言葉の構造から、相手の立場に立ってモノ言うことが当たり前となっているということは、そうした会話が成り立たない場では、これから後も必ず同じような問題が出てくることを意味します。

相手の立場に立ってモノを言うということは、そうしなければ、日本社会ではコミュニケーションが成り立たないという認識を持つ必要があると言ってもよいと思います。日本では、そうしたコミュニケーションのあり方を小さいうちに学びながら成長していったのです。そのようなスタンスであっても、コミュニケーションが成り立たず、亀裂が生まれることもあるのですから、もしそうしたスタンスを身につけることがなかったら、コミュニケーション不全現象が蔓延することは必定です。

日本で、お互いに会話をするときには、双方とも相手の立場に立ってものを言う習慣を作るということが不可欠のことであり、そうしたあり方を身につけるように意識的に取り組む必要があるということになります。そして、必要に応じて、こうしたコミュニケーションのスタイルを確立するためのトレーニングがなされなければならないのです。

一生のさまざまな生活の局面において、人とのコミュニケーションにおいて、相手の立場を考えて進めなければならないとなると、これは口で言うほど簡単なことではありません。相手のことを思っての発言が、どこで失敗するかわからないからです。かつては、どんな場面でも対処できるためのトレーニングについては、ある時期までは、子どもたち自身の成長過程で、自然にこの能力を習得できる場がありました。日常的な経験の構造の中に組み込まれていたのです。しかし、高度経済成長期の都市への人口移動、核家族化を通じて、自然にそうしたコミュニケーションスタイルを育む環境は、ほぼ失われてしまったと見た方が良いと思います。

そうしたトレーニングの場の決定的な不足が、不登校・ひきこもりを助長しているのが現代の日本社会の姿と言って良いと思います。不登校・ひきこもりは高度経済成長期に顕著に増加したことは前に申し上げました。今は民族移動も終わってしまっていますから、さらなる増加は止まっていますが、ここの家庭の孤立状態は変わりませんから、一定の発生率は避けられず、結果として高原状態になっているわけです。一旦そういう状態になった人は、改善の処方箋がなかなか見つからないため、解消することが簡単ではないのです。

何よりも、そうした場が失われたことの認識すらないことから、発生を予防する対策が何らとられないまま、現在に至っているというのが実情ではないでしょうか。今行われている対策は、従って起きてしまった不登校・ひきこもり現象に対する対症療法での対応しか取られていないということができると思います。なってしまった人の実態から病気だとしてその処方箋をさまざま描いても、後からそういう環境の中で育った子どもたちが参入してくるので、これがなくなることはあり得ません。

学校教育は、こういうことを習得する場ではないのは明らかです。

教師も含めて、学校は教育の場であって、誰もそうしたコミュニケーションのトレーニングを行う場であると考えることはありません。現在、人格形成の場という認識はあっても、コミュニケーションのトレーニングの場という位置付けはされていません。不登校となった子どもたちが通うようになる、サポート校は実はそうした側面を持っていると思います。学校へ行けなくなった子どもたちがなぜサポート校に行けるかというと、そういう面での幅があるからです。そして、前にも申し上げましたが、学童保育の場は、自覚はないながら、そうしたコミュニケーションを可能にしている側面があると考えます。ただ、基本認識として、コミュニケーションのトレーニングの場ということが成り立っているわけではないので、現場は、おそらく指導者の資質に依存した形になってしまっていると思います。

何よりも主張しなければならないのは、常に、どんな場であってもコミュニケーションをとる相手に対して、相手の立場に立ってものを考えて対応するということを訴えたいと思います。そしてもし、相手がこちらの立場に立つことを全く考えていないとしたら、そうした相手から遠ざかることが、第一にすべきことになります。もし相手にそのことを認識させることができるようであれば、自分は不登校にならず乗り越えることができる可能性が高まります。相手が、こちら側の立場に立ってものを言っているかどうか、忖度することができるならば、客観化することによって学校に行けないということ自体、減っていくのではないかと思います。相手が、日本語コミュニケーションのベースとわきまえているかどうかをチェックするということになると、これは、むしろ興味を沸かせる対象となってくるので、会話を自分の方から仕掛けるということにもチャレンジすることが出来るかもしれません。

全く同じ環境で育っても、不登校になってしまう人と、決してならない人とがいることが考えられます。これはそれぞれの人の個性と、それまでのコミュニケーション環境によって違いが生まれてくることがあるからです。また、核家族ではあっても、大勢の兄弟姉妹の中で育った場合と、一人っ子で育った場合ではかなり大きな差が生まれてきます。

私はここで、１つ、別の提言をしてみたいと思います。不登校、ひきこもりになることは、学校問題ではなく、社会問題であると捉えているのですが、同時に個人の資質から見たときに、感受性の強さによって、相手とのコミュニケーションの中で、影響を受けやすいということから考えると、これからの日本社会では、この感受性の強さということを、プラス要素として注目していく必要があるだろうということです。感受性の強さは、その人の自覚次第では、これからの日本社会で最も求められている資質であると考えることができるのです。

相手に対して非常にセンシティブな資質を持っているということは、知識集約社会としてのこれからの経済社会では最も求められている資質であると考えて良いのだと思います。この資質を病的と考えるか、新たな物やサービスを開発する能力を持った異能と考えるかで、180度見方が変わってくるということを意味します。これからの時代は、100人の同じことをする兵士よりも、１人のユニークな発想とそれを具体的に展開できる異能の方が大事な社会になっていくと見て良いのではないでしょうか。そうした点で、日本の現在の状態は、未来を自ら全て閉ざすような不幸な状態に陥っているということができます。日本の未来を作り出すはずの才能を持った人たちを、私たちは問題児、不登校・ひきこもりとして排除しているのだというように発想してみることが必要なのではないでしょうか。

３）職業教育の場づくりについて

先にお示ししたように、諸富徹教授が展開されている政策体系の１つとして「人的基本投資の拡充」ということがあります。日本では、年功序列、終身雇用が当たり前とされてきました。民間企業ではこうした形が崩れたところも多く、特にサービス業や中小企業では、元々ないに等しいところも多いかと思います。もっとも、大企業であれば、この形は厳然として残っていると思います。終身雇用の中で、内部でバトルを繰り返しながら、組織のトップを目指しているのではないでしょうか。もっとも、現在、年功序列・終身雇用型の運用が徹底していているのが、製造業企業というよりも政府、自治体という役所であるということに注目しなければなりません。

著者、諸富教授によると、日本では人材育成投資が著しく少ないということです。今まではそうした終身雇用型を基本とする組織の中では、オン・ザ・ジョブ型の人材育成が進められてきたために、表に出る金額は少なくなる傾向があったのかなと思います。

しかし、企業活動の栄枯盛衰の中で、生き残りを図る目先の効いた企業と、そうでない企業によって、雇用労働の分野でも大きな変化が生まれています。

日本の組織はタテの形になりやすく、外部との関係が弱く、この道一筋型になりやすいのですが、そうした場合の企業活動の幅の拡大の可能性は小さくなっているとみて良いと思います。１つの企業の中で営々と技術を磨くという形で長期にわたって事業を続けてきた例は非常に多いのが日本の実態です。今後ともこのパターンは続いていくと思います。資本主義社会の中で、事業を継続することの難しさから、こうした企業でも大企業の下請けに入って、そこで技術を提供しながら生きる形を選んでいく形が多くみられました。この道一筋企業の中には、部品を作る企業で優秀な技術を持ったところも数多く生まれています。この道一筋企業は、これからも存続を続けていくことになると思いますし、そこで磨かれる技術は今後とも大いに期待したいと思います。

この道一筋の生き方というのも１つのあり方ですが、しかし、そうした形で、全ての日本人の職業における活動をカバーできるものではありません。

日本社会が成熟社会を迎えて、産業の領域が製造業からサービス業へとシフトしてきていること、また、ＩＴの時代に入って、それぞれの産業分野においてＩＴの活用が重視されるに伴い、日本の雇用環境は大きく変わってきました。３章でも述べているように、ゼロサム社会で給与圧縮を求めて、労働者の側への圧力が増してきているという、現実が大きくのしかかってきています。製造業ではごく一般的であった年功序列の給与・昇進システムは、継続できないし、また雇用形態の変更で、意味がなくなってきているということも当たり前のことのように聞く時代です。

日本における年功序列・終身雇用制度の特質は、元々は時間的な要素を組み込んだ平等システムと言って良いようなものと考えられます。

１つの時点を切ってみれば、これほど不平等な状態をよく日本人は何も異を唱えず、その枠内で生活しているな、と思うような代物です。ただ、時間要素を加味してみると、できるだけ平等に分かち合って生きていける仕組みとして考えられたものということが、わかります。

能力に応じて働き、必要に応じて受け取るということは、かなりこの仕組みの中で達成されていると言って良いでしょう。その代わり、ある時点をとった場面では、同一労働同一賃金というのはあり得ないということも頭に入れておかなければなりません。若いうちは、必死に学び取る時期で、エネルギーに満ちているので、その力を発揮していただく、そして結婚、子育ての時期には収入が徐々に増えていく、子どもたちが一番金のかかる時期には、親としてはそれなりに年功を積んでいるので、収入もある程度まで行っています。

そして、子育てが終わり子供達が独立していった後には定年があり、年金生活に入る、ということで収入は減っても生活はしていけます。

この年功序列制度はもはや意味のなくなった制度となってきているのでしょうか。

年功序列制度は、学卒採用システム、そして定年制度とセットのシステムを構成しています。制度の入口が学卒採用システム、そこからの出口が定年制度となっているのですから、年功序列制度だけがなくなることはありません。ということは、学卒採用システムが当たり前のように運営され、定年制度がかなりの組織で運営されている以上、年功序列制度は厳然と生きているということを意味します。

学卒採用のシステムはこのまま続けられるのか

学卒のマーケットにおいて、就職率何パーセントなどという話が、今でも当たり前のように話題になっているということは、年功序列という仕組みの上にまだ安住しているということを表していると思います。

学卒採用システムは、年功序列給与制度とリンクしています。学卒採用システムを現在のように当たり前として受け入れているということは、年功序列型の仕組みも受け入れていることを意味します。しかし、職業訓練の仕組みをオンザジョブで進めてきた今までの姿に対して、大きく形が変わってきているのではないかと思います。何よりも、定着しない人に十分な教育・人材育成システムを組み込むことは無駄だと思う企業が増えてくれば、今までの企業内教育システム自体が崩壊することになります。

オンザジョブに代わる職業訓練の場は、これから先相当綿密な仕組みとして用意されていかなくてはいけないのではないかと思います。閉鎖型に向かわない、誰でも、いつでも、どこででもという職業訓練の仕組みについて、あるべき未来像をイメージしてみる必要があるように思います。

定年制度の意義は今も紛れもないことと言えるか

昔は、武士や商人の社会を中心に隠居の仕組みがあり、子どもに家督を譲って悠々自適の生活を楽しむ形があったようです。しかしこれは全ての人に通じる話ではないでしょう。働けど働けど楽にならない暮らしを支えて頑張った形が一般的というべきだと思います。

現在敷かれている定年制度は、隠居の制度にも模している様にもみられますが、これは、弾き出さないと後任が、つかえてしまうことからくるものです。従って、年功序列制度の補完であることは言うまでもありません。

しかし、一方で、社会全体で高齢化が進んでいる中で、働ける人たちが仕事の雇い止めとなる定年制度がこのままでいいのかというという話も大きくなってきています。社会保障制度の対象となる年齢をもっと遅くしたいと言う圧力も大きくなってきています。

そして、この道一筋を高く評価する日本社会では、現在でも、転職をすることがマイナスに効くケースが多くあります。学卒、年功序列システムのもとで、転職しようとすると、給与面で半ば振り出しに戻るような実態があるからです。現在の就職・雇用の動きに合わせて変えていかなければならないとしたら、転職をしても不利にならない扱いを含めて、大きな制度変更が必要となることは明らかです。このことに関して、少し古い記録ですが、かつてメモったことを以下に記載します。

低い給与だけが残った

(2010.1.11)

まだ現役で若かった頃、欧米では中年より若者の失業がはるかに多く、大きな社会問題になっているというニュースを聞く機会が多く、日本では新規学卒の若者が珍重され、中高年の方が疎まれているのに不思議だなと思っておりました。

当時、日本社会ではまだ終身雇用が当たり前のこととされ、年功序列型昇進・給与の体系が出来ていて、やる気に満ちた初々しい若者を求める気運がたいへん強いものがありました。高給取りの中高年をお払い箱にして、若者を採用すれば、コストも下がり、職場の雰囲気も活気が増して、組織の活力を増大させるという認識が当たり前でした。

近年、ここに大きな変化が生まれました。1つは少子高齢化が急速に進行してきたということ、もう１つは、日本特有の終身雇用制が事実上崩壊してきたということがあげられます。

日本社会はいまや、かつての欧米と非常に似た状況になろうとしているのではないかと思います。

少子高齢化の問題ですが、産業活動の高度化に伴う労働力不足を解消するため、女性の労働力の活用が進んで来たこと、家族構成員の関心が子育てから消費生活の享受へと向かい、子育てや家族の長期的な繁栄への関心が薄れたこと等、産業化に伴って生まれた変化によって、少子化が進みました。その必然的な結果として高齢化がもたらされました。

産業の高度化を目指して採られた政策の結果として、従来から続いてきた慣性がどのようにマイナスの副次効果を産むかを考えて、これに対する対策を講じなければならなかったところです。先進諸国でも少子高齢化の道を歩むところが多くなり、これに対する対策も講じられようとしています。少子化の進展により日本ではいまや相対的に、また絶対的にも少なくなってきた若者の、層としての発信力・声を挙げる力が大きく削がれるようになってきました。団塊世代のように、その存在自体で圧力を感じさせる事態が生まれることは、考えにくい時代になっています。

一方、製造業からサービス産業への移行という産業構造の変化は、終身雇用制へのニーズを大きく減じていくようになりました。製造業の技術レベルを高く維持する必要から終身雇用制によって個人の経験・ノウハウの散逸を防ぐ方式が採られてきて、これが成功したと思いますが、サービス業のウエイトが高まるのに伴いそうした個人のノウハウ等に執着する必要性があまりなくなってきました。

しかしながら、いまでも新卒者を採るのが日本的雇用の神髄と考える向きが慣性として続いていて、若者の求人倍率の低さがいまさらのように問題になっています。ほかの要因もありますが、就職しても直ぐ辞める状況がうまれ、定職に就かないフリーターが一般化する事態が生まれました。若い人も中高年も、雇用という点では状況的には変わりがなくなって来ている感があります。

こうした若者の数が減少する事態になっているに環境の変化の中でも、慣性として確実に残っているのが年功序列型給与体系で、若者というだけで給与が低いのが当たり前という意識は人々の中に定着しています。若者の採用への意欲が昔と同じようにあるのであれば、経済原則からすれば、数が少なくなれば、給与を上げて対応するという形がどんどん進んでもおかしくなかったはずです。しかしながら現実は、年功序列型給与体系の感覚が抜けず、いつまで経っても上がらない若者の給与ということになります。いつまで経っても生活の水準を上げられない給与となって、若者の生活感覚に重くのしかかってきています。

いまや、終身雇用を前提とした定期昇給は、その制度自体の崩壊に伴って明確性を失いました。いまでも確実に残っているのは役所や大組織といったところになってきているのではないかと思います。

さらにこうしたことが、状況の分析を欠いたままで「…結婚する相手が、なんとなーく、食いっぱぐれそうな顔してるとこりゃちょっと、結婚したらあたしが一人で働かないかんと。そら、なかなか結婚したくないよ。…」

（http://ja.wikipedia.org/wiki/%E9%BA%BB%E7%94%9F%E5%A4%AA%E9%83%8E…今はこれで探せなくなっております）という言い方に端的に示されるように、負のスパイラルを作り、若者の結婚や子育てに大きく影響し、少子化、ひいては高齢化を促進させているということになります。アジアの途上国の低い給与の中での経済活動が、日本の中の給与の低位安定ともたらしている側面もありますが、それが総てではないと思っているところです。

終身雇用制度から決別するのであれば、年功序列給与体系についてもきちんと見直して、高い給与を目指すチャレンジが可能な仕組みへと転換を考えなければいけません。

これからの社会の給与の仕組みのあり方について抜本的に練り直す時期になっているのではないかと思います。

なお、付言しますと、役所の年功序列型給与体系は、今後ともなかなか崩れることもないまま継続していくことが予想されます。国、地方を通じ役所の中では、誰１人として法律や条例で守られている給与体系をおかしいと思っている人がいないからです。しかし、時代が変わってきていることを考えれば、こうした状況をそのまま続けていく限り、公務員バッシングは絶えることなく出てくるのだろうとも考えているところです。』

何よりも新たな仕事へのチャレンジが不可欠な時代でありますし、後顧の憂なく新しい仕事にチャレンジできるための準備ができるような環境がなくてはなりません。

終身雇用型スタイルから、どうやって変化に対応していくこととなるのか、いざ転職となった場合、そのための人材育成投資を誰が、どのような共通認識のもとで進めていくのか、今のところ何も見えてくるものがありません。終身雇用の徹底している役所に期待しても、この意識変革はなかなか難しいのではないかという気がしています。

人材育成の仕組みの構築を

成長が当たり前でなくなった社会での人々の働き方はどうなるのか、少し視点を変えて考えてみる必要があるのではないでしょうか。年功序列制度の様に、将来の右上がりの給与を、以前と同じ様に期待していいのでしょうか。現実には、給与が固定される様な、派遣の制度が入ってきて低い給与が当たり前となる様な状態が一般化してきています。しかし、全体のシステムとしては、相変わらず、新規学卒採用システム、年功序列型給与システム、そして定年制度へと続く道があるかのような曖昧な制度のまま私たちは生活を送っています。

今は時間的要素を加味した就職・給与システムから、明らかに転換していかなければならない時期に来ています。現在においても、人材を求めている分野と不足している分野はいろいろとあります。しかし、もともと転職をあまり想定しない制度的な構造の中で、このギャップを埋めることができないでいるのが今の日本ではないかと思います。勤め続けることを前提としたシステム、そして転職をすると不利になる実態、これらが今なお機能している社会ではないかと思います。もともと、様々な分野を渡ることは不得意なのは確かですが、時代は、このミスマッチのままでは希望を持った生活を続けることができません。

非常に難しい面はありますが、積極的に仕事を変わることが当たり前と言う仕組みを導入していくことがこれからの日本社会ではどうしても必要なのではないかと言う気がします。

その結果として、個人の自由な生活をできるだけ拡大する、自分の適性を発見し、それを育てることができるような形に持っていかなければなりません。

給与は永年勤続を前提とした、年功序列型である必要は減じているのではないでしょうか。これからの仕組みの中では、ボトムアップ社会であることを考えるなら、組織の階段はできるだけ少ない設計が必要だと思います。

再挑戦を可能とするための人材育成の仕組みの構築

一人一人の可能性の限界を広げていくための人材育成システムが、現在ほど求められる時代はありません。再チャレンジを支援することを、個人に任せるだけでなく、さまざまなルートがあることを人々に積極的に伝えるとともに、そこから再挑戦を可能とするための職業教育の仕組みを構築していくことが不可欠と言って良いでしょう。

しかし、分野を移るためには、様々な領域で本格的なトレーニングシステムが必要なのですが、誰も音頭をとることがなく、それぞれがタテ社会に埋没しているためにその必要性について認識することができないままです。この結果、ある分野でやたらとダブつき、他の分野で全く不足している人材に活躍の場があるわけですから、新たな分野への挑戦が誰でもできるような仕組みができていかなくてはなりません。個人の可能性を広げるための人材育成装置を作るということです。

職業教育のシステムの抜本的転換が必要です。現在のように社内教育に任せる教育システムは、考えてみれば年功序列制度の延長みたいなもので、教育した人材をどこにでも放出すると言う善意に満ちた企業は、普通はあまり考えられません。転職を進めることによる不利益のない形を保証する仕組みと同時に、これから必要と思われる分野への人材育成システムを公的、あるいは半分公的な立場で多面的に用意することがないといけないと思います。

職業教育をどこが担うか、誰が担うか

現状では、新たな分野への転進を促進する職業教育は、どこの局面で、誰がそれを担当するのかほとんど見えていないといって良いだろうと思います。これからの社会では、新たに生まれてくる仕事に適応する職業教育が極めて重要になると思うところですが、日本の場合特に必要性の高い職業訓練・再訓練を体系的に進める環境は、現在のところ全くありません。民間の事業体がそれぞれ、これはと思う領域について、需要の見込みを立てて、バラバラに運営をしているだけなので、どこで、誰がそういうことを担うのかということすら、全くわからないといって良い状態にあります。自らの適性を終身雇用の世界で、達成することはこれからは期待すべきでないと考えますし、またそうした有り様を打ち破って、自らの適性を発掘し、新しい仕事にチャレンジする場を見つけていく必要性が大きくなっている時代でもあります。適性が違えば、再チャレンジすることのできる仕組みが必要なのです。

はっきり言えることは、年功序列型の仕組みを変えていく職業教育システムは、考えうる限りのさまざまな領域について最先端の教育を一線の教授陣で展開する、または普通ならと定的な環境で学ぶ

形をこうした機関で担うと言うことが考えられます。いつでも誰でも自分の目指したい方向の教育を希望し、専門的なノウハウを習得できる場がなければならないのです。１つの組織でこれを全て受け持つ必要はありませんが、大事なことは、時代の未来を拓く人材を何度でもチャレンジしていけるような仕組みがなければなりません。そしてそうした育成環境にあっては、今までの大学教育のように、知識を習得することが目的ではなく、技術（ART）の習得を目指すことでなければならないと思います。

事例としてのＩＴ教育

日本では特にITを学ぶことの困難があります。システムという語を私たちはよく使いますが、使う場面が既存の領域のことに特化していることがほとんどではないでしょうか。ＩＴでは既存の形を捉えることはもちろんあるのですが、これを永久不変のものとして捉える考え方では、ＩＴの活用はないに等しい状況になります。今ある状況を目指す目的を明らかにして、大胆に変えていく、新たに捉え直した全体をシステムとして考えるところから新たな構築が始まります。

そうした考えに立つと、日本社会の広大な領域にＩＴを使って変えることのできる領域が横たわっていることがわかってくると思います。私はかつて、ＩＴを使って、今あるさまざまな領域を変えていくことを考えるなら、対象となる分野はほぼ無限にあると考えました。その際、現在のシステムを、ユーザーオリエンテドな仕組みを組み込んでいけば、コストのかからないしかもこれからの社会に適応した構造をいくらでも作っていける、と思ったのです。

ここで、IT時代、AIの発展もあり、雇用の領域が大きく変化を遂げる可能性が生まれています。この分野のトレーニングは、機械に習熟するというだけではほとんど意味のない領域になります。ＩＴの物事の捉え方、それは、システムというものへの認識に関わるものであると言って良いと思います。現実には、こうした視点は、即物的に用語を学んだり、使い方を学んだり、例えばスマホの使い方を学んだりする、といったことでは習熟することはできません。さまざまな事象を、システムとして捉え、その捉えた全体のフレームを対象に分析していくことから、ＩＴの本格的活用の路が開かれていくと言って良いと思います。このことが、ＩＴがトップダウンツールであると言っていることにつながると言って良いと思います。

現在、こうしたことを学べる組織・機関は、まずないのではないかと思います。こうしたことを学べる組織こそ、公的組織がやるべきことであって、営利目的でない共益組織、非営利組織が行うことも考えられるところです。営利企業が行うとなると、まず利益優先となるため、長期展望が持てないことになる可能性が高いといえましょう。日本では、こういう形で再スタートを切るなら、世界の中で最先端の位置を取り戻すことも可能となるかもしれません。

現在のＩＴ教育の場は、そうしたものとなっておらず、トップダウン型社会構造を持つ国々にどんどん抜かれていってしまう状態は続いています。大事なのはデジタル庁などではなく、システム教育をきちんと展開できる教育制度の整備でしかありません。個別に価格介入したりすることをやると言ったかつての方式などは、厳に慎むべきことなのです。

４）日本が抱えるいくつかの教育課題

能力評価の困難な日本社会

日本社会では、客観評価ということが大変難しい社会です。情と理が、同じ脳で処理されることからくる客観的視点を作ることが難しいと私はみています。客観的な評価が必要な局面にあって、多くの場面で情が絡んできて、新たなものを生み出した人がいても、そこに有意の質的な特質を見出すことができないまま、見過ごしてしまうのです。

そして、その生み出された新しいものが、海外に発信されて評価されて日本に戻ると、評価が一変していくことになります。国内での客観評価が難しい実態が厳然としてあるのです。ここには海外信仰があるとも言えます。学の体系が、作られた既知のものとして出来上がってしまっているせいかもしれません。そこから外れるものは評価の対象とはならないということになるのです。

もっとも国内での評価を進めることが妥当であるとしても、おかしな評価を下されるのは、さらに困ったことではありますが…。

政治家教育の不在

日本では、官僚に対する教育は、微に入り細にわたって充実しているが、政治家教育はほとんどなされていません。その代わり、政治家の資質が日本社会の帰趨を決めると誰も思っていないため、誰でも政治家になれるという形が当たり前と思われて来た向きがあります。このことは大変重要なことでもありますは…。

一番多い形は、政治家の秘書で現場のトレーニングをする形のようです。そのほか、親の地盤を受け継ぐ世襲型、団体組織のバックアップを受けて出る、利権確保型等々、だいたい想像のつく出自が多いといえます。たまに、イデオロギーで目をつけられて選ばれる候補もおりますね。総じて言えるのは、内容はともかく口が達者である、声が大きい、嘘でもほんとうでも、とにかく人を逸らさないくらいに滑らかに話ができるということが必須要件のようです。しかし近年、この政治家の資質というものの重要性が増して来ているのは確かです。

ここに来て、政治家に政策づくりが要請される環境が出て来たからです。今までは官僚に政策を任せて来た経緯がありますから、政治家は口が達者であればよく、政策能力はあまり求められてこなかったのですが、今は大きな過渡期に来ていると見て良いと思います。

日本型リーダーシップ教育について

日本では果たして普遍的なリーダーシップ教育というのは成り立つのだろうか

年功序列型の社会では、リーダーシップ教育とは形ばかりで、上司を見て自らの振りを学べと言ったことが多かったのではないでしょうか。リーダーシップ教育という本格的なものは必要性もなかったのかもしれません。しかし、このような場合であっても、日本語社会では、リーダーとしてきちんと学ぶべきことはあったはずなのです。

何度も申し上げてきておりますが、リーダーとして基本的に大事なことは2つ、

日本型リーダーのあるべき姿については以前よりもう何度もお話ししてきておりますが、

1）組織の（10年先、20年先といった）遠い将来までの先見性を持つこと、

2）ボトムとなる組織員全員の自発性を、どれだけ組織の生態系の中に取り込めるか、間違えても、抑制をかけることが、リーダーの本務であるなどと考えないこと、

ということです。ボトムの活性を最大限発揮できる環境を作るこのためには、トップとの距離を縮める、あるいはボトムの発想を常時受け止める装置のビルトインが考えられます。もっともそうした以前に、リーダとして持つべき認識は、リーダーになれば身につくといったものではなく、本来持っている資質が何よりも大事です。つまり、社会の動向についての見識、20年先くらいを読める資質、幅広な教養とマクロ的視点を持っていることがなければなりません。

今までリーダー育成についての教育をはっきりとした形で持っている組織はあまり聞きません。

特定組織の上に立った時に下の者に対してどのように対峙するか、という教育はあるが、一般的なリーダーの資質を論じたものではないようです。リーダー論というものが日本にはない、必要ないと思

われてきたのかもしれません。上司は反面教師、そうならないためにどうするかまで個人が考えることになっている。その場合、リーダー側に対する教育というのはまずない。ここで、教育として日本型リーダーの資質を明らかにすることができれば、一般的な形として主張できるようになるのです。

他国が日本のリーダー論を真似しても仕方がありませんが、日本が自らのリーダー論を持たないままなのは残念と言わなければなりません。

企業は、大きくなっていったときに、そのトップに立つ人は、現場の状況、意見の吸収力が必要です。

また、行政では、元々ボトムアップ依存型ですから、通常であればボトムの発想を尊重する風土があると言って良いと思います。しかも、行政のトップは政治的な任用になるので、いい人が選ばれれば、組織の目指すところの先見性という点では、活性化するチャンスがあるのです。こうした形が保証されれば、行政の可能性はまだまだ大きいと言わなくてはなりません。

しかし、これは一般形として言えるだけで、現在は実際には、行政の締め付けをすることを公約のトップとしている人も多いので、組織の活性はその時点で失われていきます。有権者の責任でもあるのですが、有権者が常に的確な情報を得ていると言えないこともあるので、全てを有権者の責任とすることも難しい面があります。しかし、結果は悲惨で、忖度合戦で皆身をすり減らしていくだけとなるのは必定です。1990年代のバブル崩壊後の現象は、まさにこうした状況が延々と続いている状況と言ってよいと思います。ものすごい大勢の人たちが税金から給与を得て、働いているにも関わらず、その人たちの知恵は生きる形になっていないというのは、日本社会全般の不幸というよりほかありません。それでも、優れたリーダーが選ばれた時には、組織の活性は著しく大きくなると考えてよいと思います。利害でトップを選ぶのではなく、その先見性、部下組織の活性を高める可能性が著しく大きくなるのですから、現在、こうした組織の持つ可能性を見直さなくてはいけません。

ボトムの活性化のために

日本社会は、順風満帆で動いているときは、比較的、ボトムの活性が維持されるのですが、状況が難しくなった時に、トップは抑制をかける以外に打開する方法を見出せないというのが、実態なのではないかと思っています。リーダーとなった人が往往にして陥りがちな陥穽です。

長期的展望を持ってそれに向けてボトムアップを開花させるという形がなかなか取れないのですが、大きな組織になっていくと、組織の階梯が複雑になり、ボトムとの隔絶状態を常態としてしまうことから起きるのではないかと思います。

自分の長期展望をボトムに語り、ボトムの知恵を結集できるかどうか、ボトムが乗ってこないとしたら、自分の展望について自省するということが、忖度社会の当たり前の行動であるべきです。

そうした発想力が乏しいと、どうしても現状を抜け出すことに目がいってしまって、抑制をかけるという安易な方向をとってしまうということだと思います。ボトムアップで頑張って最終的にポストを得た場合は、長期展望を抱いていないケースが多いと考えられ、ボトムのエネルギーを生かすことができないのは当たり前ということになります。

実際はトップダウンでもないのに、トップとして意地をかけて自分の思いを押し付ける形になりがちなので、これがハラスメントと似た状況になるのは当然です。ボトムにばかり負荷をかける形になるのが、日本型リーダーの取りやすい誤りと言っていいと思います。そうした時こそ、部下の発想を重視し、百家争鳴の中で解決策を考えることが不可欠です。もちろんトップは、明日のことを見るのではなく、少なくとも10年ぐらい先を見越した展望を持っていなければなりません。

現在のような成長なき時代にあっては、今まで積み上げられて来た組織の階梯をできるだけ簡単なものにするということは、大事なステップです。つまり、できるだけフラットな組織にするということで、下から上に突き抜けるような透明性を確保することが、トップとして取り組むべき対応です。フラットにすることによって、調整役から課題を考えるメンバーへと、変えることができるからです。

欧米型のトップダウンは、部下を従わせるために、客観性を持って状況分析をして、その中から取るべき方向を選択していくというスタイルになるため、常に自分の目標を前提として、資源としての部下の力量を考えた上で、取るべき方策を選んでいくのは当たり前と考えるので、それ自体は納得性を持っていることが多いと思います。

それでも、欧米の映画などで、トップがいかにも自己主張型の行動を取っているなと、日本人である私などは辟易することが多々ありますが…。

国際化人材育成のシステムについて

明治以来、海外の先進事例に学び、一刻を争って、日本に導入をして来て、その結果として現在があるが、もはや学ぶものがないとなると、閉じた世界に入り込む習性があるようです。タテ型社会のため、どうしても強いニーズがある時は動きますが、事情が変わると孤立を選ぶということが当たり前にようになっていきます。学ぶことはあっても、教えることの経験は、日本社会はあまり持ってこなかったように思います。しかし、現在は、一方では学び、他方では自らの知恵の結晶を、積極的伝えるということが必要な時代ではないでしょうか。学ぶものがないほど、ゆとりをもって自らを外に発信していくことが可能な時代であると見るべきです。秘伝の時代ではありません。海外に学び、自らも発信するそうした切磋琢磨の時代に入っているというべきでしょう。

来るものは拒まず、というだけでは、誰も見向きもしないことになると思います。自らの姿を積極的に外に発信していく、そのことに対する相手側の返しが、自らを育てていく、そうしたことが必要で、井の中の蛙で、天狗になっていても新たな時代を切り開くことは出来ません。

以前にも書きましたが、日本語は忖度言語、常に相手の立場を考えて反応するスタイルであることから、平和を作り出す言語といっても良いのです。その特質を自覚するなら、これからの社会では、日本の役割は非常に大きな可能性を秘めているといってもいいと思います。これを活用し、日本を平和裏に海外諸国に日本の姿を展開することを考えて良い時代であると考えるところです。

第8章

コロナか、経済か

1）新型コロナウィルスの経過をどう受け止めてきたか

ここでは、まず、今までの経過と、その時抱いた認識について、概ね日付を追ってメモっていきます。

2メートル間隔（2020.2.7）

現在の発病の状況、死者の状況などを見ますと、かなり明確なことが見えてくるような感じがしています。何よりも、武漢市の初期対応の遅れが圧倒的に大きいということが言えると思います。接触を断つことが今回の対策のポイントであると思いますが、武漢ではこれが放置されたままの期間がかなり長かったと思います。むしろ問題が表に出ることを恐れてひた隠しにしてきたのです。問題提起をした医師に訓戒書を出してまで、その問題の表面化を抑えるようにしたということに典型的に現れています。（この問題提起をしつつ治療に当たった医師は新型肺炎で、今日未明亡くなったと新聞で伝えられています。）これが全ての問題のスタートであり、武漢市における感染者、死亡者が圧倒的に多くなっていることがその証明と見ています。そしてここから各地に拡散もしていきました。

その後、スーパーへの買い物に行って店に入るのに待つ人が、それぞれ2メートル以上離れて並んでいるというビデオを見て、戯画状態を笑っていたわけですが、これは一応現地では接触が一番危険ということが徹底してきたことの証で、生活必需物資は欲しいし、接触はいけないという中から生まれた1つの絵であると言って良いと思います。

ダイヤモンドプリンセス号の悲劇（2020.2.7）

そして、この手遅れのミニ版がダイヤモンド・プリンセス号の状況に見えているように思います。初期対応の遅れが、感染者の拡大をもたらしているという点では非常に似ているのではないかと思います。検査もなされないままの乗船客の中に、感染者やこれから発病する方が出てくる事は間違いありません。一応隔離状態に入ったわけですが、このタイミングがいかにも遅いと思います。これはどこの法律が適用されるかといった複雑な問題も抱えていたとは思いますが、情報に接している私たちの目で見ても、いったいこんなことをしていていいのかな、と思う状況にあったわけです。

検査のないまま船室に隔離されている状況というのは、また別の意味で悲惨です。この中に感染者がいるのは間違いないでしょうし、そう考えるとご本人たちの不安は如何ばかりかと思います。この辺りの政府、行政の対応の遅れは、極めて問題です。どう見ても予算や関係職員の不足から緊急の対応ができないでいるということが見えてきてしまいます。この状況に際して、状況の解決がいかにも容易であるかのように解説する専門家がまだいるのは、いたずらに恐怖感を呼び覚まさないためと思っているのかもしれませんが、とんでもないことと思います。大局的な視点が欠けています。

当面必要のない予算などは最大限保留して、こちらに振り向けることぐらいは、考えなくてはなりません。国民にとって予算科目などは、わからないのですから、例えば、イージスアショアの予算を凍結して、こちらに振り向ける、なんていう方針が出せたら、一気に現在の内閣の支持率は倍増するだろうという気がするのですが…。

ともかく、なんとしてもこれ以上感染者が広がることのないことを願うばかりです。

水際対策マニュアルしかなかった（2020.2.19）

騒がれ始めてからかなり時間が経過し、新型コロナウィルスに対する政府の対応について、かなり明確にその状況が見えてまいりましたね。

一言で言うと、政府には水際対策のマニュアルしかなかった、と言うことに尽きるかと思います。そのように考えると、状況がすごくわかりやすく理解できます。そして、このマニュアルに基づいた対策は今でも続いています。政府の対策の一環として専用機で戻った人たちへの対応はもちろんです。そして、その最もわかりやすい犠牲者が、ダイヤモンド・プリンセス号の乗客ということになると思います。検査をするということは対策の初めのステップに過ぎませんが、その検査を受けられる人の枠を制限してきたことは、（パニックになることを避けるためなどと言っておりますが）、検査枠を圧倒的に広げる対策を躊躇して、検査を受けられる人の枠をちびちびと拡大してきたことが、証明していると思います。これは、未だ水際対策の延長にあるという理解をすべきです。

中国が正月を迎えて、その休暇を有効に過ごそうと、かなり前から多くの人が日本を訪れていたのは、皆承知のはずでした。はじめの発症から見て、日本国内に感染者が大量に入ってきていたであろうことは、想像できる範囲のことであります。この時期を見過ごしたまま、主たる感染地からの来日者等への水際対策を続けてきました。

この間良く見えてきたことは、このウィルスは感染しても発病しない人がかなりいるということ、しかし、発病していなくても感染させる可能性はかなりあるらしいということです。そして、国内では、すでにどのくらい感染者がいるかはわからない、しかし、感染していても発病していない状態では、検査をすることができないルールにしてしまっているので、検査を受けられない感染者がどれだけ他の人に感染させるか全く見えない状況にあります。要するに、感染が判明して重症化しないと検査すら受けられないという、お粗末なるルールなのです。

これから誰が感染しても不思議ではない状況が進んでいきます。しかし、新しいマニュアルはそう簡単にはできません。「マニュアルがない」わけで、水際対策の延長のようなことでこれからも進んでいくことしか、今の政府はできないだろうと思います。政府のような大きな組織で新しいマニュアルが使えるようになるのは、また次にこのような新型ウィルスが発生した時からと考えたほうがいいようです。

「通達」と「通知」の使い分けがない（2020.2.19）

ところで、今回の件に関して、私はマスコミの対応も含めて極めて不満に思うことがあります。

自治体に向けての対応に際して「通達」ということばがやたら多く使われているということです。2000年に「地方分権一括法」が施行されて（470本余りの法律が一括法で改正されたのです）からは、少なくとも国と地方は対等の関係になったといわれてきました。それまでは地方は国の機関として扱われてきて、通達（これは通常、指示・命令を意味します）という言葉が当たり前に通用していました。自治体の長は機関委任を受けていて、国の機関として地方議会の承認を得ることなく、国の各省庁の通達に従う仕組みになっていました。しかし、2000年、対等の関係になった時からは通達ではなく「通知」という表現が使われるようになったのです。国は地方に命令するのではなく、依頼をする形となったのです。（私は2004年３月に自治体を退職しましたので、今や情報が古いのでしょうか。）

この新型コロナ対策に関連した話では、マスコミの皆さんをはじめとして、通達ということばを当たり前のように使用し、地方に仕事を「下す」とか、「落とす」とかいう言葉遣いを平気で使っています。また、輪をかけてまずいのは、自治体サイドでは思考停止状態になっているところも多いみたいだということです。国の正式の「通達」が来ないので取り組みができない、などと言っているところがあるということです。明らかに、人々の意識が2000年以前に戻っているとしか考えられません。

休校措置か検査か（2012.3.8）

昨年の暮れから新年にかけて来日した人たちと接触した可能性のある人は、自分では感染していないかと不安があるが、検査がされていないので、やや自重しなければと思いながらも、通常の生活を営んでいる。一般の人は、その人たちが誰かわからない。

データがないから、周りの人、出会う人全員が感染している可能性があるのではないかと疑い、不安がある。

こうした客観的状況の中で、誰が感染しているかわからないからとして、全体に規制をかける対応を安倍政権はとった。学校の休校措置は、その対応の最たるもの。日本人の子どもを愛しく思う気持ちを逆手に取った暴挙と言って良い。そして今回、今更の水際対策として、中国、韓国からの入国規制までかけた。

また、橋下徹さんは、検査の実施など待っていられないとして、どうもこうした対応などに賛成している感じである。

検査をきちんとする体制が整っていて、粛々とこれが進められていれば、規制をかける範囲も明らかになり、今行われているむやみやたらと全体を巻き込むような、お粗末な政策は取る必要は、まず起きない。こんな形の進め方では、日本国内全般、どこに感染可能性があるかわからないのだから、海外から見て不安を増すことはあっても、信頼を取り戻すことはできるはずがない。

そして、このように社会全般に規制をかける政策を進める結果として、経済循環の崩壊を招くことは必至である。これから、どのようにして日本経済をもう一度通常の循環体制に戻すつもりなのだろうか。それともかつての戦時体制のようにしていくつもりなのだろうか。

パンデミック宣言とオリンピック（2020.3.12）

WHOが世界的に拡大した感染の状況から、パンデミックであると宣言した。この間、かなり明確にウィルスの素性が見えてきて、完全に克服する迄にかなり時間がかかりそうだという認識になってきたようだ。

しかしここでパンデミックが宣言されたことにより、日本政府としてはかなり安心できる状況になってきたのではないかと思われる。問題は東京オリンピックの開催に関してである。

感染症の権威が、自分のところに事例を集約させるために検査数をコントロールしてきたという憶測がなされていて、そうした懸念は拭えないが、オリンピック開催国として、恙無く開催するために、国内で感染が広がっていないことを数字で示すために不可欠だったというのが実態だったのではないかと思われる。実際にやってきたことは、海外の不信感を増す効果を生んだだけと思うが、感染者数を小さく見せるために検査数を確実に抑制するための体制を採ってきたと考えられる。

しかし現在は、世界各国に感染者が広がったことにより、少なくともそんなに短い時間では解決できない感じとなってきた。東京オリンピックは日本の事情に必ずしも依らない形で、中止、または延期せざるを得ない状況が生まれてきた。このため、現状では日本の国内状況について言い訳をしなくても済む状況となってきた。

見かけ上感染者の増加がないようにするためには、検査をしないことが一番である。これに応えるべく帰国者・接触者外来センターが検査を抑制するように立ちはだかってきた。検査をしていないので、肺炎で亡くなることがあっても、新型コロナによるとは必ずしもわからない状況が作り出された。

しかしここで、パンデミックが宣言されたことに伴って、もはや日本のせいで開催できないということではなくなったことから、今まで上記センターで行ってきた検査の許認可を外して、検査数を増やしても良いという判断となった。今日あたりから急速に検査網を拡大してもいいとするような論調が広がるようになった。人の命を許認可で決めるような対応はこれから徐々に解消していくことになるであろう。

ここでこのことに関連して判明したのは、今までなお国の体制の絶対優位の発想があり、民間への検査体制のシフトを抑制しようとする意識が、今なお強いということであった。かつて、日本の経済発展過程では、殖産興業の発想により、公の起業、民間への払い下げという形がありましたが、医療行政では昔からの官優位の発想が根強く残っていたことが、図らずも表面化した。改革が求められる分野は、経済面だけではないようである。

感染者隔離措置の問題——検査を拡大しない言い訳

13日夜の報道ステーションで、横浜市立大学のお医者さんへのインタビューがありました。その際、新型コロナの検査をやった結果、陽性が判明した場合、現在は入院が義務付けられているので、検査はあまり拡充することができないのだというお話を聞きました。一瞬耳を疑いました。本当にそうなのでしょうか。もしそうであるとしたら、早急にその仕組みを改めるべきだと思います。

陽性とわかった人は軽症でも、そのまま自宅へ戻ること自体から、難しい条件が絡みそうであるということは、理解できることですが、ことはそれで済まないと考えます。そして、このことと検査の枠を絞るということはまた別の話です。

軽い症状の人や、症状の出ない人については検査をしないということであるとすると、感染しているかどうかの判定ができない人が市中、どこにいるかわからないということになります。その人は、感染している自覚がないので、他の人にうつす可能性はいつまで経ってもなくならないということになります。こうした状況であるとすると、日本における感染の終息は、いつになるかわからないことになるのではないかと思います。

現在、感染者の割り出しは、最初の一人から濃厚接触者を辿っていって、その人たちの検査をするということにとどまっていて、その感染ルートばかりがやたら緻密に分析がなされています。しかしこの方法では、最初の感染者が発見されない限り、どこで感染が広がっているかわからないということになります。そして感染が広がった中で肺炎を発症して死に至っても、生前に検査を受けていなければ、今回の感染症であるという判断はできないケースも、多々起きてきているのではないかと思います。また、そうした人がどこで感染をさらに広げていたかはわからないので、たまたま検査をするようになった人の中で、突然感染者は出てくるという形で、いつになっても終息は図られないということは間違いありません。

すでに国内にある程度入っていると思われる感染者との接触は、それぞれの人の生活の中で可能性が生まれるのですから、ひょっとすると接触したかもしれないということは、ある程度は自分でわかるのではないでしょうか。そうした心配のある人たちの話を聞き取った中で、可能性があると判断された人については、症状があまり出ていなくても検査をするぐらいのことをすべきであると思います。

そして、併せて、すでにモーニングショーなどで提起されていますが、自宅で一定期間待機する人、特定のところに隔離する人、隔離入院する人といった区分等の対応を、分けるような体制を考える必要があると思います。

そのくらいのことは考えないと、全体に網をかぶせるように、休校措置を取るといったような闇雲な対応を取らなければならない状況が、今後もなくなることはないでしょう。そうするうちに経済は確実に崩壊していくことになると思います。

オリンピックの延期（2020.3.26）

新型コロナウィルスが、いよいよ大変な局面になってきました。

オリンピックも結局延期という事態になりました。

日本において、検査件数が著しく少ないことが問題になってきましたが、この検査の抑制は、オリンピックをなんとか開催させたいという政府と、新型コロナの感染実態の情報を独占したいという国立感染症研究所との、暗黙の連携のもとで進められた、といって良いのではないかという気がしています。

その犠牲者は私たちですね。どこまで感染が広がっているか分からないのに、イベントの中止要請や、学校の休校要請を乱発して、人々を不安がらせてきました。

海外から帰った人などは特定しやすいのですが、既に国内で感染が進んでいたわけですから、感染していても発症さえしていなければ、自由にどこにでも動き回ってきたわけであり、発症しないまま感染を広げてきたのが実態であるということは、隠しようのない現実だと思います。今頃感染源を特定できない人が増えているなどといっても、そこから対策を出発させなければならないのに、水際作戦の延長を今なお続けているのがなんとも悲惨な気がしています。現時点で、外国から戻った人の検疫で、陽性が発見されやすいのは、もともと人が特定されているのですから当たり前の話です。

今までのさまざまな仕事や交遊を通して、海外・中国の人たちと接触をしてきた人たちがいるわけですから、発症していなくても感染したかもしれないという本人の自覚はあるはずです。そういう人たちについては本人の申し出で、検査をするようにして、陽性となればなんらかの隔離対応に入って我慢してもらうということをすればよかったのです。

発症しなければ、検査しないということは、隠れ感染者を把握できないわけで、これでは有効なワクチンでも利用できるようにならない限り、いつまで経っても終息宣言は出せないということになります。まして、医師の診断による要請があっても、発症者すら検査を抑制してきたのでは、全体状況の把握は全くできないということになります。

フェースブックで、最近、高山義浩さんという方（お医者さんだと思います）の記事がありました。

また、武漢でのウィルスの発生因について、しばらく前に、アメリカの兵士が持ち込んだものだというお話を聞いてびっくりしたりしました。

10月下旬に、武漢で109か国の軍人が参加して軍人オリンピックが開催されたのですが、その際、アメリカから参加した軍人が感染していて、ここから感染を広げることになったというようなことです。この方は、武漢で発症して、アメリカの飛行機で強制送還されたとのことですが、その後亡くなったというような情報も入っています。この方が、発症何日前に武漢入りしたかによって、ご自分が持ち込んだものか、武漢が感染源か、だいたい判断できますね。（なお、日本では一応、軍人はいないということになっていますので、この大会には参加しておらず、この大会の情報は日本のマスコミの話題にはなっていません。）今回の情報は、文殊菩薩というサイトのものです。

今回のコロナウィルスのようなものが、どうして中国の武漢といったところで広がったのか、批判の対象となっている方の発言も後の方に入っています。なぜ武漢であったのか、もう一度考えてみてもいいのではないでしょうか。

もう１つは、東京都での感染状況の発表に対する山中教授の疑念です。日本では、PCR検査が操作されてきたように、感染状況についての情報も操作されている、その操作のされ方に気をつけないといけません。正しいデータを出していて、その出し方で人を迷わせるというのが一番巧妙な手口です。このペーパーも後半は東京都のデータだったように思いますが…。これをみて、山中教授の疑念です。

最近、コロナの関係で、再認識するようになったのですが、日本では一見科学的データでありながら、客観性を称しているどこかに忖度が入り込んでいる、ということがあります。

これは、どうも分析に入る以前に分析者自身の忖度観念が入ってしまっていて、その前提でデータを整理しているため、自分でもそのことに気づいていない、ということがあるように思います。その人の発想・分析の原点まで見なければ、直ちに結果を信頼ということができないということです。私などもそうした傾向があるかもしれませんので、この辺は自戒しなければなりません。

海外の科学者の分析は、そうしたことが比較的少ないので、信頼してみることができるように思います。科学者自身自分の想定と違った結果が出て、それが新しい発見につながっているというようなこともあるのではないかと思います

感染拡大に際しての受け入れ態勢（2020.4.1）

東京における感染拡大に備えて、軽症の感染者を病院とは別の隔離施設に入れる措置を取るか、今まで通りにするかということで、厚生労働省と東京都の間で食い違いが出ているということが、夕方のBS-TBS、報道1930で話題になっていました。厚生労働省も表向き、その辺は柔軟に対応していいという話になっている、というのですが、具体的に東京都の担当が厚生労働省に問い合わせると、OKが出ないという話が出てきて、この食い違いはどうして起きるのか、困ったものだと双方で言いあっているみたいです。

また、緊急事態宣言について、医師会や医療関係の専門家は感染爆発が起きる前に出すべきである、もう今やらないと、手遅れになると言っているのですが、安倍さんはまだ出す段階ではないと言っているようで、その食い違いがかなり顕著になっているように見えました。後者の話は、法改正の時に野党との秘密のやりとりがあって抑制しているのかな、という気がしないでもありません。

この２つの問題の背景として、誰がこのことにかかる経費を負担するのかが問題なのではないかと思っています。国が一旦緊急事態宣言を出してしまうと、活動実体は主として都道府県に移る面が大きいことになるのでしょうが、必要経費は国が負担するということになっているのではないでしょうか。

隔離施設の運用の問題も同じことで、厚生労働省の所管セクションが一旦OKを出すと、その経費は厚生労働省が面倒を見る根拠となる、ということではないかと思います。厚生労働省はそんな特別の予備費をたくさん持っているわけはないので、状況に合わせて、柔軟にOKを出すわけにはいかない。しかし東京都としては、OKをとっておかないで勝手にやると経費負担は間違いなく自分の方に来てしまう、そういうせめぎ合いにあるように見えます。

また、緊急事態宣言についても、それを出すと国の財政支出が求められる面が大きくなるので、おいそれと宣言を出すわけにはいかない。もちろん補正予算が承認されているわけではないので、予算がないのに了承したら後で経費負担をめぐって、大変な争いが生じかねない。

ということは、この２つの問題の背後には、財務省が控えているのではないかという推測をしているところです。

ここで、これからを考えると、現時点でどこまで膨らむか先の見えない財政負担の拡大を覚悟するか、国の財政負担の大きくなることを極力避けるために、時期を失して、医療崩壊、経済崩壊を容認するか、そうした岐路にあるような気がしています。

官僚と政治家のせめぎ合い

少し持論を述べさせていただきます。

日本社会はボトム社会であると、今まで申し上げてきました。その典型は役所のシステムです。政治システムがその上に乗っかっているのですが、政治家は、自分の思いで、あらゆることができるのではなくて、ボトムの役人が許容する範囲で好きなことができるのです。

予ねて役所に勤務していた時、トップの知事が使える金はこれだけしかないんだよと嘆いていた話を聞いています。役所の積み上げの中で９割以上の予算は確定しており、残りのわずかな部分にしか裁量性がありませんので、その貴重な財源をどう使うか知恵を絞らなければ、政治家としての特徴を出すことができません。

高度経済成長期に革新自治体がいくつも生まれたのは、成長に伴い税収が上がり、特徴を出せる「のりしろ」が生まれて、トップの使える余裕資金が一時的に増えたからです。そのため、特徴を出せなくなった（高度経済成長の終焉）とともに革新自治体は消滅しました。

マスク2枚

トップが国内の各住所あてに、マスク2枚を送ることしかできない、ということで政権の愚かさを今更のように見ることになりましたが、これは金を極力使わずに、一般大衆受けをする対策は何かと悩んだ中での1つの打ち出しであることは明らかです。批判する人も多いのですが、大事なのは大半の一般大衆に受けるかどうかです。

トップダウンでできることは予算の自由な設定ではなくて、自分の主張するイデオロギーで、いかに人を引きつけていけるか、ということしかありません。抑えているのは財務省です。これがボトムアップ社会、日本におけるリーダーシップの実態であると言えます。お金の使い方については、財務省の許容する範囲で考えることしか出来ず、これを乗り越えることは非常に困難と言って良いと思います。財務省が認めない限り、どんな新たな政策も日の目を見ることはありません。そうしたところで、突然、トップの言うことに全て従う形の政策展開を進めるのは非常に困難と言って良いと思います。

今まで、全体をマネジメントしてきたのは、大蔵省、現在の財務省であるということは、大多数のひとが抱いている通念です。それぞれの政策官庁は、財務省の許容する範囲で、新たな政策展開を進めてきたとさえ言えます。数十年、あるいは明治以来ずっと、金を握るところが政治の世界をコントロールしてきたのであり、その実績がある中で、これを変えて財政を含めていきなりトップダウンが機能することは、まず無理な話です。財務省は、失われて久しい健全財政をいかにして取り戻すか、を至上目標として組織運営を行なっており、それをどのようにして達成するかを基本前提としているので、出来ることは非常に限られておりますし、政治家も現状を聞けば、無理を言えなくなってしまっているのではないでしょうか。

そして、そうした状況認識を踏まえた上で、現在の危機的状況にどのように対処していくかを考えないとまずいのです。

国と東京都とのせめぎ合い（2020.4.9）

今朝（4月9日）の羽鳥慎一モーニングショーで田崎史郎さん（政府にはスポークスマンがいないようで、民間人でありながら政府の政策のマスコミを通した代弁者と思われる）と玉川徹さんの対決を見ていました。昨日に引き続いてだったようですが、かなりはっきりと状況が見えてきました。背景にあるのは、今起きている東京都における感染爆発に関する状況認識の違いにあると思いました。

海外で起きているような感染爆発が起きる、あるいは起きているという認識が今の政府にはないと思われます。誰も起きることを期待しているわけではないが、政策の是否の判断が、結果を見てからでないとわからないというのは情けない限りです。起きないと認識するなら起きないと言い切って、政策判断をする覚悟を持ってもらいたいと思います。

起きることを正確に読んで、政策を打つのが政治をやるものの最低必要条件です。やり直しは効かない。後手後手になるのは、政治家として、自分の研ぎ澄まされた視点で判断するのではなく、官僚や側用人の判断を鵜呑みにしてやるという、ボトムアップに依存している日本政治の特質から来ています。ボトムにある最先端の状況認識を持った人の意見を、きちんと受け止めることのできる政治家であれば、それでもよいのですが、特定の官僚や側用人に判断を任せている政治家の判断は、ないに等しいと言えます。

政策は政治家がつくる（2020.4.11）

これは、明治以来続いてきたシステムを崩す覚悟をもってことに当たらない限り、解決できることがないだろうと考えています。ということは、政治の側で、全政策を作るという覚悟が必要だということです。それが出来ない限り、官僚の打ち出す政策に乗っている限り、現在の状況を乗り越える手立てはありません。現状では、いくら政治家としてこれが大事だと言っても所轄官庁が抵抗して受け入れなかったら、政策を作るのは役所なのですから、その政策が日の目を見ることはないのです。具体的なところまで、政治の側が引き受けていかなければ、状況を打開する道は生まれないという認識、それに対応する行動を取る覚悟がなければダメなのです。

こうしたことは短期でできるわけがない、というお話もありますが、まず覚悟があって、ことを進める中で、今の制度の変革に取り組んでいくことを考えるべきです。どこから手をつけていくか、その行き着く先はどこまでかを見通して進むということしかありません。今回の状況を乗り越えるにはこうした決断しかないと思います。

こうした状況がなければいつまで経っても仕組みを基本から変える仕組みが実現することはないでしょう。その意味で、最大の機会と見て取り組める、またとない環境にあると言って良いと思います

感染症対策こそが最大の経済政策（2020.5.14）

日本経済の息の根を止めてはいけない、ということはわかっていますが、今取りあえず止める決断をするか、いずれ止まるのを待つかという差であるように見えて仕方がありません。

経済云々、医療崩壊云々ではなく、人の命が一番大事ということに沿ってあらゆる政策判断をすべきときです。現時点ではいかなる時も人が生きていけるだけの手当てをする、それ自体が経済なのです。そのことによって、危機が過ぎ去った後には、新しい経済の循環の形も生まれてくるのだという、認識を持つべきであると思います。今までとは違った経済の仕組みが生まれてくることは間違いありません。

マイナンバーカードの活用ミス

10万円の扱いで、マイナンバーカードでオンライン請求する形をとって、という総務大臣の発言があって、このため役所の窓口が混乱してしまっているという話が、朝のモーニングショーで取り上げられていました。早く支給を受けることができるというふれ込みで、この際カードの普及を図るチャンスと見た真面目な役人？がいたようです。この狙いは、コロナ対策から基本的にずれた政策と言って良いと思います。

もともと、ほんとうかなという疑問を持っておりましたが、案の定、実態は混乱を招く結果となって、オンライン申告のケースの方が、遅い支給になる場面も出てくるという話が出ていました。

マイナンバーカードを使うことによって、早く支給出来るというのは、外見から見た安易な発想です。どれだけの作業が、事務処理で発生するかを全く考えない立場で、気楽に考えていることは明らかです。

１日でも早く人々のところに届くように、というためには、一番わかりやすいやり方に絞って進めるのが当然の話です。様々なやり方をとることは、まさに禁じ手と言って良いと思います。

２重のルーツを作ることにより、作業負荷が増して、支給に遅れを来すのは、当たり前の話です。オンラインと、郵便で送られてきたものを使って申告をするケースが並行して行われる場合、郵送データからオンラインのデータを弾かなければなりませんから、その消し込みをすることだけ考えても自治体の作業負荷がものすごく大きくなることは、わかりきったことです。様々な入力を伴うデータは、必ず間違いを伴うことは常識ですから、間違いの修正処理にも大きな手間を伴います。こと、金に絡んだ話は間違いがあってはなりませんから、DV問題だけをとっても慎重な扱いが求められるのに、余計な作業をさせられて、日曜休日なく作業して、と、踏んだり蹴ったりというところだと思います。遅れるのは当たり前の話です。

何よりも気になるのは、適切な政策が取られないままで、その負荷を、本来、国と対等の関係にある自治体に、あたかも部下に対するように、法的なこともバイパスして一方的に押し付けているということです。国の政策の愚かさによって、自治体職員、のみならず、支給を受ける人々も振り回され、この事態に右往左往する状況に至っているという認識が必要です。人々にきちんと向かい合わず、大臣や政治家に忖度しているばかりでは、これからも乗り越え困難な問題がいくらでも出てくると思わざるを得ません。

持続化給付金について（2020.61.0・2020.10.15）

ここで、少し違った議論をしてみたいと思います。（中途半端にしていたところを、少し書き足しました。）

かつて日本では、郵貯の零細な資金を集めて集中投資を進める、あるいは蓄積されてきた年金の運用形態という形で、当時の大蔵省が仕切る形で、資金運用部の活動が進められました。これが、2001年に廃止となっています。

これは具体的には効率的運用に疑問符がついたと言うこともあったようですが、現実には少ない資本の中で集中投資をするという状況が終わりを告げた、つまり、それまでの一定の役割を終えたためその仕組みを終わらせた、ということであると思います。この資金は、まさに役所が銀行のような運用をするという今ではなかなか発想することも出来ないものであったと思うのですが、それでも特に問題が起きなかったのは、目標とするものがはっきりしていたからだと言えると思います。

この仕組みが、2001年に廃止となりました。このことは、成熟社会となって、資本が潤沢になることにより、新たな投資分野の開拓が簡単ではなくなったためと言って良いと思います。時代が変わったことの象徴と言って良いでしょう。成長が止まってから10年程度を経過して、いよいよ変えなければならない状況に立ち至ったと見ることができます。

しかし、資金までもなくなるわけではないので、それぞれの組織で運用ということになったのではないかと思います。経過措置としてある程度は、元々の体制におけるも影響力も残ったのではないでしょうか。いずれにしても、国主導による資本蓄積体制は投資先を開拓することが難しくなり、その役割を終えたのです。金利のかかる事業資金は、より効率的な運用を迫られるため、他の道を選ばざるを得なくなったのです。

同様に、国におけるその他の財政資金の運用も、金利がかからないとはいえ、大きく転換すべき状況になった言ってよい時代になりました。成熟社会化に伴って、経済の成長力が弱まったのですから、効率性を高めるためには、財政資金については、より一層きめ細やかな資源配分をすすめ、そのためには行政の仕組みまでも作り直す必要があったのです。

しかし、政治家はそのことの自覚がないまま、現在に至っており、国家予算のぶんどり合戦に余念がありません。必要度の低い分野への支出が進み、資金の無駄遣いが、ここから生まれていきました。コロナ禍における持続化給付金の扱いにも、大きな無駄遣いが潜んでいるような気がしてなりません。

一般的には、企業への取り組みは、国は大企業中心、中小企業対応が地方の役割ということで進められてきていました。集中投資の仕組みは、規模拡大が目標になったと言って良いでしょう。

ところで今回の「持続化給付金」ですが、対象としては大小さまざまあると思いますが、支援金額などからみて、中心は中小企業を対象としたものと言って良いのではないでしょうか。ということは、事業実施のやり方として、どこが主体となって事業を実施すべきか、ということから始めなければならなかったのではないかと考えます。

こうした全国の中小企業を対象とする事業については、地方が実施主体として行うのがふさわしい事業であったと言えるのではないかと思います。

しかし、予算は経済産業省がとって、民間組織にその実施を委ねるという形が取られました。まさに従来型の(大)企業支援の典型です。
しかも地域の実態を掌握していない国関連の民間組織がこの事業を進めることには、どうみても無理があります。現実には、請け負った団体、ひいては直接配分を担う企業のためのサービスとして予算が作られたと言っても良いと思います。この内容をちょっと話に聞くだけでも、何か大きな無駄が潜んでいるような気がしてなりません。事業実施主体として大企業が取り組むために、今更こうした予算を組むということは、緊急に名を借りて、やっつけ仕事で大規模な金を使う感じが濃厚であり、初めから大きな違和感を抱きました。確かに事業を請け負った団体・企業には一定のノウハウが蓄積されるかもしれませんが、継続性については、まずないと見なければなりません。後につながるどれだけのメリットがあるか、全く思い浮かぶものがありません。
コロナ危機を名分として、出来レースのように、大企業を潤わせるために事業を組み立てたと言っても良いのではないかと思います。この仲介業といった事業実施形態は、使われる金のかなりの割合が、無駄に消費される形になっているとしか思えません。仲介業を救うための事業と言っても良いのではないでしょうか。
そして、このことから考えると、現在は国がこうした事業に直接関わる時代はもうとっくに終わっているのであり、時代錯誤の実施体制ではないかという想いを抱くようになりました。この手の事業は、自治体が取り組むべきものであり、地域に配分して、それぞれの組織間の知恵比べで進めることがふさわしい事業であると思えてなりません。人工割、面積割、あるいは企業の活動実態等を組み合わせて、自治体に配分し、事業実施を委ねれば、ボトムアップでどれだけの知恵が出てくるかわかりません。
もうすでにかなり進んできてしまっておりますが、今回の緊急的な事業への取り組みについては、さまざまな角度から分析が求められると思います。同時に単なる経済の下支え的な発想から抜け出して、これからの時代の方向を見定めるためのまたとないチャンスとみて、政策の後付・分析を行う必要があると思います。

Go to事業についても同様のことが言えると思います。これら事業について話題を見るにつけ、危機に関わる対応策は、地域に委ねるべき、地域のボトムアップのエネルギーに委ねるべき時代であると強く主張したいと思います。

それにしても、国の予算が決まる過程で、議会は、これは自治体の仕事であると言った方がどなたかいらっしゃるのでしょうか。早期に実施するために、タテ割りの極まった組織としての国がやればいいなどということを考えていたとしたら、もうそれだけで議員失格と言って良いのではないかという気がします。

報道1930のデータから（2020.12.9）

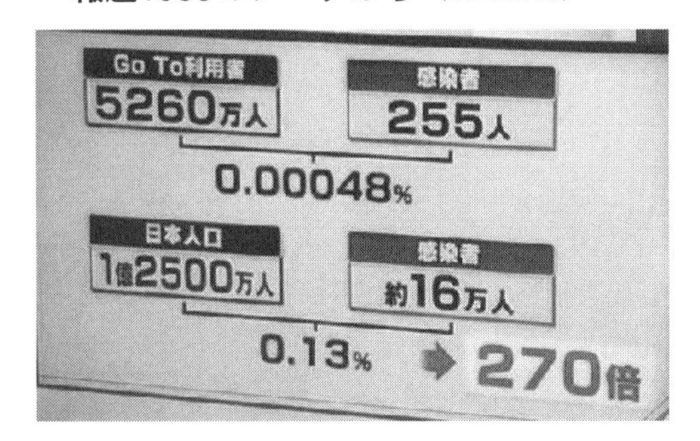

今日（2020年12月９日）の「報道1930」で記載のようなデータが示されました。5,260万人がこの事業に参加しているにもかかわらず、255人しか感染が確認されていない。これを日本における感染者の割合と比較すると270分の１になる、という説明でした。

これを次のように考えて見たらいかがでしょうか。

Go To事業が感染を国内に広げた事実はないと言いたいようです。日本の人口に占める感染者は16万人、率にして0.13%というお話です。

これが一般的な率であると考えると、5,260万人の0.13パーセントの人が感染しているはずと見ることもできます。

5,260万人の0.13パーセントは68,380人となります。感染が判明している人を除くと、68,380－255＝68,125

となります。

つまり、68,125人の無症状感染者がGoToトラベル事業で、国内に感染をばら撒いているということができるのではないか、ということになります。そこまで行かないにしても相当数の無症状感染者が全国にコロナをばら撒いていると言えるのではないでしょうか。

民間医療機関のギリギリの採算性（2021.1.17）

もともと民間の医療機関は、できるだけコストをかけずに事業を継続できる体制（それなりに利益を確保できる体制）の確保を進めてきて現在の状態に至っています。そうしたところでは、医師、看護師やパラメディカルについても必要以上に抱えることは絶対にしないはずです。

一方で現在、政府では、新型コロナの感染爆発に直面して、医療崩壊を回避するための方法として、ウエイトの大きい民間医療機関に対してコロナ対応のベッドの確保を要請する動きが強まっています。

しかし、新自由主義を標榜する現政府ならわかりそうなものです。効率優先で民間化を推奨し、公的病院すら民営化推奨してきたのが今までの政府の対応であり、また、そうした中で営々と事業を継続させてきたのが民間の医療機関であるとすれば、医療崩壊を招かないためとはいえ、そこに採算の合わないベッドを確保することがどれだけの負担を覚悟しなければならないかということです。

政府は、コロナと経済の両立などと言ってきたのは、今まで、コロナを単なる風邪という程度に甘く考えてきた結果であり、いまだその対応の枠から抜け出すという発想の転換も感じられません。

また、ワクチンが普及するようになれば問題はすぐに解消するように考えている雰囲気も感じられます。確かに、世界中でコロナの克服を目指した研究開発が進められていることはほんとうにありがたいことではあります。

しかし、現在の社会経済システムの再点検と再構築がなければ、おそらく事態の根本的な解決は得られないのではないかと考えます。この分野で、アジアの先進的な国々の動きに遅れをとっているのは、そのことの自覚がないからです。
　民間医療機関に、コロナ対応の取り組みを強いるのであるとすれば、まずその前に、新自由主義経済運営というものがいかにコロナ対策とは相容れないものであるかということを十分自覚した上で行うべきです。新自由主義経済運営そのものを捨てる覚悟をするという視点に立つことが、何よりも大事な視点ではないかと考えるものである。通常の経済効率の発想で経済運営をして行って良い状況にはありませんし、まして、医療の領域に限らない、さまざまな領域の運営体制を効率だけで、割り切って良い時代ではないのです。

PCR検査費用の一元化、そして無償化こそが、政府の採るべき政策

（2021.1.17）

　今朝の羽鳥慎一モーニングショーでも話題になりましたが、先日の首相の記者会見で、モニタリング調査等に取り組むという形で、無症状の新型コロナ感染者に関するPCR検査を実施する姿勢に転じたようだとの報道が出てきました。ようやくという感じですが、この対応が具体的にどういう形で展開されるようになるか注目したいと思います。
　ところで、このPCR検査の費用ですが、公的機関で実施する場合と、自主的に自ら実施する場合では経費が全く違うという実態について、あまり問題にする人はいないようです。ウィルスの特性に鑑みれば、民間で自主的にやろうが、熱の出た人を検査しようが、本来この経費は一律であるべきではないでしょうか。モニタリング調査の実施を契機に、政府は、この分野に対する支援の考え方も見直すべきであると考えるものです。
　現在、感染を広げている１番のポイントは、無症状感染者の存在です。症状が出ていないから病気ではない、病気であるかどうかわからないときに政府が金を出してまで対応する必要はないというのが、今までの対応のスタンスのように思われます。しかし、無症状感染者の検査を本人任せにしていたのでは、感染の広がりを断つこ

とはできないというのが、今までの経過から見えてきたことです。とすれば、こういう人たちに対する検査自体について、政府の責任で実施するというスタンスは当たり前のことと言って良いと思います。

その場合、今までのように自分で実施した検査については経費は個人負担、公的関与のもとで行われた検査は無償という形は、おかしいと言わなければなりません。既に今までも、企業が自己負担で、社員や、関連事業関係者の検査を実施しているではないか、それはそれでいいだろうというのが、そもそもおかしいと言わなければなりません。誰が感染しているかわからないために、仕方なく自費で検査を実施しているというありようは、事業者等の姿勢にばかり依存するものであり、どう見ても正常ではありません。今回のウィルス対策の１番のポイントはここにあると言っても良いと思います。

どこで検査を受けたとしても、その経費を国が支払うという形をとれば、解決できる問題なのに、この実施コストの違いを放置していたのでは、いつまで経っても感染の終息はおぼつかないとさえ思います。

モニタリング調査の実施を契機に、コスト負担の範囲を広げて、誰でもいつでも検査を受けられる、受けた場合のコストは無償とするという一元的な政策を確立すべきであると思います。そして検査結果について、いつどこで受けた検査かはっきりわかる証明書を発行する仕組みを合わせて考えるべきであるとも考えます。

経済学の領域では、「一物一価」という考え方があります。現実の世界では、いろいろな商品がいろいろなところで販売されているときに、同じ価格になっているという保証は全くない、というのが実態です。

しかし、政府が実施する一番のポイントとなる政策の経費の格差が、これだけ大きいということはほんとうに信じ難いことと言って良いと思います。

政府が、このようにかかる経費の違いを放置していることの背景には、新自由主義の発想が隠れていると言ってよいと思います。検査が必要で儲かるとなれば、民間事業者が取り組んでいく、ここで経費の違いは、事業者の効率性に関する取り組みの違いに依存するのだから、安く良質のものを提供できるところに人が行くようになり、マーケットメカニズムが貫徹するようになる…こうした発想で取り組んでいる限り、問題の早期解決は望むことはできないと考えるところです。

マーケットに任せて良いものと、公的な支援が必要なものとの混同が激しいのが、日本の新自由主義経済運営の最大の欠陥と言って良いと思います。

バッハ会長の発言（2021.4.23）

バッハ会長が、緊急事態宣言の有無とオリンピック開催は関係ないと発言されたらしいですが、宣言の如何にかかわらず実施する意向ということですね。日本の状況を忖度している感じです。日本の感染状況は欧州などと比べて圧倒的に数が少ないから、問題ないという意識がヨーロッパの人にはあるのかもしれません。

しかし、考えようによってはこのような状態の中でオリンピック・パラリンピックを実施すれば、多分ヨーロッパの感染の最盛期の状態が、日本にもたらされるということになるのは必定と考えます。人為的な医療崩壊が待ち受けていますから、悲惨な状況が訪れるでしょうね。

今の政権にある政治家は、今までの事例でわかるように、科学者を自分たちの召使い程度にしか考えていないわけですが、結果的にはそのことによって、自然界からの復讐を受けることになる予感があります。

ワクチン外交に思うこと（2021.4.24）

> ＩＴと同じトップが設定しなければならない課題であった　しかしボトムアップ依存であるからトップダウン国家に遅れをとる。せいぜい追随するしかない。

今日は、ワクチンをめぐって日本で大きな話題になっていることについて、気がついたことがありますので、簡単にメモっておきたいとおもいます。

前々から、日本はボトムアップ社会であり、日本の政治家は、官僚の掌の上でイデオロギーを振り回しているだけであると、言ってきました。意思決定に必要な考え方も含めて、政策の具体的なことに関しては、総て官僚の判断をもとにしてそれを自分の判断として、言明してきているわけです。これが国政の場におけるボトムアップの内実です。

緊急事態宣言を出さなくてはいけないかどうか、今また検討が求められる状況になってきて、やっていることは、そのことが政治的に受けが良い結果をもたらすかどうか、ということだけを念頭に、科学的知見とは別に、タイミングを図っているだけのことです。

しかし、コロナは、こうした珍奇な政治判断をことごとく覆す状況を生み出して、政治判断を裏切ってきているのが実情といって良いと思います。

さてこのこととは別に、ワクチンの接種をめぐって、その取得にはじまって、日本での接種の圧倒的な遅れに対して、政治に対する不信感が勢いを増してきています。ある面ではこれを、官僚制の劣化と捉える向きもあります。ボトムアップ社会ですから、官僚の中から、ワクチンの取得に関して的確な進言が出てこない状況になってしまっていることが、劣化と言われている中身と言って良いのかもしれません。

しかしこれは、少し違うように思います。官僚の世界、いわゆる行政は本来、形の定まったものを的確に実施することを最大の使命としている組織です。それに対して今蔓延しているコロナの世界は、官僚制の中のいかなる先見の明を持ってしても手に余る領域と言って良いのではないかと思います。

これに的確に対応するのは、政治家の先見の明と、それを戦略的に具体化する組織的な対応があって初めてある程度の対応が可能な世界と言って良いのではないかと思います。元々ボトムアップ社会にそぐわない現象が今襲ってきていると言って良いと思います。

そのように考えれば、内部抗争を経て這い上がってきたボトムアップ依存の政治家にもともと期待できるものではなく、また、その政治家の意向に従って動くことしかできない側用人の世界では所詮対応不可能なことといって良いと思います。側用人の世界はいつでもそうですが、戦略組織ではなく、トップの意向の従順な遂行者の域を出るものではありません。

日本以外の諸国は、それなりにトップダウンの政治構造を持っていますので、先を見越した世界の変化を予測しながら、判断を行いそれに基づいて行動することができているのだと、考えるべきであると思います。(その判断の良否によってとんでもない結果をもたらすことがある、という現実も今回のコロナ対応に関して、見てきました。)

いずれにしても、トップダウン型政治社会と、現在の日本のボトムアップ型政治社会の本質的な違いが、ワクチン外交の決定的な差を生み出してきていると、見て良いのではないかと考えているところです。

もちろん、ボトムアップ社会であってもトップダウン社会の優れたリーダーが生み出しているような結果を導くことは可能であるだろうと思います。しかし、現状に依存している限りは、こうした状況は今後とも変わらないと思いますし、ワクチン問題に限られたことではなく、これからもしばらくの間はコロナに翻弄される日々を過ごすことになるしかないであろうと思っているところです。

市民社会では、対等の関係の中で、さまざまなアイデアが出てくる関係であれば、これは素晴らしいと思います。50年余り前、就職後、最初に直面したカルチャーショックについて考えた末、ボトムに位置する多くの人たちのエネルギーがフルに発揮される状態を「全員企画」と表現しました。日本社会であるからこそ、可能なかたちと言ってよいと思います。日本型リーダーに求められることは、こうした環境を作り、さまざまなアイデアを受け止めるだけの懐の深さを持つことが大事です。
三人よれば文殊の知恵といった諺があるくらいですから。

元ソウル市長であった故朴元淳さんが日本国内の市民組織等を視察されて、帰ってから書かれた著書で指摘しておられることですが、日本人は、１つ１つの組織での行動は素晴らしいが、さらにそうした活動を全体にまとめ上げていくことは不得意です。社会的連帯経済というのはまさに市民社会の領域を取り上げたものですが、横の連帯の広がりというのはなかなか進まないのが実態ですね。これは日本社会のタテ社会という、もう１つの特質からきている面が大きいと思っておりますが…。ボトムアップは、タテにつながりやすく、横の連帯を作るのが難しいということで、これは一人一人の自覚がなければなかなか難しいことでもあると思っています。

去年、Go to、今年、オリ・パラ（2021.6.4）
昨年はGo toで全国に感染を広げ、今年はオリ・パラで、全世界に感染を広げあう。もちろん国内はもはや議論の対象ではなくなる。
選挙に行かないで、財政をコントロールする権限を現在の与党から取り戻すことはまずできません。政権党関係者は財政資金を自分の思う通りに使いたいから選挙に行きます。民主主義社会における権力奪取ということはそういうことです。コロナで、国や自治体から交付金が来ないで、潰れてしまうと嘆く前に、自分たちに資金を回してくれる考えを持つ政党に権力を持ってもらわなくてはなりません。選挙に行かずに嘆くだけではこの国は滅びるだけです。選挙に行きましょう！！！

ワクチンを打つ、打たないは個人の自由（2021.6.20）
今、政府は、ワクチンを打つも打たないも個人の意思次第というが、これは「大事な情報を隠しています」ということの別表現に過ぎません。

こういう問題もありますが、パンデミックを収束させるために、皆様、どうかご協力を、というべきです。

その後、イベルメクチンを投与することでインドの国内感染者も急速に減少に至っているという話もあるのですが、続報が途絶えていますね。国民にワクチンを打たせるために、今あまり情報を出すとまずいということで止めているのはな？

「ワクチン注射をするかしないかは個人の意思」と言っているのは、本当におかしい。選択の前提となる情報がきちんと提供されていない中で、こういう政府の発信は、「民は由らしむべし，知らしむべからず」という昔からの権力側の発想そのものである。挙げ句の果て、YouTubeでワクチンについての懐疑的な情報を取り上げる発信があると、これを（多分YouTubeサイドと示し合わせて）閲覧できないようにしている。中国、「武漢日記」での方方（ファンファン）さんの記事に対する取り扱いと全く変わることがない。

なぜ、出回っているワクチン注射の弊害の話は全てフェイクであると、公式に発信し、具体的に説明できないのか。やましいことを隠して、流れを作ってしまえば、それが勝ちという、衆院選挙までの目先優先の発想としか思えない。

アメリカでは、ハンバーグをプレゼントするとかポテトチップスをあげる、果ては、抽選で宝くじのような景品をあげるといったことが、なぜニュースになるのか。日本のマスコミは面白おかしく揶揄の対象としているつもりのようだが、おそらくは、情報が行き渡っている中で、それでも注射を打ってもらいたいのだという、政府の願いの表明からきているものであると、推測する。全く違う情報流通がなされているとは考えられないだろうか。

興味深い情報でしたので、遡って自然療法士ルイさんの第1弾のお話、視聴させていただきました。

皮膚からワクチンの生成物が出て、人にうつす可能性があるということ（従ってマスクはしてもしなくても関係ない）、年寄りがワクチンを打つことにより、近くにいる子や孫に感染させる可能性もある、ワクチンは２週間ぐらいで変異するので、変異型はワクチンを打ったところから広がった可能性もある、など、ファイザー社の情報などからの説明ですね。まだ第３段階を終えた完成品として出されているわけではないので（ファイザー社では2023年５月が治験完了予定時点としているので）、今ワクチンを打っている人は、ワクチンの治験者の一人、ということになるというお話も確かにその通りだと思いますね。

２つのYouTubeを見ていて、思いついたことがあります。政府（役人の方でしょうね）は、この計画書というのは前から見ていて、このワクチンを導入することに逡巡していたのではないか。しかし、イギリスや、アメリカで劇的な感染者の減少という状況を見て、菅さんは、なんで速やかに導入手続きをしなかったのだと官僚批判をするとともに、これを、オリンピック開催の強行の一助になると考えて、官僚に最大限早く導入するよう叱責をしながらの手筈を求めたと思われます。こうして有無を言わせない形で導入に突き進んでいる。

こうした中では、ワクチンの抱える問題については、政治の方では、完全に目をつぶってしまっている、これが実態のように思われます。

従ってワクチン推進を強力に指示したのは、政治の方ですね。そこで使われた説明が、「ワクチンを接種するかどうかは、あくまでも本人の意思」ということになったのではないかと思います。

都議会議員選挙が始まった（2021.6.25）

戦後、新憲法が公布され、民主主義の新しい仕組みとしての選挙が始まったときに、最初は、人々は興味津々、選挙に参加して、意思表明を行なった。しかし、政策を作っているのが公務員、官僚であることが徐々に明らかになっていった頃から、選挙に対する興味はだんだんと失われていった。政治家は自分の利権を誘導する政策だけを実現しようとしているだけである。全体の奉仕者ではない。

選挙に行っても行かなくても社会の基本政策はあまり変わらない。官僚がある程度きちんと守ってくれている…。そういう意識が我々の頭にないだろうか。人々のことを考えて政策を作っているのは、公務員だと、皆、無自覚ながら捉えるようになっていったから、選挙に行っても行かなくても、世の中はあまり変わらないという意識に支配されていないだろうか。

特に、衆議院議員選挙で小選挙区制が採用された時からは、もう１つ別の要素、長い時間、現地で名前を売っている者にまかれるという日本的特性のもとで、投票率は下がっていった（これを、私は「なじみ」の構造と呼んでいる）。認知されている時間の長い候補が幅を利かす選挙だから、投票に行っても行かなくても結果はわかっている、こうした潜在的な意識が定着して、投票に行かなくなった。期日前投票、投票時間の延長などといった、投票行動を促す策が取られたが、効果はあまり出ていない。（もっとも、これがなかったら、もっと投票率は低迷していたであろう。）

一人区では投票行動が固定化する、これが日本社会の特質であることを、皆あまり理解していなかったようである。このため、当選者が固定化する傾向が顕著になっていった。

結果として選挙は、イデオロギーが支配する傾向が強くなっているが、唯一、投票行動を刺激する方策は、大きな争点で争われる選挙が現出した時だけである。選挙に勝つには大きな争点を作り出して、その争点にもとで戦わなくては、時間の長い者に勝つ手立てはない。

従って、政権側は争点化しないことを、最大の目標として選挙に臨むことを考えているのは当然である。名前の売れた人は日本社会のエリートだから、それ以上に当選するために必要なことはない…。投票率は低いほど都合がいい。

今回の可能性のある争点は、オリンピック・パラリンピックがこれに該当します。このイベントは、政権の強権により開催される向きが予想されるが、反対の意思表示をすることは、それなりに意味がある。投票行動を取らなくなっている人たちも、この時期、これだけは我慢ならないと思う人が多くいるのではないか。オリンピック自体に反対するわけではないが、今開催することには絶対反対ということは、あると思う。今回の都議会議員選挙は、その意味で象徴的な選挙になるかもしれない。こうした時勢ではあるが、興味津々で見ていきたいと思っている。

今回は、あまり選挙に行かない人たちに呼びかける最大の機会です。

オリンピックは開催されてしまうかもしれませんが、このタイミングの選挙は、人々の意思を表明する、これ以上ない機会と考えます。「とにかく、私たちの意思だけは、この選挙で明確に示しておこうじゃありませんか。」

2）経済とコロナの両立論を排す

> 選挙のことだけを考えて部分の奉仕者として財政運営をすることを考えているため、コロナは終息しない。経済とコロナの両立を主張し、中途半端な方策を取り続けてきた。
>
> コロナ問題を政策論の枠組みで考えてみると、どう見ても経済かコロナかの２分法は誤りであり、政治は票の獲得にのみ目を向けて、コロナを甘く見てきたとしか考えられません。そしてその度ごとに、惨めにもコロナに裏切られてきたといって良いでしょう。
>
> また、日本政治は、イデオロギーでコロナ対策に取り組んでいるようで、科学よりイデオロギーが優先しているとしか思えません。
>
> かつて、日本の感染症対策は、水際作戦ばかりと述べた（2020年２月19日）が、今思うと水際作戦も満足なものではないことが判明した感じです。
>
> コロナを契機として日本経済転換の可能性を考えることが、今は特に重要ではないかと考えます。与えられた厳しい現状を踏まえて、長期展望の中で日本経済について抜本的な見直しを考え、転換すべき今を設計することが一番求められていることではないかと考えます。

「経済」と「コロナ対策」をいかに両立させるかという課題を抱えて、政府はどのように舵を切っていけば良いか、まさに悩みが深い状況にある、といった話がマスコミで盛んに流されています。コロナ対策を進めると経済が止まる、経済対策を進めようとすると感染が広がりかねない、という感じでしょうか。

これはいつまで経っても収束する政策が取れないでいる、ということの言い訳のようです。

この２つの選択肢のいずれを重視するかという発想の立て方自体が誤っています。こんな両立論は成り立ちません。

コロナ対策を徹底して進めることが唯一、そして最大の経済対策である、という発想にどうしてならないのでしょうか。

緊急事態時にトップダウンが機能しない

ボトムアップ社会では、既定の行動範囲であれば緊急対応は難しくない。しかし初めての事態が発生した場合の対応はうまくいかないことが多いのが実態です。ここで日頃ボトムアップにしか対応出来ていないボトムアップ依存症のトップが行うトップダウンは、緊急時にはほぼ役に立たないことになります。一斉休校措置や、マスク２枚がいい例です。

ここで日頃からボトムの活性化が当たり前となっている組織ではボトムの中から解決に導く発想が生まれてくる可能性は高いとみることができます。意思決定情報であればあるほど、日頃ボトムの活性化にどれだけ配慮してきたかがわかるというものです。ボトムをどこまで活性化させられるか、これがトップの役割として何よりも大事なことと言わなければなりません。

経済かコロナか（2020.7.17）

私は、前々から「経済」か「コロナ」かの選択肢があるのではなく、コロナ対策を最大の経済対策としてコロナを克服するための諸経済政策の中で、経済的困難に直面している状況を一つ一つ改善していく道を考えるべきだと思っているものです。需要力拡大への契機として、与えられた状況の中でその方策を考える、そのことによって、新しい経済循環が生まれてくる可能性を持っていると考えるところです。今の状態で、「経済」を取れば、即、さらに貧しくなった昔の状態に戻るだけのことでしかないと思います。生産力拡大路線でしかないからです。

なお、今回の感染者の広がり状況から見ると、どうも欧米型、アメリカ型、ブラジル型のウィルスなのではないかと思いますが、どうなのでしょうか。あれよあれよと言っている間に、思いもかけない広がりになっている感じがします。そうだとすれば、今のGo toキャンペーンのような対策を経済政策として導入すると、感染は広がる一方だと思います。これから少し時間が経ってくれば悲惨な状況が出てくるように思います。これで経済対策になることはありません。

選挙対策なんて言って「経済」を考えている場合では全くありません。経済かコロナ対策か、という２分法でしか考えられないということは、新自由主義経済手法に毒されているとしか、私には考えられません。

経済とコロナ対策の両立という考え方について（2020.11.20）

山本太郎さんは、街宣で、常に言っておられることは、「誰かの消費は誰かの所得」になるということです。これは経済というものは循環していかなければ崩壊してしまうという、経済の大原則をわかりやすく述べているものです。

経済政策というのは、どこに資金投入すればこの経済循環が円滑に進むようになるか、ということなのであって、困っている事業者に財政支出だけではなく、国民の金も合わせて入るようにすれば経済が回るようになるという発想が、Go to事業です。こういう視点で、政府の経済対策は今までずっと進められてきました。経済循環を取り戻すのはこれしかない、ということがこびりついているみたいです。これは、従来型のその場しのぎ対策と言って良いと思います。今や経済対策ではなく、既得権を維持したい企業や、そのことを通して議員の利権を守るための、後ろ向きの政策と言って良いと思います。

しかし、新型コロナ問題の本質は、今までの現象からみて分かる通り、無症状感染者が感染を広げていくということにあります。上のような経済への刺激策で、この新型コロナ問題を解決することができるとは、もともと考えていないので、解決に向かうことはありません。

コロナ対策として、徹底した感染防止策をとることに可能な限りの支出をすることは、「誰かの消費は誰かの所得」、そこで得られた所得が新たな投資や支出を引き出すことになるのであり、今までの経済対策とは違った形の経済循環を作り出すことができるようになると考えればいいのです。圧倒的に大きな支出をコロナ対策に投じれば、そこで生まれた所得は、必ず新たな消費や投資を生み出す源泉になるとどうして考えないのでしょうか。検査体制の徹底的な拡充、医療従事者への徹底した支援策、高齢者施設等の徹底した感染防止対策への支出を進めれば、そこで生まれた所得は、退蔵されるわけではなく、新たな消費や投資の資金をなって、需要を生み出し、次のステップの循環へとつながっていきます。そして、こうした方向から新たに人の流動へとつながっていくのです。人々への直接的な資金供給の多くが、退蔵されるというのは、その金を将来に備えておかないと、何が起きるかわからないという不安から来ています。そうした不安を煽っているのは新自由主義経済政策であり、人々の将来への信頼があるなら、今求めたいもののために支出することに躊躇しません。退蔵されていくというのは、政府の政策への不信の裏返しと考えた方がまともなのです。

こうした将来の可能性の大きな分野への支出を、単なる「経費」と考えているうちは、経済の再生はいつまで経っても進むことはないでしょう。

今回、国が進めてきた持続化給付金などは、国が団体に委託して支給手続きをする性格のものではなく、自治体が実施すべきものの典型ですね。そういう点で、国は自分の役割について、方針をなくしているのが実態だと思います。地域ごとにきめ細かな政策運用が必要なのですから、地方の支援に徹するべきであると思います。コロナの性格から見て国はやるべきことをやらず、自治体が実施すべきことにやたら手を出している感があります。

Go to事業は、コロナが収束してから実施するはずのものですから、今実施しているのは議員の選挙対策であることは明らかです。実際に効果があるかどうかに関係なく、事業者のために行っているよという存在証明のようなものです。効果がなくても、ためにしていることは明らかなので、選挙で応援しないわけにはいきません。

今の政府がやっていることは、高度経済成長期と変わらず、札束で人を釣ることばかりです。それに乗せられる人の方が問題なのですが、どうしても釣られてしまいますね。赤字が当たり前のように拡大するのは避けられません。原発の廃棄物処理対策でも同じですね。

こうしたやり方が、どんどん財政赤字を拡大して行っているわけですが、官僚も議員の意向を忖度して予算化するなどの対応をしていることが今回よくわかりましたね。役所にいたときのことを今更ながら思い出しています。

個別企業にとっては、今生き延びることが課題なので、中長期的な対応についてはどうでも良いということですね。先の展望を政府が提示して、今を耐えてくれと言えば、なんとか耐える力も湧いてくると思いますが、自助・自助とばかり言われている中では展望の持ちようもありません。

コロナ対策を最大の経済政策として据えれば、そのことに関連して各業界、それぞれに、様々な関連政策が出てくると思っておりますが、経済とコロナの両立、といったいい加減な政策では、自分を守ることが精一杯のことになってしまいます。

黒田さんはあんなことを始めてしまって、収束する方法も考えているかどうか、本当に疑わしいですね。敗戦時のようにハイパーインフレで一気に解決を図るなんてことは厳禁です。周辺諸国の環境が大きく変わってしまっている中で、２度と日本は立ち上がれなくなりますから…。最大の読み間違えは、物を買う力が衰えてしまっているのに、金を刷れば経済循環が元通りになって、再び経済成長が軌道に乗り、緩やかなインフレ状態にもなっているだろうと考えたことです。このことが株高や内部留保へと財の偏在を作り出しました。企業は投資しても売れるものを開発できる見込みがないので、内部留保として貯め込み、自分だけは倒産しないようにと縮こまっています。そこに外資が目をつけて余剰資金で出資をして、内部留保を配当として要求し、短期利益を生み出そうという動きになっています。せっかくの日本の資産はどんどん海外企業に持っていかれる状態になっていると考えていいのではないかと思います。

展望を持っていない政府がなぜここまで支持率が高いのか、本当にわかりませんね。みんな縮こまって我慢していれば、誰かが、夢のようないいことをしてくれると思っているのでしょうか。

新自由主義による政策には、「衣食足りて礼節を知る」という目的意識・考え方がないのですね。だから現在においては、どんどん２極分化が進んでいると言えます。考え方がないので、果てしなく進んでいってしまって、結局経済は崩壊するようになるのです。この考え方を変えない限り、日本に未来はないと言って良いと思います。要するに発想自体に問題があると気が付かなければなりません。

鮮明になった、国と地方の役割分担の不在　国の財政の無駄の多さが明らかになった

今回のコロナへの対応についても、具体的なルートを持っているのは自治体側であり、国が所管しているのは大企業の世界でしかありませんから、今回の地方への具体的施策は、ほとんど全て自治体を通して実施することが無駄を省く上で一番良い方法であったろうと思います。安倍のマスクはもちろん、持続化給付金、Go toキャンペーンなどは、大企業対策として実施すべきことでないのはもち

ろんです。
　特に、持続化給付金は国の省庁関係で言えば、総務省が予算化し、自治体に配分し自治体から事業者にという形で行くべきところを経済産業省が予算化するという形が採られました。議会の有力者のための利権配分のために使われたと言って過言ではありません。地域の中小企業の情報を持っていないところが、この緊急時にそうした予算を確保する必然性は全くないのです。
　地方も規模が大きいところは同じですが、タテ割りが激しくて、コロナ問題には対処できないのだということもまた今回判明しました。横断的組織として設置されたはずの内閣官房自体もタテ割りが激しくなって、省庁のタテ割りに対して、屋上屋を重ねる感じになってきていると思います。
　直接国で金を使わせると、今はこういうことしか出来ないのです。ボトムアップ社会の現実を踏まえて、コロナ問題への対処は、地域活性化を目指すための最大の契機と認識する必要があります。

大企業・中小企業の扱いと国と地方（2020.7.17）

　このところの国と地方（都）の動きを見ていて思いつくことがありました。
　４月15日付でフェースブックに次のようなことをアップしております。
「…新型コロナ特措法について、24条と45条の関係で、国と東京都とのやり取りを通じてはっきりしてきたことです。国は45条での対応（ある程度大きな事業者）を、２週間ほど様子を見た上で業種指定をして自粛要請をすることを考えていたようですが、都の方では24条により、全ての業種について自粛要請を直ちに出すということを目指していたということのようです。この都の意向が事前（４月７日に宣言を出しましたが、前日の６日）にわかったので、国との協議をする対象に小さな店まで含めることを、政令に基づく告示で７日に発布し、網をかける形になり、事実上都が24条により決めることに歯止めをかけた形になりました。この調整で、自粛要請は３日ほど遅れたことになります。…」

国は、大企業について対象としているが、中小企業については、基本的に地方が見るということになっているということです。中小企業庁などというのがありますが、実態を動かすのは地方の役割となっているということです。

この４月の自粛要請については、国としては、法律的には大企業だけを頭の中に描いていて、中小企業については全く念頭になかったが、都が中小企業に自粛要請をかけるという情報に接して慌てて中小企業にまで網をかけることにした。これを認めると国が補償をすることが当然とされてしまうのを避けたかったのではないでしょうか。いつも面倒を見ている大企業については、休業要請をしても補償が問題になることはないが、中小企業は自分たちの所管ではないし、これに補償をすることになると、全くどこまで面倒を見なくてはならないか、訳が分からなくなると思ったのだろうと思います。この世界には国会議員が必ず介入してくるので、この対応を優先することになっていきます。中小企業については、企業を取り仕切る上部団体組織を通じて対応させることになりました。このためには中小企業庁ほかの、所管組織を使っているのではないかと思います。どこが、上部団体を仕切っているかで、行政組織の力も決まってきます。

このように、国と地方の役割分担を見てみると、今回のGotoキャンペーンも同様の対応と考えることができます。議員（与党議員）の要望に応えることが国の行政の対応パターンになっているのが実態です。その場合、自分たち（中小企業庁や、団体を所管する官庁）を通じて、議員の要望に答える対応をしてきたということだと思います。これが、自治体の意向と合致しないというのは当たり前ということになると思います。

こういうパターンはこれからもいくらでもあることだと思いますが、国と業界団体と国会議員の関係がよく見える案件と言って良いと思います。国会議員（与党）は、選挙対策が一番ですから、行政機関としては、こうした要望をうまく収めることのできる予算を用意している訳です。

このことから言えることは、国会議員は常に自分ファースト、よく言って部分の奉仕者であって、全体の奉仕者ということは全くないということです。また、こうしたことから考えると、今回のゴリ押しは、選挙を見通した対応策ということしかないということになります。

また、こうした議員との付き合いは、行政としてはやむを得ない面があるということですが、このこと自体、国の役人も、とても国家公務員法上の全体の奉仕者と言えないということであると思います。

コロナで、国と地方の不整合が鮮明になりました。地方が様座mな対応の現場であるにもかかわらず、地方の実態を無視して国への権限集中が、行われた感があります。非常事態の中で、金を握っている国が、財政をコントロールするために地方の権限に抑制をかけたとみることができます。地方の現実よりも、金を財政当局の思う範囲に抑制することの方が政府にとって大事だっただけのことだと思います。

政策投入ポイントを変えるチャンス（2021.4.24）

私は、経済かコロナかではなくて、コロナ問題を通して経済の復活を考えるという発想を固めるべきである、と言ってきたのですが、これをもう少し具体的に詰めなければいけないかなと、思っています。

基本的には政策投入ポイントを徹底的に変えるということにつきます。コロナ問題の１番の問題は大企業問題ではなく、市民生活の安定維持にあることがはっきりしています。生産力拡大支援の政府構造を、消費拡大（需要力拡大）路線へ政策転換をするためのまたとない契機であると考えています。

そのために必要なところに中長期を睨んで政府は資金を投入することがなければなりません。医療の充実や介護、子育て、そして究極的には人材養成システムの再構築といったところに財源を振り向けていかなければなりません。併せてその資金投入が経済循環をより円滑に行われるようになるための方策を考えることが大事です。

そうすれば、金は巡り巡って旅行関係にも回るようになるのです。それまでの間は政府は直接、一定の支援をして耐えてもらうようにする方向を徹底するしかありません。支援をして人流を引き起こすような施策は、絶対にしてはいけないということです。一方で不足しているところに徹底して資金投入し、他方で止めざるを得ないところには直接支援をする、これによってこれからのニーズにあった方向が作られていくようになると思います。これから先の長期を見越して、それに見合う政策投入をすることが、結果的には経済の再生をもたらすことになると思います。この考えは、供給力の拡大政策から、需要力の拡大政策に基本的に転換をするということを意味しています。

今の政府は、携帯料金の引き下げや、乗車料金の利用時間による変更など民間の価格設定に介入する政策を当たり前としているみたいですが、成熟時代になった今、政府の価格介入などは愚策の典型です（他でもちょっと触れました）。何よりも必要なのは、現在の最大のポイントといってもよいPCR検査などの検査料金の統一こそやるべき政策です。これは今、公共として最大の課題であり、全ての検査料金を国が肩代わりすることで無料化することは当たり前のことです。それをしないで民間に委ねているなどということはとんでもないことです（これも前に書きましたが…）。

３）「武漢日記」感想

（2020.9.30）

方方（ファンファン）さんという中国の作家の「武漢日記」を読み

終わりました。確か、伊藤勲さんが読んでいる、というメッセージをフェースブックで見てからではないかと思いますが、注文した本が21日に届き、ようやく今日、読み終えました。本文で310ページという、かなり厚い冊子ですが、大変新鮮、かつ充実した内容で、日本語でもともと書いてあるのではないかと思わせるくらい、違和感のない翻訳でもありました。

武漢が封鎖されたのが2020年1月23日、その2日後からブログを書き始め、60篇、3月24日まで書き続けたという日記です。3月24日には、たまたま、封鎖解除が4月8日になるという通告もなされたということで、そこを日記としての整理をする期限とされたようです。読み進めるうちに、途中からは解除になった時の喜びの表現はどうなるのかと、ワクワクしながら読み進めたのですが、実際に解除されたのは日記としてまとめられてからさらに2週間ぐらいあったわけで、この日、3月24日も抑制的な内容になっていました。

読んでいて、特に驚いたのは、医療関係者を中心として、かなり50代前後の比較的若い方が亡くなっている記録が多く見られたことです。亡くなられた方々に対する著者の悲しみの深さを諸処に読み取ることができます。そして、封鎖の始まる20日前には事態が、かなりはっきりしていたのに、この期間に情報の隠蔽のあったことが、ここまで大きな影響をもたらした最大の要因であるという問題意識が、底流にあります。

日本では、保守政権に親和性を持つ「ネトウヨ」の人たちが、ことあるごとに大量に批判メッセージを発信する傾向があると聞いていますが、中国では、(保守)政権と親和性を持つ「ネトサヨ」の人たちが、このブログが発信されるごとに大量に批判文書を発信してきたようです。

しかし、方方さんの3月24日のブログは秀逸です。

「毎日私を包囲攻撃した極左分子には、特に感謝したい。彼らの激励がなかったら、私のように怠惰な人間はとっくに書くことをやめていただろう。あるいは、三日坊主で終わって、ここまで長いものは書けなかっただろう。私の気ままな日記を読む人も、これほど多くなかったはずだ。…（中略）…ここ数年、極左は水準が低いとはいえ、まるで新型コロナウィルスのように、少しずつ私たちの社会を蝕んでいる。特に官僚に取り入って、急速に多くの害毒を撒き散らしているのだ。…」

これだけでも、この日記に書かれている内容が見えてくる気がします。我が身（日本）でもこれに近い状況になりつつあるのではないでしょうか。はっきりとはわかりませんが、ブログが閉鎖されるという事態もあり、読んだ人や友人が、そうした局面をカバーして、続けることができたというのが実態のようです。

こうした全体を把握するだけでもかなり大変だったと思いますが、翻訳者のひとりである飯塚容（ゆとり）さんの「あとがき」の日付は2020年５月となっており、日記の２ヶ月後には翻訳が完成していたということがわかります。

４）明らかにされた福祉の姿～「新型コロナ禍の東京を駆ける」を読む

生活保護は、終のすみかか、それとも再起の出発点か。

（2020.12.4）

2020年11月21日に開催された『「新型コロナ禍と社会的連帯経済」を考える連続セミナー』の第３回で稲葉剛さんのお話を伺いました。その際、近日中に「新型コロナ禍の東京を駆ける」（岩波書店刊）という本を出版されるとのお話がありました。

セミナー終了後、この本を予約注文しておいたのですが、11月26日が初版発行日とのことで、28日に届き、最後の部分、60ページあまりを今朝方（12月３日早朝です）読み終えました。

稲葉さんの奥様である小林美穂子様の2020年４月８日から７月１日までの日記（「緊急事態宣言下の困窮者（以下、相談者と記述することにします）支援活動日記」）が、この本の中心的な部分を占めております。全体でもＢ６版186ページですから、それほど大部のものではなく読みやすいものでした。この時期の日記ということで、中国の作家、方方さんの「武漢日記」がなんとなく頭にちらつきながら、読んだ感じです。

ロックダウン下の武漢の記録とは読後感は違うのですが、日本の抱える課題を浮き彫りにしているという意味で、貴重な１冊ではないかと思いました。

一言で言うと、今まで一般の人たちからは、ある意味で隔離された社会で、あまり見えない状態で進められていた日本の福祉の厳しい現状が、新型コロナにより一挙に表に晒されるようになってきているということではないかと思います。稲葉さん、小林美穂子さんはじめ、支援ネットワークの方々は、その現実に直面しながら新しい状況をどう切り拓いて行けばいいか、それぞれの課題を抱えた方々に即して、支援に奔走しておられます。

支援する立場でのスタンスは、新型コロナ以前でもそうであったと思いますが、「ハウジングファースト」としておられます。「住まいは人権」という考え方に立って、相談者に独立して生活できる住まいを確保することを、至上命題として活動しておられます。生活保護などを考えれば、このことは新型コロナ以前と変わるところは全くないのですが、新型コロナの現実に直面して、際立って重要なことになったということがわかります。

従来の福祉の形からすると生活保護を求めて福祉事務所を訪れる、ホームレスの人たちに対して、生活保護でない形を模索するあり方が、事務所側のスタンスとしてかなり一般的な形として存在しており、時折これが問題になって表面化することもありました。それでも実情から止むを得ないというときには、住居を提供するパターンがありました。これが、無料低額宿泊所（無低）というところを紹介する形が多かったようです。民間活用という形で棲み分けの形として、比較的安定的な運営がなされてきたのではないかと思われます。しかし、これは、ホームレス状態からの脱却を願うものではなく、再生を目指す道を閉ざす、終焉の場の提供に過ぎないように思えます。当局サイドからすれば、できれば避けたい止むを得ない無駄金という位置づけで捉えてきたのではないでしょうか。

新型コロナは、このような今までのマニュアルに「ダメ」を突きつけてきたのです。何人もの人が物理的に1つの部屋で生活するパターンでは、全く新型コロナ対策としては不十分です。派遣切りにあって寮などから追い出された人、ネットカフェの閉鎖に伴って追い出された人たちにとって、1室で多人数の生活を余儀なくされる施設や無低では人権が守られないばかりか、いつ感染するかわからない状況を余儀なくされることを意味します。

今までのマニュアルでは対応できないケースが圧倒的に出てきているのに、福祉事務所の側では新しいマニュアルが作れず対応できないまま、というのが現実ではないでしょうか。たまたま訪れたコロナ危機であり、一過性のものとして捉えているのかもしれません。支援ネットワークの方々の戦いは、まず、こうした公的組織の対応への挑戦ということになっているのが実態となっています。

これは考えてみると実におかしな現実です。公的組織の存在は、人々の福祉の向上ということにあるはずです。しかし、相談者支援組織の人たちは、その公的組織に相談者本人とともに出かけて掛け合い、人権としての住まいの獲得と、そこを基地として新たな生活のスタートを目指そうと日々活動しているのです。こうした当たり前の発想が成り立たない現在の日本の福祉の実態の背景には、この間日本でこの道しかないとして進められてきた、新自由主義経済運営の影が見え隠れしているように思えてなりません。ここで同伴して役所と掛け合ってきている稲葉さんたちは、仲介者となっているということです。

この日記の中で、印象に残ったところはいくつもありますが、特に素晴らしいと思った記事は以下のとおりです。

『バラバラに動いているこの支援者と呼ばれる普通の人たちは、ご自分たちが超多忙なのにもかかわらず、私の乏しい人脈や専門知識をいつでもカバーしてくださる。「一緒だよ、頑張ろうね」と励ましてくれる。お互い会うこともなく、バラバラで動いているのに、同じ思いと同じ濃い時間を共有していると思える最強のネットワークにいつも助けられている。』

これはやや独りよがりではありますが、私たちが日本においてなんとか普及したいと願っている、社会的連帯経済の精神そのものであるように思えました。

この本では、稲葉さん小林美穂子さんのほか、同じ「つくろい東京ファンド」のメンバーである宍戸正博さん、佐々木大志郎さんの記事もあります。全体として、日記を含めて関わった相談者については何らかの良い結果をもたらした内容で終わっているのですが、一人だけ、途中で連絡が取れなくなってそのままになってしまい、心配を残している記述のところがありました。その方が元気でいずれかの場所で活躍しておられることを願うばかりです。

第9章

国際関係の今後

現在の新型コロナによるパンデミックが終息したのち、どのような社会が待ち受けているのだろうか。

国内的には、新自由主義経済政策の限界が明らかになって、新しい経済への模索が始まるのではないかという予感があります。その方向として、社会的連帯経済の考え方が広がりを見せて、中心的な貢献をする状況が生まれてくるかもしれないという希望を持つことはできるでしょうか。

少なくとも、国民経済全体にわたって所得の平準化をもたらす政策がとられて、その結果として新たな経済循環が円滑に回るようになり、生産も軌道に乗っていくことが期待されます。このためには、人々それぞれが持つ価値意識について、考える契機になればこのパンデミックも役割を果たしたということになるかもしれません。現代の日本社会に生きることの意義を再発見させてくれるようんあることを切に願うところです。

国際的には、中国の急速な台頭により、経済環境としても大きく変容を遂げつつある。ヨーロッパ、そしてアメリカの時代から中国の時代へと大きく変化を遂げている直中にあると言える。アメリカは、第2次大戦後、今まで唯一の超大国として覇権を維持してきて、先をゆく国を許さなかった。現に日本は、1980年代、経済的に頂点から引き摺り下ろされることとなり、それ以来、アメリカの下風に立つことを余儀なくされてきました。

人口の大きさが全てというわけではないが、21世紀に入って急速に成長を続ける中国が、1980年代の日本とはかなり違った局面にいると言わなければならない。そして、中国は、この時の日本の姿を見ているので、同じようになる事はまずないと考えられます。当時の日本とアメリカの関係と、現在の中国とアメリカの関係は同じではない。

台湾や、韓国も一人当たりのＧＤＰを購買力平価で見ると、すでに日本を凌駕している状態であり、これらと中国の状況を見ると、これからの世界をリードしていくのは、東アジア経済圏ではないかという感を強くする。日本は、速やかに新自由主義経済運営から脱却し、第３章で述べたような、新しい経済の取り組みを進めて、東アジア経済圏の重要なリーダーの一員としての役割を果たすべきであろう。

１）成熟社会化の進展

これから10年から20年先を展望する時、新自由主義経済に基づくグローバルな経済展開は続けていく余地は少なくなっていくと思われます。

新自由主義経済運営によるグローバル化が世界経済の対して持った貢献を考えると、２つの点が挙げられると思っている。１つは、途上国の経済発展に寄与したことである。もちろん途上国に対して安い労働力を使って自己利益のための企業経営を進めたこともある。しかし、全般的に（特に日本企業は）進出した国において、それぞれの企業の活動を通じて、共存共栄の形で役割を果たし、経済成長をもたらした面が大きかったのではないかと考える。政策的に経済発展をすることができるのだという希望を抱いたのは、まさに日本の経験を見てきたからだと言って良いであろう。途上国は、概ねテイクオフを果たし、経済成長の軌道にのせることに成功した。この日本の経験を見てきたという事はかなり重要な点である。

もう１つは、人材の育成である。現地で生産を続けるためには現場の人材の力を前提としているのであるから、企業活動を円滑に進めていくための教育は欠かすことができない。こうした中で、中国、韓国、台湾などでは、アメリカからのＩＴ企業の進出もあって、ＩＴでは日本を凌駕する人材が育っていった。この現象は、それぞれの国が、日本とことなってトップダウンの事業活動に適合する資質を持っているからである。

そしていくつかの国は、すでに成熟段階に到達するまでになりました。これから先は、日本をまねてもさらに豊かになることはできません。体質転換のノウハウを自ら見出していかなくてはならないところに来ていると言えます。

日本企業は、逆に、各地での生産活動に伴い経済成長が進むとともに人件費の上昇などにより、メリットが減じてきたと言えるでしょう。現地企業としてそれぞれの地域で生きることを選ぶか、日本回帰をするかという局面が近づいてきています。そのまま文字通りグローバル企業として活動を続けるか、さらに貧しい途上国での立地を試みるか、国内回帰かといういくつかの選択肢から、選んでいくことが大事になっていくと思います。

日本社会の特質——対外関係

日本人は、海外からのノウハウの吸収をする能力が高く、貪るごとくに新たな技術、知識、ノウハウの吸収を進めてきました。しかし、もはや新たな特別の知見がないとみてとると、精神的にも実態としても鎖国状態に入っていくことが多い。新たなものへの好奇心は強いのですが、もはや得るものがあまりないとなると、その熱意は何処かへ消え去っていってしまう感があります。

しかし、実際にはこれだけ世界が狭くなった社会なので、対外関係は今までにも増して深まっていくことが予想されますし、それは、めざすべき方向であることはまちがいありません。企業の対外進出のあり方は、それぞれの国は成熟に向かうにつれて全く違ったものとなっていくことが予想されます。

賃金も国内、外国ともに同じベースで考えなければならなくなる時代に入りつつあります。外国で安く作ることができるということで、海外進出を図る時代ではなくなってきているといって良いのです。つまりこれからの時代は、対等な関係の交流が今まで以上に求められる時代になってきたと言えるのです。果たして、年功序列賃金は見直さないまま継続していけるでしょうか。

そうした中での対外関係はいかなるものとなっていくのか、想像を巡らす必要があると思います。これからは様々な交流はさらに一層深まっていくでしょうが、他国の搾取を想定しない、対等な関係に基づく資本主義経済の時代となっていくように思われます。そして、成熟社会の対外関係は、経済だけではなく、文化・伝統も含めたそれぞれの特性をベースに置いた交流が進む時代と言って良いでしょう。可能性溢れる時代を展望することができるように思います。

経済の領域においても、営利関係だけでの取引関係ではなく、非営利や様々な小さな企業活動の成果を広く展開していく、社会的連帯経済が重要な意義を持つ時代になっていると考えることができます。企業活動だけが全てではない時代の到来でもあります。こういう時であればこそ、ウチに閉じこもるのではなく、対外諸地域との接触を求め、そこから自らのあり方を振り返ることが大事になっていると考えるところです。

転換期をクリアできなかった日本経済――経済成長指向型構造からの転換の失敗

もう1つ、考えたいことがあります。日本のように、後発で経済開発に入った国の政府の構造は、経済発展を主目的としてきたという実態があります。つまり、供給力拡大を目標とする政府の構造になっているということです。この政府が成熟状態に立ち至って、どのように自己変革を行うかは重大な意味を持っています。

しかしながら、こうした状態に立ち至っても日本政府の構造が変わったことは、見て取れません。私の認識では、そのチャンスは何度かあったのです。

橋本政権における行政改革の時には、一定の期待がありました。このタイミングに省庁再編が行われたのは、今から考えると、なぜこの時期に省庁再編の動きが強まったのか、今となってははっきりしません。ただ、意味合いとしては供給力拡大路線から需要力拡大路線への体制変革が求められていた時期であったのです。しかし、その要請は極めて大きかったにもかかわらず、単なる省庁再編に終わり、新たな時代への体制整備とはなりませんでした。

その後も新たな認識に切り替わることはないままでした。一時、人々の中では、鉄とコンクリートから人間へ、というスローガンなどに見られる方向転換に際して、賛同する大きな動きもありましたが、その形を継続するにいたりませんでした。

幾度かのチャンスがあったにもかかわらず、適切な選択が行われなかったことで、人々はあきらめとともに、新自由主義の方向を続けることとなっていきました。そして、日本が新自由主義経済にかまけている間にアジア諸国の経済は成長を続け、対等感を持つほどに成長してきました。日本の現在の形は、経済システムとしてはどう見ても持続可能なものではありません。このまま進めば、歪な構造から、破綻に向かうことになります。

2）途上国も成熟することを考える時期に来ている

途上国と言われた国々もだんだんと成熟に向かっています。途上国の生産力が高まり、成熟社会に到達するまでは、人件費もあげないわけにはいきませんから、生産コストは国内で作ったのと同じ状況にだんだんと近づいていきます。途上国が成熟状態になった時には、ものは供給できるが、買う人の限界から、日本と同じ状況が生まれていくことははっきりしています。

中国はまだそこに到達していません。6％の成長を遂げていく国が、経済的理由で崩壊することはあり得ません。現在はそこ（成熟社会）に向かう過渡期にあるのです。

成熟状態になっても、物作りによって新製品が生まれていくので、生産指向の体制は続けられると思うかもしれませんが、買う力が弱まっていくわけですから、当然ながら限界が生まれていきます。先のグラフ（p36）で見ることのできる、高度成長から中成長、そして停滞に向かうことは、需要と供給のバランスの変化の視点からを捉えてみると、よくわかります。

そして、途上国が成熟期に達した時に、世界の中でどのような変化が生まれるか、想像を巡らせてみましょう。現在は成熟した国家、そして途上国があるために、企業のグローバル展開が進んでいくと考えるとむしろわかりやすいと思います。海外進出をしても、国内と同じ状況になっていくと、海外における拠点づくりは有効な利益確保策ではなくなります。輸出も特に伸びるということはなくなります。

こうした中で利益を確保するために企業として今から考えられるのは、唯一無二のものを作るということです。これからは、新製品開発に向けた知恵の出し合いということになります。特許の制度に守られて、他者に同じものを作らせないというやり方もあると思います。そして、すでに起きているように、独占状況を維持すればいいという発想が、これから一層強くなっていくことになります。例えば農業生産の基本である種を独占するというようなやり方も行われているわけです。

アジアの変貌の中で日本のスタンスの見直しが求められる

現在、アジアの諸国は、かなり順調に成長を遂げてきており、グローバル展開を図ろうとする日本企業の方針ももはや転換点を迎えています。

これからは、それぞれ高度に発展を遂げた国同士、どういう関係を作っていくべきか、真剣に考えなければいけない時代に入ってきています。周辺国では続々と新しい時代に踏み込もうとしているのに、日本は一体何をしているのか、不思議で仕方ありません。

アジア諸国においても経済成長が進み、日本が新自由主義経済に取り込まれている間に、新しい経済に向けた模索が進んでいます。生産力の高まりから成熟社会としての方向の模索が始まっているのです。

その典型的事例が、ソウル市の社会的経済への動きであると言って良いでしょう。

中長期的に見れば、全てのアジアの国々がそうした状況に到達することになる。

高度経済成長は、生産力が高まった社会では必ず終焉を迎える。需要は無限ではない。そうなった時に、国民全体が豊かな生活を確立するために、どのような形が良いか、そろそろ考えなくてはいけない状況に来ているのではないか。

日本としても、外国人労働者の受け入れ問題にいたずらに奔走するのではなく、近い将来訪れる、成熟アジア社会における関係のあり方に目を向けるべき時が来ていると思う。

新型コロナに直面し、先が見通せない中で、経済かコロナ対策か、という選択が今問われてます。

しかし２択問題ではなく、中長期を展望しつつ、コロナ対策を進めることが最大の経済政策ではないかと考えています。

コロナ対策は、さまざまな分野で需要力の拡大へと政策転換するための、またとないチャンスと捉えることができるのではないでしょうか。ここで方向を見誤ってはいけません。

３）豊かなアジア～対等関係の経済運営へ

> これからは、世界的に見ても大きな転換期が訪れつつあると言ってよく、その課題として、気候変動問題から来る限界から経済のあり方を見直す動きが強まってきています。同時に、そのことと関連して、国際的にも経済自体の大きな転換期が展望されるところにさしかかってきているのですから、ここでは先を展望して、積極的に国際的な経済運営のためのルールづくりを進めることが求められていると思います。

世界の経済発展段階について

W.W.ロストウは50年余り前の著書、「経済成長の諸段階」（THE STAGES OF ECONOMIC GROWTH）で、「すべての社会は、その経済的次元において次の５つの範疇のいずれかにあると見ることができる。すなわち、伝統的社会、離陸（テイクオフ）のための先行条件期、離陸、成熟への前進、そして高度大衆消費時代のいずれかである。」（第２章、５つの成長段階の冒頭、ｐ７）としています。大学時代にこれを読んで、このことが頭のどこかに残っていたのかもしれません。離陸から成熟に達するまでの期間は、国によって違いはありますが、およそ40年から60年と書いてあります。日本で技術的成熟が達成された象徴的な日付としては1940年が挙げられています。これに当てはめてみると、日本は戦争における敗北から、一度振り出しに近いところまで戻り、再び成長軌道に乗り、1980年代に成熟段階に達したということでしょうか。

この後、高度大衆消費時代となるというはずなのですが、現実には、こうした転換点から、新たな技術開発のあり方などによって違いが出てくるとしています。第６章の高度大衆消費時代では、「経済学の専門的見地から言えば、成熟に近づき、さらにそれを越えて進んでいくにつれて、社会のバランスは供給から需要へ、生産の問題から消費の問題へ、そして最も広い意味での福祉の問題へと移っていったのである。」（p99）

「成熟後の段階においては、資源と政治的支持とを獲得するためにある程度互いに競合する３つの主要目的が存在していた。…第１は、対外的な勢力と影響力を国家的に追求すること、すなわち、増大した資源を軍事政策および対外政策にふり向けることである。…第２の方向をわれわれは福祉国家と呼ぶことができる。…第３の可能な方向は、消費水準を基本的な衣食住を超えて拡大することであった…。」（p99,100）

軍事国家、福祉国家、大衆消費（社会）国家という３つの方向があるということであるかと思います。この軍事国家という点については、消費の限界から、足りない需要部分を軍備に費やすことによって生産、消費のバランスを取るという方向であり、これによって、マクロベースの需要と供給のバランスをとっていこうとする考え方になります。軍事産業を需要するのは政府ですが、このことで供給力拡大を続けることができると言うことを意味すると思います。しかし、現在のアメリカでは、それにも増して貧富の格差拡大に耐えきれないとする動きが、運動として高まりを増しています。人々の需要力を高めることの方が、はるかに大事だとする動きであると考えることができます。中国との覇権を争っている時ではないように思います。

日本が買われる

日本が海外進出したのと同じことを、今中国が進めている。中国の高度成長はあと十年ぐらいは続くと思われます。中国の試練は、高度経済成長が終焉を迎えた時に現れてくるのではないでしょうか。

立場が逆転し、かつての日本はアメリカを買って顰蹙を買いましたが、今は日本が中国、その他の国々に買われています。しかも、巧妙に買収されているため、直接関わる人たち以外はその実態をよく知らないままになっています。タテ社会であるが故に、社会全体の有り様からすると問題があっても、今の日本では皆自らに関わりがなければ、よほどのことがない限り声をあげないのが実態のようです。これは当然です。当事者にとって買われる事は利益があるからです。また、海外（金融）資本に日本企業の株式も相当程度買われています。海外（金融）資本は綿密な分析のもと、利益の出る企業、内部留保の大きな企業が買って行くという対応がとられていると思います。今の状態では、これら資本参入のケースは、原丈人さんが批判されているように、短期利益確保に動いている面が大きいと言えます。という事は、日本の資産は、現在、急速に海外に吸い取られているということが実態としてあるではないかと思うところです。

しかし、脅威に一喜一憂するよりは、ウチなる社会のあり方に目を向けるべきではないでしょうか。堤未果さんの警告があるにもかかわらず、日本は嬉々としてこの方向を、自ら選択して進んでいるように見えて仕方ありません。

平和を作り出す可能性を持った日本語人・日本の可能性について

> 4年近く前に、横浜の参加型システム研究所の機関誌に書いた記事があります。日本語の特性からすると平和を作り出す可能性があるとしたものです。以下に示しておきます。日本語の特性を認識することから、国際的な場における私たちの活躍の可能性はずっと広がっていくと私は考えています。

日本語を廃止し、外国語を国語として採用しようという考え方を、明治の初めの時期に主張された方々がいるのをご存知でしょうか。これは実現しませんでしたが、こうした考えは潜在的にずっとあったようで、戦後においても、国語を別の言語にという話や、日本語を全てローマ字表記にというような動きがありました。そして今も企業活動の中で、英語を基本言語として扱う動きや、公用語を英語にする特区を作ろうとする国の動きも見られます。日本語は国際的な活動を進める上であまり好ましい言語ではないと思われてきたようです。なぜこのような動きが出てくるのでしょうか。

敬語について

日本語の敬語は、尊敬語、謙譲語、丁寧語、あるいはまた女性語とあります。相手次第で敬語の使い分けをするのが当たり前というのが日本語の特質です。これは相対的敬語と言われて、おそらく世界中で日本語だけの特徴ではないでしょうか。話す相手次第で話し方が変わるので、考えてみれば、大変難しい会話を私たちは日頃行っているのです。そして、この相対的敬語と合わせて、身近なところでの話し方の実態から、「日本語は、話そうとする相手の立場に立って　モノ言う言語」であると考えるようになりました。

忖度言語としての日本語

日本語は、相手を忖度する言語（忖度言語と言っても良いと思います）、おもてなし言語、さらには相手の考えを推し量って対応をするという点で、インテリジェンス的な言語構造を持っているのです。常に、相手の立場を忖度しながら発信するのが日本語なのです。

こう考えると、外国の人と私たち日本人が話をするとなると、自己主張型言語と忖度言語のぶつかり合いになり、日本人は受け身になりがちになるのも頷けます。外国の人から見ると、物言わずニコニコしているだけの不気味な存在ということも言われます。このような言語であることが、日本語を廃止したいという発想を生み出しているように思います。海外からの帰国子女が、国内の学校でうまくコミュニケーションを交わせないことがあったりするのも、同じ現象の裏返しでしょう。

不登校・ひきこもり問題

自己主張に走る子どもを躾けないと一人前にならないのですが、日本では「子どもは親の背中を見て育つ」に含意されているように、自発性の発揮を促すことがむしろ大事なのです。

不登校・引きこもりも、この日本語の特質から生まれていると考えています。日本の高度経済成長期の都会への移動に伴う核家族化により、子ども達同士のコミュニケーション環境が様変わりしたことと、核家族になった中での親の躾け過ぎに起因していると考えています。感性豊かな子どもたちほど陥りやすい陥穽（かんせい）です。これからの知識集約社会で活躍すべき、感性の鋭い若者たちの一部は、今は生きる危機に立たされているのです。不登校等は学校問題ではなく、社会問題と考えて解決を図らなくてはいけません。

忖度のあり方について

日本人としてみれば、当たり前のあり方に過ぎません。しかし、私たちは自ら、忖度言語のもとで生活しているという自覚がないまま、いかに相手に対応するか必死で考え、行動しているので、往々にして行き過ぎるのです。政治の世界で身内重視になりやすいのも、この日本語特性の延長です。もし、これが私たちに内在する特質であると自覚するなら、許される忖度と、許容できない忖度の領域とを分けて考えなければなりません。特に政治の世界では明示的ルールを設け、忖度を排除するようにしないと、日本語特性に発することなので、問題を永久に引きずっていくことになります。

日本語の特質を再評価しよう

ところで、相手を忖度して自分の言い方を考える言語、日本語は、その認識の上に立てば、国際的に見ても様々な対応をとることができる言語として、高く評価できるはずであると考えます。相手の立場に立ってものいう言語ですから、自己主張言語のように、相手に勝つことだけを考えて使うのとは質が違います。相手のことを考えてモノを言うということは、相互交流を通して「平和を作り出す言語」と言って良いと思います。このように考えて、今一度自覚的に日本語の特性というものについて、捉え直しをすることをお勧めしたいと思っているところです（参加システム2017年11月号）

参考文献等

第1章

なぜソーシャルセクターも信頼性は海外に比べて低いのか　2021/4/1　ファンドレックス　インパクト・ラボ

生命（いのち）の「社会的経済」幸福に向かう共生の道のり　金 起燮　2020/7/30　地湧社

ルポ つながりの経済を創る――スペイン発「もうひとつの世界」への道　工藤 律子　2020/4/16　岩波書店

ラテンアメリカの連帯経済 コモン・グッドの再生をめざして　幡谷 則子　2019/11/15　ぎょうせい

贈与と共生の経済倫理学――ポランニーで読み解く金子美登の実践と「お礼制」　折戸えとな　2019/1/22　ヘウレーカ

地域に根差してみんなの力で起業する：協同組合で実現する社会的連帯経済　キム・ヒョンデ　2018/6/19　彩流社

ソウルの市民民主主義：日本の政治を変えるために　白石孝編著　2018/3/30　コモンズ

2030年 未来への選択（日経プレミアシリーズ）　西川潤　2018/1/13　日本経済新聞出版

共生と共歓の世界を創る～グローバルな社会的連帯経済を目指して～　丸山茂樹　2017/10/1　社会評論社

共生主義宣言：経済成長なき時代をどう生きるか　西川潤　2017/4/5　コモンズ

社会的連帯経済入門　廣田裕之　2016/12/10　集広舎

「社会的経済」って何？～社会変革を目指すグローバルな市民連帯へ～　ソウル宣言の会　2015/2/25　社会評論社

GSEF2014の記録　ソウル宣言の会　2015/1/1

STATUS OF SOCIAL ECONOMY DEVELOPEMENT IN SEOUL　2015/1/1　ソウル市

平等社会　リチャード・ウィルキンソン　2010/3/26　東洋経済新報社

［新訳］大転換　カール・ポラニー　2009/6/19　東洋経済新報社

社会的経済と私たち　福祉クラブ生協　2009/1/1

連帯経済の可能性―ラテンアメリカにおける草の根の経験（サピエンティア）　アルバート・O. ハーシュマン　2008/12/1　法政大学出

版局
連帯経済　西川 潤　2007/8/31　明石書店
社会的経済の促進・世界の動き　市民セクター政策機構　2005/1/1　市民セクター政策機構
韓国市民運動家のまなざし～日本社会の希望を求めて　朴元淳　2003/9/1　風土社
人間のための経済学―開発と貧困を考える　西川 潤　2000/11/27　岩波書店
バスク・モンドラゴン―協同組合の町から　石塚 秀雄　1991/12/6　彩流社
共生社会の論理―いのちと暮らしの社会経済学　古沢 広祐　1988/6/1　学陽書房

第2章

特集「シンポジウム・かながわの戦後70年と革新自治体」 自治研かながわ月報　2016/2/1　神奈川県地方自治研究センター
地方の時代と長洲県政　中出 幸夫　2015/4/1
知事と補佐官～長洲神奈川県政の 20年　久保孝雄　2006/6/1　敬文堂
知識経済とサイエンスパーク～グローバル時代の起業都市戦略　久保孝雄/原田誠　2001/10/5　日本評論社
地方の時代と自治体革新　長洲一二　1980/11/30　日本評論社

第3章

新自由主義にゆがむ公共政策 生活者のための政治とは何か（朝日選書）　新藤 宗幸　2020/12/10　朝日新聞出版
武建一が語る 大資本はなぜ私たちを恐れるのか　武 建一　2020/11/30　（株）旬報社
都構想」を止めて大阪を豊かにする5つの方法　大石 あきこ　2020/4/3　アイエス・エヌ
資本主義の新しい形（シリーズ現代経済の展望）　諸富徹　2020/1/30　岩波書店
「れいわ現象」の正体（ポプラ新書）　牧内 昇平　2019/12/11　ポプラ社
いまこそ知りたいシェアリングエコノミー　長田 英知　2019/9/27　ディスカヴァー・トゥエンティワン

売り渡される食の安全（角川新書） 山田 正彦 2019/8/10 KADOKAWA
資本主義の終わりか、人間の終焉か? 未来への大分岐（集英社新書） マルクス・ガブリエル 2019/8/9 集英社
日本が売られる（幻冬舎新書）堤未果 2018/10/4 幻冬社
大不平等――エレファントカーブが予測する未来 ブランコ・ミラノヴィッチ 2017/6/10 みすず書房
閉じてゆく帝国と逆説の21世紀経済（集英社新書） 水野 和夫 2017/5/17 集英社
「公益」資本主義 英米型資本主義の終焉（文春新書） 原 丈人 2017/3/17 文藝春秋
増補 21世紀の国富論 原 丈人 2013/9/27 平凡社
新装・増補版「捨てる！」技術（宝島社新書） 辰巳 渚 2005/12/1 宝島社
経済成長の諸段階 W.W.ロストウ 木村健康ほか訳 1961/6/21 ダイヤモンド社

第4章

ファーウェイと米中5G戦争（講談社+α新書） 近藤 大介 2019/7/20 講談社
操られる民主主義：デジタル・テクノロジーはいかにして社会を破壊するか Bartlett,Jamie 2018/9/20 草思社
the four GAFA 四騎士が創り変えた世界 スコット・ギャロウェイ, 渡会 圭子 2018/7/27 東洋経済新報社

第5章

つくられた格差～不公平税制が生んだ所得の不平等～ エマニュエル・サエズ, ガブリエル・ズックマン, 山田 美明 2020/9/30 光文社
職業政治家 小沢一郎 佐藤章 220/9/10 朝日新聞出版
同調圧力（角川新書） 望月 衣塑子 2019/6/8 KADOKAWA
「反緊縮！」宣言 松尾 匡 2019/5/23 亜紀書房
企業ファースト化する日本：虚妄の「働き方改革」を問う 竹信 三恵子 2019/2/23 岩波書店
そろそろ左派は〈経済〉を語ろう――レフト3.0の政治経済学 ブレイディ みかこ 2018/4/25 亜紀書房

経済の時代の終焉（シリーズ 現代経済の展望） 井手 英策 2015/1/30 岩波書店

第6章

日本型組織の病を考える（角川新書） 村木 厚子 2018/8/10 KADOKAWA
改革の不条理 日本の組織ではなぜ改悪がはびこるのか（朝日文庫） 菊澤 研宗 2018/5/7 朝日新聞出版
千年企業の大逆転 野村進 2014/8/10 文藝春秋
千年働いてきました～老舗企業大国ニッポン～ 野村進 2006/5/25 角川ONEテーマ21

第7章

学校がゆがめる子どもの心「道徳」教科化の問題点 市民セクター政策機構 2019/4/15 ほんの木
3000万語の格差：赤ちゃんの脳をつくる、親と保育者の話しかけ ダナ・サスキンド 2018/5/14 明石書店
日本語人の脳 角田 忠信 2016/4/15 言叢社
いじめ加害者を厳罰にせよ（ベスト新書） 内藤 朝雄 2012/10/10 ベストセラーズ
いじめの構造―なぜ人が怪物になるのか（講談社現代新書） 内藤 朝雄 2009/3/19 講談社
逝きし世の面影（平凡社ライブラリー） 渡辺 京二 2005/9/1 平凡社
いじめの社会理論―その生態学的秩序の生成と解体 内藤 朝雄 2001/7/1 柏書房
資本主義、社会主義、民主主義 シュンペーター 1942/1/1 東洋経済新報社

第8章

私がホームレスだったころ：台湾のソーシャルワーカーが支える未来への一歩 李玟萱 2021/7/1 白水社
新型コロナ災害緊急アクション活動日誌 2020.4 - 2021.3 瀬戸大作 2021/6/17 社会評論社
アンダークラス化する若者たち――生活保障をどう立て直すか 宮本みち子 2021/3/26 明石書店

日本型新自由主義の破綻：アベノミクスとポスト・コロナの時代　稲垣久和　2020/12/25　春秋社
おれは無関心なあなたを傷つけたい　村本 大輔　2020/12/16　ダイヤモンド社
コロナ禍の東京を駆ける：緊急事態宣言下の困窮者支援日記　稲葉 剛　2020/11/30　岩波書店
武漢日記：封鎖下60日の魂の記録　方方　2020/9/8　河出書房新社
コロナが加速する格差消費 分断される階層の真実（朝日新書）　三浦展　2020/6/12　朝日新聞出版

第9章

未来の中国年表 超高齢大国でこれから起こること（講談社現代新書）近藤 大介　2018/6/21　講談社
「日米基軸」幻想（詩想社新書）　白井聡, 進藤榮一　2018/6/8　詩想社
台頭する中国における東アジア共同体論の展開　徐 涛　2018/3/21　花書院
脱 大日本主義（平凡社新書846）　鳩山 友紀夫　2017/6/15　平凡社
日本語が世界を平和にするこれだけの理由　金谷武洋　2014/6/25　飛鳥新社
驚くべき日本語　ロジャー・パルバース　2014/1/29　集英社インターナショナル
変わる世界 変われるか日本～対米自立と日中共生へ　久保孝雄　2013/7/17　東洋書店
日本法人のまなざし～未踏の時代の経済・社会を観る～　井上良一　2018/1/15　社会評論社
廣田裕之さんのブログのページ　https://ecosoljp.wordpress.com/2014/09/14/「廣田裕之の社会的連帯経済ウォッチ」記事内容/
石塚秀雄さんのホームページ　http://e-kyodo.sakura.ne.jp/ishizuka/index.htm
社会的連帯経済を推進する会　https://www.ssejapan.org
久保孝雄さんのツイッター　@kubotakao2019

エピローグ

本書をある程度整理し終えた後、このコンテンツを中心に曼荼羅を作成してみたいと思いました。途中ではあまり念頭において作業を進めたということではなかったのですが、９章構成にしたこと自体、そうした思いがあったためと言えます。ただ、あまり明確な意図を持っていたわけではありません。

ＩＴのプロで、曼荼羅に関するさまざまな取り組みをしてきた小林信三さんには、さまざまな曼荼羅関連事項を教えてもらっておりましたが、自分としては理解はあまり進んだとも言えず、小林さんの真似をしてきた程度のものであることはまちがいありません。

具体的に取り組みを始めたのは８月に入ってからで、小林さんに教えてもらい、彼の作ったソフトに入れ込む形で、再整理に取り組むことを始めました。

そして、64項目＋９項目を設定することは、それほど難しいことではありませんでした。同時に、それぞれの趣旨をコメント欄に書き込むことも始めたのですが、ここでの書き込む内容に悩むということもなく、全体を数日で書き上げました。

現在の作りとは異なり、最初は文章の形で整理しておりました。この文章自体、長いものと短いものはさまざま出てきたのは当然ですが、自分の思いの走るところは長く、そうでもいないところはそれなりの文章となったと思います。

ここで、文字数制限がかかっていたこともあり、小林さんに確認をとったところ、コメントは、文章にすると長くなりがちなので、読まれにくい。曼荼羅の趣旨から、一見してわかるぐらいに簡便な表現が良いという示唆を受け、コメントの全体を、文章の趣旨に沿って箇条書き風に改めることにしました。それでも長くなったところがいくつもありますが、現在のコメント欄におけるかたちになりました。文章自体もなくしてしまうには忍びなかったので、リンク先に移動し、同時に英文表記を追加することにしました。(内容は、DEEPLによる機械翻訳です。)

この曼荼羅づくりは、自分にとっては思いがけずとても楽しいものになりました。同時に冊子の本文でまとめることのできなかった考えがいくつも湧いてきて、自分にとってはとても貴重なものとなっていきました。

今まで考えてきたことを１つの象徴的な概念で表現することができると思うようになったのも確かです。本書において、述べたかった最大のポイントは、日本のこれからを考えたときに、「『企業の政府』から『市民の政府』への構造転換を図ることである」と結論づけても良いように思います。ここには、国から地方へという考え方も含意されています。

これは私の成熟社会論そのものから引き出される考え方でもあります。・・供給力が需要を遥かに超える社会になったときに、需要力を拡大することが、不可欠であり、それで経済は円滑な循環を作り出す。それを達成するためには、政治的な転換がなければならない。それがすなわち、「企業の政府」から「市民の政府」への転換ということに象徴されることになるということです。

「企業の政府」とは明治以来経済発展をひたすら求めてきた日本の官僚制度による政府であり、現在行きついている先が「新自由主義経済」といって良いと思います。一方、「市民の政府」は亡くなられた田村明先生が主張された政府のかたちでもありますが、ここに私としては、政府の構造自体を需要力拡大に向ける形に作り替えるという意味合いを込めることが出来ると考えました。「市民の政府」にあっては、企業ばかりでなく、協同組合、さまざまな非営利活動、社会的連帯経済の領域を包み込むものであると言えると思います。

そして、政府の資金が、全て、人々の需要力拡大に充てられるようになったときに、北欧型の高負担を容認する政府の構造も展望できるようになるということでもあります。今の状態で増税をしても、「企業の政府」のままですから、その増税分は、経済循環をさらに歪（いびつ）にする供給力増加に向かい、需要力増強には決して向かわないのです。

そして、この政府の構造の転換を図る前に、政治と行政、端的に言えば、政治家と官僚の立ち位置の見直しが不可欠と言わなければなりません。日本社会の牽引者について、基本的な見直しをしない限り、「市民の政府」はまだまだ遠い夢の世界といっても良いと思います。

以上のようなことが曼荼羅を作る過程でよりはっきりとした確信となってきたと言って良いと思います。

今まで、社会的連帯経済を考える会の皆様、久保孝雄様、21世紀を考える会の皆様、学生時代の学友をはじめ多くの皆様にご指導をいただいたことに厚くお礼を申し上げます。そして曼荼羅を通して、私の中の世界を作ることを常に支援してきてくださった、小林信三さんには、心より感謝申し上げます。

2021年10月

井上 良一

索引

あ

か

さ

た

な

は

ま

や

ら

わ

著者紹介

井上良一（いのうえ・りょういち）

1943年生まれ

1967年慶應義塾大学経済学部卒。神奈川県庁勤務。2004年３月同庁を定年退職。在職期間の半分以上、システム開発などの情報関連業務に従事。また、県在職中より、日本語の特質からくる日本社会の特徴について、関心を抱いてきた。

現在：社会的連帯経済を推進する会の事務局の一員として活動。

著書：『[なじみ］の構造～日本人の時間意識』（1996年、創知社)、日本語人のまなざし～未踏の時代の経済・社会を観る～（2018年、社会評論社）

社会的連帯経済への道

――[続]未踏の時代の経済・社会を観る

2021 年 12 月 24 日　初版第 1 刷発行

著　者―――――　井上良一

装幀デザイン――　中野多恵子

発行人―――――　松田健二

発行所―――――　株式会社　社会評論社

東京都文京区本郷 2-3-10　お茶の水ビル

TEL. 03-3814-3861/FAX. 03-3818-2808

http://www.shahyo.com

組版･印刷･製本 ―　株式会社ミツワ

Printed in Japan